SLAAP

LARS KEPLER BIJ UITGEVERIJ CARGO

Hypnose
Contract
Getuige

Lars Kepler

Slaap

Vertaald door Jasper Popma en Clementine Luijten

2013

DE BEZIGE BIJ

AMSTERDAM

Cargo is een imprint van Uitgeverij De Bezige Bij, Amsterdam

Copyright © 2012 Lars Kepler
First published in the Dutch language by arrangement with Bonnier Group
Agency, Stockholm, Sweden
Copyright Nederlandse vertaling © 2013 Jasper Popma en Clementine Luijten
Oorspronkelijke titel *Sandmannen*
Oorspronkelijke uitgever Albert Bonniers Förlag, Stockholm
Omslagontwerp Studio Jan de Boer
Omslagillustratie © Svetlana Sewell/Arcangel Images
Foto auteur Anna-Lena Ahlström
Vormgeving binnenwerk Peter Verwey, Heemstede
Druk Bariet, Steenwijk

ISBN 978 90 234 7735 8
NUR 305

www.uitgeverijcargo.nl

Het is midden in de nacht en er waait sneeuw vanaf zee over het land. Een jonge man loopt over een hoge spoorbrug richting Stockholm. Zijn gezicht is bleek als matglas. Zijn spijkerbroek is stijf van bevroren bloed. Hij loopt tussen de rails en stapt over de dwarsliggers. Vijftig meter onder hem is vagelijk het ijs op de fjord te zien, als een reep laken. De witte bomen en de oliereservoirs in de haven zijn amper zichtbaar; sneeuw wervelt door het schijnsel van de containerkranen diep onder hem.

Warm bloed loopt langs zijn linkeronderarm, zijn hand in en druppelt van zijn vingertoppen.

Er klinkt gesuis en gefluit als een nachttrein over de twee kilometer lange brug komt aangereden.

De jonge man wankelt even, gaat op het spoor zitten, maar komt dan weer overeind en loopt verder.

Voor de trein wordt lucht weggestoten en het zicht wordt belemmerd door stuifsneeuw. De Traxx-locomotief rijdt al midden op de brug als de machinist de man op het spoor gewaarwordt. Hij toetert en ziet dat de gestalte bijna omvalt, een grote stap naar links zet, naar het naastgelegen spoor, en de smalle reling vastgrijpt.

De kleren fladderen om het lichaam van de man. De brug onder zijn voeten schudt hevig. Met wijd opengesperde ogen en zijn hand om de reling staat hij stil.

Alles bestaat uit wervelende sneeuw en gapende duisternis.

Als hij verder loopt, moet hij zijn vastvriezende hand lostrekken van de reling.

Zijn naam is Mikael Kohler-Frost. Hij is dertien jaar vermist geweest, en al zeven jaar doodverklaard.

1

Het hek van staal slaat met een zwaar geluid dicht achter de nieuwe arts. De metalige echo schiet langs hem heen, de wenteltrap af.

Er loopt een rilling over de rug van Anders Rönn als het opeens volkomen stil is.

Vanaf vandaag werkt hij op de gesloten forensisch psychiatrische afdeling.

In de strikt geïsoleerde bunker zit de inmiddels oude Jurek Walter nu al dertien jaar. Hij is veroordeeld tot dwangverpleging met bijzondere ontslagtoetsing.

De jonge arts weet niet veel meer van zijn patiënt dan dat hij de diagnose 'Schizofrenie, niet nader gespecificeerd. Chaotisch denken. Terugkerende acute psychotische toestand met bizarre en zeer gewelddadige trekken' heeft gekregen.

Anders Rönn legitimeert zich op de onderste verdieping, levert zijn telefoon in en hangt de sleutel van het traliehek in de kast, waarna de bewaarster de eerste deur van de sluis opent. Hij gaat naar binnen, wacht tot de deur dicht is en loopt verder. Als er een signaal klinkt, opent de bewaarster ook de tweede deur. Anders draait zich om en wuift naar haar voordat hij door de gang naar de personeelskamer van de isoleerafdeling loopt.

Chef-arts Roland Brolin is een stevige man van een jaar of vijftig met hangende schouders en stekeltjeshaar. Hij staat onder de ventilator in de pantry te roken en bladert in het vakbondstijdschrift voor verplegend personeel door een artikel over de loonkloof tussen mannen en vrouwen.

'Jurek Walter mag nooit alleen gelaten worden met iemand van het personeel,' zegt de chef-arts. 'Hij mag nooit andere patiënten ontmoeten, hij mag geen bezoek ontvangen en hij mag nooit naar buiten op de luchtplaats. Ook niet...'

7

'Nooit?' vraagt Anders. 'Het is toch niet toegestaan om iemand op te sluiten...'

'Nee, inderdaad,' zegt Roland kortaf.

'Wat heeft hij eigenlijk gedaan?'

'Een paar leuke dingetjes,' antwoordt Roland en hij loopt richting de gang.

Hoewel Jurek Walter de ergste seriemoordenaar is die Zweden ooit gekend heeft, is hij onbekend bij de bevolking. De rechtszaken in het Rådhuset en het Wrangelska Palatset waren besloten en nog altijd zijn niet alle documenten openbaar.

Anders Rönn en chef-arts Roland Brolin passeren een volgende veiligheidsdeur en een jonge vrouw met getatoeëerde armen en gepiercete wangen knipoogt naar ze.

'Kom heelhuids terug,' zegt ze kort.

'Maak je geen zorgen,' zegt Roland met gedempte stem tegen Anders. 'Jurek Walter is een rustige, oudere man. Hij vecht niet en verheft zijn stem niet. Onze hoofdregel is dat we nooit, maar dan ook nooit, bij hem naar binnen gaan. Maar Leffe, die nachtdienst had, heeft gezien dat hij een mes onder zijn matras heeft verstopt, en dat moeten we natuurlijk in beslag nemen.'

'Hoe moeten we dat doen?' vraagt Anders.

'We overtreden de regels.'

'Gaan we bij Walter naar binnen?'

'Jij gaat bij hem naar binnen... en vraagt vriendelijk of hij je het mes wil geven.'

'Moet ik naar binnen gaan...?'

Roland Brolin lacht hard en legt dan uit dat ze doen alsof ze de patiënt een spuit Risperdal komen geven, net als altijd, maar hem in plaats daarvan een overdosis Zypadhera toedienen.

De chef-arts haalt zijn kaart door nog een lezer en toetst een code in. Er klinkt een piep en het slot van de veiligheidsdeur klikt.

'Wacht,' zegt Roland en hij haalt een doosje met gele oordoppen tevoorschijn.

'Je zei dat hij niet schreeuwt.'

Roland glimlacht mat, neemt zijn nieuwe collega met vermoeide ogen op en slaakt een diepe zucht voordat hij het begint uit te leggen.

'Jurek Walter zal tegen je praten, heel rustig, best gezellig,' vertelt hij met ernstige stem. 'Maar later op de avond, als je naar huis rijdt, geef je een zwiep aan je stuur zodat je op de andere weghelft belandt en frontaal tegen een vrachtwagen botst... of je gaat even langs de bouwmarkt en koopt een bijl voordat je je kinderen uit de crèche ophaalt.'

'Moet ik nu bang worden?' vraagt Anders glimlachend.

'Nee, maar hopelijk wel voorzichtig,' zegt Roland.

Anders heeft meestal geen geluk, maar toen hij in het tijdschrift van de Artsenbond de advertentie las voor een langdurige fulltimevervanging op de gesloten afdeling van het Löwenströmska-ziekenhuis begon zijn hart sneller te kloppen.

Het is maar twintig minuten rijden van zijn huis en de lange vervanging zou tot een vaste aanstelling kunnen leiden.

Na zijn coschappen in het Skaraborgs-ziekenhuis en een medisch centrum in Huddinge heeft hij moeten rondkomen van tijdelijke aanstellingen bij het psychiatrisch ziekenhuis Sankt Sigfrids.

De lange reizen naar Växjö en de onregelmatige werktijden waren niet te combineren met Petra's baan bij de gemeentelijke afdeling voor Sport en Recreatie en Agnes' autistische stoornis.

Twee weken geleden nog maar hadden Anders en Petra aan de keukentafel gezeten in een poging te doorzien hoe ze het moesten aanpakken.

'Zo gaat het niet langer,' zei hij heel rustig.

'Wat moeten we doen?' fluisterde ze.

'Ik weet het niet,' antwoordde Anders en hij veegde de tranen van haar wangen.

Agnes' persoonlijk begeleider op het kinderdagverblijf had verteld dat Agnes een rotdag had gehad. Ze had geweigerd haar melkbeker los te laten en de andere kinderen hadden gelachen. Ze kon niet accepteren dat het tussendoortje voorbij was, aangezien haar vader haar niet zoals anders had opgehaald. Hij was direct uit Växjö naar het kinderdagverblijf gereden, maar hij was er pas tegen zessen. Agnes had nog steeds met haar handen om de beker in de kantine gezeten.

Toen ze thuiskwamen, was Agnes in haar kamer gaan staan, had naar de muur naast het poppenhuis gekeken terwijl ze op haar introverte manier in haar handen klapte. Ze weten niet wat ze daar ziet, maar ze zegt dat er grijze stokjes langskomen die ze moet tellen en stoppen. Dat doet ze als ze hevige angsten heeft. Soms is tien minuten voldoende, maar die avond moest ze er meer dan vier uur staan voordat ze haar naar bed konden brengen.

2

De laatste veiligheidsdeur valt dicht en ze lopen door de gang naar de enige van de drie isoleercellen die in gebruik is. De tl-buis aan het plafond weerkaatst op het linoleum. Het textielbehang is op een meter hoogte bekrast door de trolley.

De chef-arts stopt zijn kaart in een zak van zijn doktersjas en laat Anders voor zich uit lopen naar de zware metalen deur.

Door het pantserglas ziet Anders een tengere man op een plastic stoel zitten. Hij draagt een blauwe spijkerbroek en een spijkeroverhemd. De man is gladgeschoren en zijn ogen staan merkwaardig rustig. De vele rimpels op zijn bleke gezicht doen denken aan gebarsten klei in een droge rivierbedding.

Jurek Walter is veroordeeld voor slechts twee moorden en een poging tot moord, maar wordt zeer sterk in verband gebracht met nog negentien moorden.

Dertien jaar geleden is hij op heterdaad betrapt in het Stockholmse bos Lill-Jansskogen terwijl hij een vijftigjarige vrouw terug in een kist in de aarde dwong. Ze was bijna twee jaar lang in leven gehouden in de kist. De vrouw was er verschrikkelijk aan toe, ze was ondervoed, haar spierweefsel was afgestorven, het koudeletsel en de doorligwonden waren gruwelijk en ze had zwaar hersenletsel opgelopen. Als de politie Jurek Walter niet had getraceerd en bij de kist had opgepakt, was hij waarschijnlijk nooit opgehouden.

Nu pakt de chef-arts drie glazen flesjes met geel poeder, voegt water toe aan elk flesje, schudt ze heen en weer en laat de vloeistof behoedzaam rondwentelen, waarna hij de vloeistof omhoogtrekt in een spuit.

Hij doet de oordoppen in en opent daarna het luikje in de deur. Een ratelend metalig geluid, en een zware geur van beton en stof komt hun tegemoet.

Met lijzige stem zegt Brolin tegen Jurek Walter dat het tijd is voor zijn spuit.

De man heft zijn hoofd en staat zacht op van de stoel, keert zijn blik naar het luik in de deur en loopt erheen terwijl hij zijn overhemd openknoopt.

'Blijf staan en trek je overhemd uit,' zegt Roland.

Jurek Walter loopt langzaam door en Roland doet het luik dicht en vergrendelt het snel. Walter blijft staan, opent de laatste knopen en laat het spijkerhemd op de grond vallen.

Hij heeft een lichaam dat ooit goed getraind was, maar nu hangen de spieren en de rimpelige huid los om zijn lijf.

Roland doet het luik weer open. Jurek Walter zet de laatste passen naar de deur en strekt zijn pezige arm met honderden pigmentvlekken uit.

Anders ontsmet de bovenarm met alcohol. Roland drukt de spuit in de zachte spier en injecteert de vloeistof veel te weer. Walters hand schokt verrast, maar hij trekt zijn arm niet terug voor hij toestemming krijgt. De chef-arts sluit het luik en vergrendelt het weer, haalt de oordoppen uit zijn oren, glimlacht nerveus bij zichzelf en kijkt dan naar binnen.

Jurek Walter loopt strompelend naar het bed, blijft staan en gaat zitten.

Plotseling richt hij zijn blik op de deur en Roland laat de spuit per ongeluk vallen.

De chef-arts probeert hem te vangen, maar hij rolt weg over het beton.

Anders doet een stap, pakt de spuit op en als ze allebei overeind komen en zich weer omdraaien naar de isoleercel, zien ze dat de binnenkant van het pantserglas beslagen is. Walter heeft op het raam geademd en met zijn vinger 'Joona' geschreven.

'Wat staat er?' vraagt Anders met zwakke stem.

'Hij heeft "Joona" geschreven.'

'Joona?'

'Wat betekent dat in godsnaam?'

De damp trekt weg en ze zien Jurek Walter zitten alsof hij zich niet verroerd heeft. Hij kijkt naar de arm waarin hij de injectie heeft gekregen, masseert de spier en kijkt hen dan aan door het glas.

'Was dat het enige?' vraagt Anders.

'Ik zag alleen...'

Een dierlijk gebrul klinkt door de dikke deur heen. Jurek Walter is van het bed af gegleden, knielt en schreeuwt het uit. De pezen in zijn hals zijn gespannen, zijn aderen zijn gezwollen.

'Hoeveel heb je hem eigenlijk gegeven?' vraagt Anders.

De ogen van Jurek Walter draaien omhoog en worden wit, hij zoekt steun met zijn hand, strekt een been uit maar klapt abrupt achterover, slaat met zijn hoofd tegen het nachtkastje, schreeuwt en zijn lichaam begint spastisch te schokken.

'Jezus christus,' fluistert Anders.

Walter glijdt op de vloer, trapt ongecontroleerd met zijn benen, bijt op zijn tong, hijgt bloed over zijn borst heen en ligt dan puffend op zijn rug.

'Wat doen we als hij doodgaat?'

'Hem cremeren,' antwoordt Brolin.

Walter krijgt nieuwe krampen, zijn hele lichaam schudt, zijn handen slaan alle kanten op voor ze stilvallen.

Brolin kijkt op zijn horloge. Er loopt zweet over zijn wangen.

Jurek Walter kermt, rolt op een zij, probeert overeind te komen, maar slaagt daar niet in.

'Over twee minuten kun je naar binnen gaan,' zegt de chef-arts.

'Moet ik daar echt naar binnen?'

'Zo dadelijk is hij ongevaarlijk.'

Walter kruipt op handen en knieën, uit zijn mond loopt slijmerig bloed. Hij wankelt, kruipt langzamer tot hij ineenzakt op de vloer en stilligt.

3

Anders kijkt door de dikke glazen ruit in de deur. Jurek Walter ligt al tien minuten onbeweeglijk op de grond. Zijn lichaam is slap na de krampen.

De chef-arts pakt de sleutel, steekt hem in het slot, aarzelt, kijkt door het raam naar binnen en draait de deur dan van het slot.

'Veel plezier,' zegt hij.

'Wat doen we als hij bijkomt?' vraagt Anders.

'Hij mag niet bijkomen.'

Brolin doet de deur open en Anders gaat naar binnen. De deur wordt achter hem in het slot getrokken. Het ruikt naar zweet in de isoleercel, maar ook naar iets anders. Een zurige geur van azijnessence. Jurek Walter ligt heel stil, maar vagelijk beweegt zijn rug in een rustige ademhaling.

Anders houdt afstand tot hem, hoewel hij weet dat hij diep slaapt.

De akoestiek hier is opmerkelijk, opdringerig, alsof de geluiden zich iets te dicht op de bewegingen bevinden.

Zijn witte jas ruist licht bij elke stap.

Walter ademt sneller.

De kraan drupt in de wastafel.

Anders is bij het bed, richt zijn blik op Walter en gaat dan op zijn knieën zitten.

Hij vangt een glimp op van de chef-arts, die met bange ogen door het pantserglas naar hem kijkt als hij zich bukt en onder het aan de wand bevestigde bed probeert te kijken.

Er ligt niets op de vloer.

Hij kruipt nog dichterbij, kijkt goed naar Walter en gaat dan plat op de grond liggen.

Het is niet meer mogelijk Walter in de gaten te houden. Hij moet zijn

14

rug naar hem toe keren om het mes te kunnen zoeken.

Er valt zwak licht onder het bed. Tegen de wand liggen roerloze stofvlokken.

Hij kan het niet laten zich voor te stellen dat Jurek Walter zijn ogen heeft geopend.

Er is iets tussen de houten latten en het matras gestoken. Het is lastig te zien wat het is.

Anders rekt zich uit, maar kan er niet bij. Hij moet op zijn rug onder het bed schuiven. De ruimte is zo laag dat hij zijn hoofd niet kan draaien. Hij trekt zichzelf naar de muur. Bij elke inademing voelt hij de doffe weerstand van de bedbodem tegen zijn borstkas. Zijn vingers tasten. Hij moet nog iets verder. Zijn knie stoot tegen een lat. Hij blaast een stofvlok van zijn gezicht en drukt zich verder onder het bed.

Plotseling klinkt er een zware bons achter hem in de isoleercel. Hij kan zich niet omdraaien om te kijken. Hij ligt alleen stil en luistert. Zijn eigen ademhaling is zo snel dat het hem moeite kost andere geluiden te onderscheiden.

Voorzichtig steekt hij zijn hand uit, bereikt het voorwerp met zijn vingertoppen, duwt zichzelf nog iets verder onder het bed en weet het los te krijgen.

Van een stalen fitting heeft Walter een kort mes met een heel scherp lemmet vervaardigd.

'Kom nou,' roept de chef-arts door het luikje.

Anders probeert onder het bed vandaan te komen, hij drukt zichzelf richting de opening en haalt zijn wang open.

Hij blijft steken, hij komt er niet onderuit, zijn witte jas zit vast en het is onmogelijk die uit te doen.

Hij meent slepende bewegingen van Walter te horen.

Misschien was het niks.

Anders trekt zo hard hij kan. De naden kraken, maar ze houden het. Hij beseft dat er niets anders op zit dan zichzelf weer terug onder het bed te drukken om de stof los te krijgen.

'Wat doe je?' roept Roland Brolin met angstige stem.

Het luikje in de deur ratelt en wordt vergrendeld.

Anders ziet dat een zak van zijn jas achter een losse lat is blijven hangen. Hij haakt hem snel los, houdt zijn adem in en duwt zichzelf weg. Hij raakt steeds sterker vervuld van paniek. Hij schramt zijn buik en knieën, krijgt met één hand de rand van het bed te pakken en trekt zichzelf eronder vandaan.

Hijgend draait hij zich om en komt wankel overeind met het mes in zijn hand.

Walter ligt op zijn zij, één oog is halfopen in zijn slaap en staart hem nietsziend aan.

Anders loopt vlug naar de deur, ziet de angstige blik van de chef-arts door het pantserglas en probeert te glimlachen, maar de stress klinkt door in zijn stem als hij zegt: 'Doe de deur open.'

In plaats daarvan doet Roland Brolin het luik open: 'Geef me eerst het mes.'

Anders kijkt hem bevreemd aan en overhandigt daarna het mes.

'Je hebt nog iets gevonden,' zegt Roland Brolin.

'Nee,' antwoordt Anders en hij kijkt naar Walter.

'Een brief.'

'Er lag niets anders.'

Walter begint te draaien op de vloer en puft zacht.

'Kijk in zijn zakken,' zegt de chef-arts met een gespannen glimlachje.

'Waarom?'

'Omdat het een visitatie is.'

Anders draait zich om en loopt voorzichtig naar Jurek Walter toe. Zijn ogen zijn weer helemaal dicht, maar er parelt nu zweet op zijn gerimpelde gezicht.

Met tegenzin bukt Anders zich en voelt in een zak. De spijkerstof van het overhemd spant strakker over zijn schouders en Walter bromt zacht.

In de achterzak van de broek zit een plastic kam. Trillend zoekt Anders verder in de nauwe zakken.

Er druppelt zweet van zijn neuspuntje. Hij moet hard knipperen.

Walters grote hand sluit een paar keer.

Er zit niets in zijn zakken.

Anders richt zijn blik op het pantserglas en schudt zijn hoofd. Het is onmogelijk om te zien of Brolin aan de andere kant van de deur staat.

De plafondlamp in de isoleercel glinstert als een grijze zon in het glas.
Hij moet er nú uit.
Het duurt al te lang.
Anders komt overeind en haast zich naar de deur. De chef-arts staat er niet meer. Anders kijkt van vlakbij door het glas, maar ziet niks.
Jurek Walter ademt snel, als een kind dat een nachtmerrie heeft.
Anders bonst op de deur. Zijn handen ploffen haast geluidloos tegen het dikke metaal. Hij bonst opnieuw. Hij hoort niets, er gebeurt niets.
Hij tikt met zijn trouwring tegen de glazen ruit als hij een schaduw ziet groeien op de muur.
De rillingen lopen langs zijn rug en over zijn armen. Met bonkend hard en stijgende adrenaline in zijn lichaam draait hij zich om. Hij ziet dat Jurek Walter langzaam rechtop komt zitten. Zijn gezicht is slap en de lichte blik staart voor zich uit. Hij bloedt nog steeds uit zijn mond en zijn lippen zien opvallend rood.

4

Anders bonkt op de zware stalen deur en roept, maar de chef-arts doet niet open. Zijn hartslag davert in zijn hoofd als hij zich omdraait naar de patiënt. Jurek Walter zit nog steeds op de vloer, knippert een paar keer naar hem en begint dan overeind te komen.

'Het is een leugen,' zegt Walter, waardoor er bloed over zijn kin loopt. 'Ze beweren dat ik een monster ben, maar ik ben gewoon een mens...'

Het lukt hem niet te gaan staan, hijgend zakt hij weer op de vloer.

'Een mens,' mompelt hij.

Met een vermoeide beweging brengt hij een hand onder zijn overhemd, haalt een opgevouwen papier tevoorschijn en gooit het voor Anders neer.

'De brief waar hij naar vroeg,' zegt hij. 'Zeven jaar vraag ik al of ik een advocaat mag spreken... Het is niet dat ik hoop dat ik eruit mag... Ik ben wie ik ben, maar ik ben nog steeds een mens...'

Anders bukt zich en reikt naar het papier zonder Walter los te laten met zijn blik. De gerimpelde man probeert opnieuw op te staan, steunt op zijn handen, zwaait licht, maar slaagt er wel in een voet op de grond te zetten.

Anders raapt het papier op van de grond, loopt achteruit en hoort eindelijk een rinkelend geluid als een sleutel in het slot van de deur wordt gestoken. Hij draait zich om, staart door het pantserglas en voelt zijn benen trillen.

'Je had me geen overdosis moeten geven,' mompelt Walter.

Anders draait zich niet om, maar weet toch dat Jurek Walter rechtop staat en naar hem kijkt.

Het pantserglas in de deur is net een stuk troebel ijs. Het is niet te zien wie er aan de andere kant staat en de sleutel in het slot omdraait.

'Doe open, doe open,' fluistert hij en hij hoort de ademhaling achter zijn rug.

De deur glijdt open en Anders struikelt de isoleercel uit. Hij tuimelt recht tegen de betonnen gangwand en hoort de zware dreun als de deur wordt gesloten en het ratelen als het solide mechanisme van het slot reageert op de draaiing van de sleutel.

Hijgend leunt hij tegen de koele muur, draait zich om en ziet dat niet de chef-arts hem gered heeft, maar de jonge vrouw met de gepiercete wangen.

'Ik snap niet wat er is gebeurd,' zegt ze. 'Roland moet onwel zijn geworden of zo, hij is altijd zo ongelofelijk precies op de veiligheid.'

'Ik zal met hem gaan praten...'

'Misschien is hij ziek geworden... volgens mij heeft hij diabetes.'

Anders veegt zijn vochtige handen af aan zijn witte jas en kijkt haar weer aan.

'Bedankt voor het opendoen,' zegt hij.

'Ik doe alles voor je,' zegt ze schertsend.

Hij probeert zijn onaangedane jongensglimlach op te zetten, maar zijn benen trillen als hij achter haar aan de veiligheidsdeur door loopt. Ze blijft bij de bewakingscentrale staan en richt dan haar blik op hem.

'Het enige probleem van hierbeneden werken,' zegt ze, 'is in feite dat het zo verschrikkelijk rustig is dat je een heleboel snoep moet eten om wakker te blijven.'

'Klinkt goed.'

Op een monitor zit Walter op zijn bed met zijn hoofd in zijn handen. Het dagverblijf met de tv en de loopband ligt er verlaten bij.

5

De rest van de dag besteedt Anders Rönn aan het doorgronden van de nieuwe routines, patiëntenoverleg op afdeling 30, individuele behandelplannen en ontslagtoetsingen, maar zijn gedachten dwalen voortdurend af naar de brief in zijn zak en naar wat Walter zei.

Om tien over vijf verlaat Anders de forensisch psychiatrische afdeling en wandelt hij de koele buitenlucht in. Buiten het verlichte ziekenhuisterrein heeft het winterduister zich gesloten.

Anders verwarmt zijn handen in zijn jaszakken, haast zich over het plaveisel en komt uit op de grote parkeerplaats voor de hoofdingang van het ziekenhuis.

Toen hij kwam stond het hier vol auto's, nu is het bijna leeg.

Hij tuurt en ziet dat er iemand achter zijn auto staat.

'Hallo!' roept Anders en hij versnelt zijn pas.

De man draait zich om, haalt zijn hand langs zijn mond en doet een stap opzij. Het is chef-arts Roland Brolin.

Anders vertraagt zijn pas en haalt de sleutel uit zijn zak.

'Je verwacht een excuus,' zegt Brolin met een geforceerde glimlach.

'Ik wil liever niet met de ziekenhuisdirectie bespreken wat er is gebeurd,' zegt Anders.

Brolin kijkt hem in de ogen, steekt zijn linkerhand uit en opent hem.

'Geef me de brief,' zegt hij rustig.

'Welke brief?'

'De brief waarvan Walter wilde dat je hem zou vinden,' antwoordt hij. 'Een briefje, een stukje krant, een kartonnetje.'

'Ik heb een mes opgehaald, zoals de bedoeling was.'

'Dat was het lokaas,' zegt Brolin. 'Je gelooft toch niet dat hij zich voor niets aan al die pijn blootstelt?'

Anders kijkt de chef-arts aan en wist met een hand het zweet van zijn bovenlip.

'Wat doen we als de patiënt een advocaat wil spreken?' vraagt hij.

'Niets,' fluistert Brolin.

'Maar heeft hij je dat nooit gevraagd?'

'Ik weet het niet, ik zou het niet hebben gehoord, ik heb altijd oordoppen in,' glimlacht Brolin.

'Maar ik begrijp eerlijk gezegd niet waarom...'

'Je hebt deze baan nodig,' valt de chef-arts hem in de rede. 'Ik heb gehoord dat jij de slechtste van je jaar was, je hebt een hoge studieschuld, geen ervaring, geen referenties.'

'Ben je klaar?'

'Je zou me die brief gewoon moeten geven,' antwoordt Brolin en hij klemt zijn kaken op elkaar.

'Ik heb geen brief gevonden.'

Brolin kijkt hem een tijdje in de ogen.

'Als je ooit een brief vindt,' zegt hij, 'dan moet je die aan mij geven zonder hem te lezen.'

'Ik begrijp het,' zegt Anders en hij doet de auto open.

Anders meent dat de chef-arts er enigszins opgelucht uitziet als hij instapt, het portier dichttrekt en de auto start. Hij negeert Brolins getik op het raampje, zet de auto in de versnelling en rijdt weg. In de achteruitkijkspiegel ziet hij dat Brolin de auto nastaart, zonder glimlach dit keer.

6

Als Anders thuiskomt, doet hij de buitendeur snel achter zich dicht, draait hem op slot en schuift de veiligheidsketting ervoor.

Zijn hart slaat snel in zijn borstkas – om de een of andere reden is hij van de auto naar het huis gerend.

Uit Agnes' kamer klinkt Petra's rustige stem. Anders glimlacht bij zichzelf. Ze leest al voor uit *Samen op het eiland Zeekraai*. Meestal was het veel later voordat de avondrituelen het verhaaltje voor het slapen hadden bereikt. Het moest weer een goede dag zijn geweest. Anders' nieuwe betrekking had ervoor gezorgd dat Petra per direct minder had durven gaan werken.

Rond Agnes' modderige winterlaarzen heeft zich op de mat in de hal een natte vlek gevormd. Muts en col liggen op de grond voor de ladekast. Anders gaat naar binnen, zet de champagnefles op de keukentafel en blijft dan staan met zijn blik op de donkere tuin gericht.

Hij denkt aan de brief van Jurek Walter en weet niet meer wat hij moet doen.

De takken van de grote sering schrapen langs het raam. Hij kijkt naar het zwarte glas, ziet zijn eigen keuken weerspiegeld, hoort de takken knarsen en denkt dat hij de grote heggenschaar uit de schuur zou moeten halen.

'Wacht, wacht,' hoort hij Petra zeggen. 'Ik lees eerst verder...'

Anders sluipt Agnes' kamer in. De prinsessenlamp aan het plafond brandt. Petra kijkt op van het boek en ontmoet zijn blik. Ze heeft haar lichtbruine haar opgestoken in een hoge paardenstaart en draagt zoals gewoonlijk haar oorbellen met hartjes. Agnes zit op haar schoot en herhaalt dat het weer verkeerd was en dat ze opnieuw moeten beginnen bij de hond.

Anders loopt verder naar binnen en gaat op zijn knieën voor hen zitten.

'Dag schatje van me,' zegt hij.

Agnes kijkt hem vlug aan en kijkt dan weer weg. Hij aait over haar hoofd, strijkt wat haar achter haar oor en staat op.

'Er is nog eten dat je kunt opwarmen,' zegt Petra. 'Ik moet dit hoofdstuk opnieuw lezen voor ik kom.'

'Het ging verkeerd met de hond,' herhaalt Agnes met haar blik op de grond gericht.

Anders loopt naar de keuken, pakt het bord met eten uit de koelkast en zet het op het aanrecht naast de magnetron.

Langzaam haalt hij de brief uit de achterzak van zijn spijkerbroek en denkt eraan hoe Jurek Walter herhaalde dat hij een mens was.

In een klein en overhellend handschrift heeft Walter enkele bijna kleurloze zinnen op het dunne papier geschreven. De brief is in de rechterbovenhoek geadresseerd aan een advocatenkantoor in Tensta en bevat uitsluitend een formeel verzoek. Jurek Walter vraagt om juridische bijstand om de inhoud van de veroordeling tot forensisch psychiatrische behandeling te begrijpen. Hij wil dat zijn rechten aan hem uitgelegd worden en wil geïnformeerd worden over de mogelijkheid tot heroverweging van het vonnis in de toekomst.

Anders kan niet verklaren waar zijn plotselinge onbehagen vandaan komt, maar er is iets vreemds met de toon in de brief en met de correcte woordkeuze in combinatie met de spelfouten, die dyslectisch aandoen.

De gedachten aan Walters woorden jagen door zijn hoofd als hij naar zijn werkkamer gaat en een envelop pakt. Hij schrijft het adres over, stopt de brief in de envelop en frankeert deze.

Hij verlaat het huis en loopt het kille duister in, over het veld en verder naar de kiosk bij de rotonde. Nadat hij de brief heeft gepost, staat hij even naar de passerende auto's op de Sandavägen te kijken, waarna hij terugloopt naar huis.

De wind doet het bevroren weidegras golven als water. Een haas schiet weg naar de oude tuinen.

Hij doet het hek open en kijkt naar binnen door het keukenraam. Het hele huis lijkt op een poppenhuis. Alles is verlicht en duidelijk zichtbaar. Hij kijkt recht de gang in en ziet het blauwe schilderij dat daar altijd al hangt.

De deur naar hun slaapkamer is open. Midden in de kamer staat de stofzuiger. De stekker zit nog in het stopcontact.

Plotseling ziet Anders een beweging. Verschrikt hapt hij naar adem. Er is iemand in de slaapkamer. Hij staat naast hun bed.

Anders wil net naar binnen stormen als hij begrijpt dat de persoon in feite in de tuin aan de achterkant van het huis staat.

Hij is alleen zichtbaar door het raam van de slaapkamer.

Anders rent over het betegelde pad, langs de zonnewijzer en de hoek om.

De persoon moet hem aan hebben horen komen, want hij loopt al weg. Anders hoort hoe hij dwars door de seringenhaag dringt. Hij gaat erachteraan, duwt de takken opzij, probeert iets te zien, maar het is veel te donker.

7

Mikael staat rechtop in het donker als de Zandman zijn afschuwelijke stof de kamer in blaast. Hij heeft geleerd dat het zinloos is om je adem in te houden. Want als de Zandman wil dat de kinderen gaan slapen, dan vallen ze in slaap.

Hij weet maar al te goed dat je ogen snel moe worden, zo moe dat ze niet open kunnen blijven. Hij weet dat hij op het matras moet gaan liggen om dan een deel van het donker te worden.

Mama vertelde vaak over de dochter van de Zandman, het mechanische meisje Olimpia. Ze sluipt naar de kinderen toe als ze in slaap zijn gevallen en trekt het dekbed over hun schouders zodat ze het niet koud zullen hebben.

Mikael leunt tegen de muur, voelt de groeven in het beton.

Het dunne zand zweeft als mist in het donker. Het ademen valt hem zwaar. Zijn longen vechten om zijn bloed van zuurstof te voorzien.

Hij hoest en likt om zijn lippen. Ze zijn droog en voelen al verdoofd.

Zijn oogleden worden zwaarder en zwaarder.

Nu schommelt hun hele gezin in de schommelbank. Het zomerlicht schittert tussen de bladeren van het seringenprieel. De roestige schroeven knerpen.

Mikael glimlacht breed.

We schommelen hoog en mama probeert af te remmen, maar papa maakt meer vaart. De tafel voor hen krijgt een stoot waardoor het aardbeiensap in de glazen klotst.

De schommelbank zwaait naar achteren en papa lacht en steekt zijn handen omhoog als in een achtbaan.

Mikaels hoofd knikt voorover en hij doet zijn ogen open in het donker, hij wankelt opzij en steunt met zijn hand tegen de koele muur. Hij draait zich om naar het matras, denkt dat hij moet gaan liggen voor hij flauwvalt, als zijn benen plotseling onder hem wegklappen.

Hij valt, slaat tegen de grond, belandt op zijn arm, voelt de pijn in zijn pols en schouder in de al begonnen slaap.

Zwaar rolt hij op zijn buik en hij probeert te kruipen, maar krijgt het niet voor elkaar. Hijgend ligt hij met zijn wang op de betonnen vloer. Hij probeert iets te zeggen, maar heeft geen stem meer.

Zijn ogen vallen dicht, hoewel hij tegenstribbelt.

Net op het moment dat hij het duister in glijdt, hoort hij de Zandman de kamer binnenglippen, met zijn gruizige voeten recht tegen de muur op sluipen en over het plafond. Hij blijft staan en strekt zijn armen omlaag en probeert hem aan te raken met zijn vingertoppen van porselein.

Het is zwart.

Als Mikael wakker wordt, is zijn mond uitgedroogd en doet zijn hoofd pijn. Zijn ogen zijn plakkerig van oud zand. Hij is zo moe dat zijn hersenen weer in slaap proberen te vallen, maar een flard van zijn bewustzijn registreert dat er iets volstrekt anders is.

De adrenaline komt als een hete stoot.

Hij gaat rechtop zitten in het donker en hoort aan de akoestiek dat hij zich in een andere ruimte bevindt, een grotere ruimte.

Hij bevindt zich niet meer in de capsule.

De eenzaamheid maakt hem ijskoud.

Voorzichtig kruipt hij over de vloer en bereikt een muur. Zijn gedachten jagen rond. Hij weet niet meer hoe lang geleden hij de gedachte aan vluchten opgaf.

Zijn lichaam is nog steeds zwaar na de lange slaap. Hij staat met trillende benen op en volgt de wand tot een hoek, zoekt verder en komt bij een plaat van metaal. Snel tast hij de randen af, begrijpt dat het een deur is, veegt met zijn handen over het oppervlak en vindt de klink.

Zijn handen trillen.

Het is volkomen stil in de kamer.

Voorzichtig duwt hij de klink naar beneden, en hij is zo bedacht op weerstand dat hij zijn evenwicht bijna verliest als de deur zomaar open glijdt.

Met een grote stap staat hij in de lichtere kamer en moet hij noodgedwongen zijn ogen even sluiten.

Het voelt als een droom.

Laat me eruit komen, denkt hij.

Zijn hoofd staat op springen.

Hij tuurt, ziet dat hij zich in een gang bevindt en loopt vooruit op zijn zwakke benen. Zijn hart slaat zo snel dat hij nauwelijks kan ademen.

Hij probeert stil te zijn, maar kermt toch zachtjes van angst.

De Zandman komt snel terug – hij vergeet geen enkel kind.

Mikael kan zijn ogen niet goed opendoen, maar loopt toch naar het wazige schijnsel verderop.

Misschien is het een val, denkt hij. Misschien wordt hij als een insect naar een brandend licht gelokt.

Maar hij loopt verder en laat zijn hand als steun langs de muur glijden.

Hij botst tegen grote pakken isolatiewol op, hijgt van angst, wankelt opzij, stoot zijn schouder tegen de andere wand maar weet op de been te blijven.

Hij blijft staan en hoest zo zacht hij kan.

Het schijnsel voor hem komt uit een glazen ruitje in een deur.

Hij struikelt erheen en duwt de klink omlaag, maar de deur zit op slot.

Nee, nee, nee.

Hij rukt aan de klink, duwt tegen de deur, rukt weer. De deur zit op slot. Hij staat op het punt om van vertwijfeling op de grond te zakken. Plotseling hoort hij heel zachte stappen achter zich, maar hij durft zich niet om te draaien.

8

De schrijver Reidar Frost leegt zijn wijnglas, zet het op de eetkamertafel en sluit zijn ogen even om weer tot rust te komen. Een paar gasten klappen in hun handen. Veronica staat in haar blauwe jurk in de hoek met haar handen voor haar gezicht en begint te tellen.

De gasten verspreiden zich verschillende kanten op en gelach verbreidt zich door de vele kamers van het landhuis.

Volgens de regels moet je op de benedenverdieping blijven, maar Reidar staat langzaam op, loopt naar de kleine, verborgen deur en sluipt de bediendengang in. Behoedzaam beklimt hij de dienstbodentrap, doet de geheime deur in het wandkleed open en loopt de privévertrekken in.

Hij weet dat hij hier niet alleen zou moeten zijn, maar loopt toch verder door de achter elkaar gelegen zalen.

Bij elke nieuwe passage doet hij de deuren achter zich dicht, totdat hij de achterste pronkkamer heeft bereikt.

Tegen een van de wanden staan de dozen met kleren en speelgoed van de kinderen. Eén doos staat open en er is een lichtgroen ruimtegeweer zichtbaar.

Gedempt door vloer en muren hoort hij Veronica roepen: 'Honderd! Ik kom!'

Door de ramen kijkt hij uit over de akkers en de paddocks. Verderop loopt de lange berkenlaan die naar landgoed Råcksta leidt.

Reidar trekt een leunstoel bij over de vloer en hangt zijn jasje over de rugleuning. Hij voelt zijn roes als hij op het kussen stapt. Zweet doorweekt het rugpand van het witte overhemd. Met een krachtige beweging gooit hij het touw over de dakbalk. De stoel onder hem kraakt van de beweging. Het zware touw slaat over de balk heen en het uiteinde slingert opzij.

Stof dwarrelt door de lucht.

De beklede zitting voelt opmerkelijk zacht onder zijn lage schoenen.

Gedempt gelach en geroep klinken op van het feest beneden en Reidar sluit zijn ogen even en denkt aan de kinderen, aan hun kleine gezichtjes, geweldige gezichtjes, hun schouders en magere armen. Elk moment kan hij hun lichte stemmen en snelle voeten op de vloer horen – zijn herinnering trekt als een zomerbriesje door zijn ziel en laat hem koud en verlaten achter.

Gefeliciteerd met je verjaardag, Mikael, denkt hij.

Zijn handen trillen zo hevig dat het hem niet lukt de lus te maken. Hij staat stil, probeert rustiger te ademen en begint opnieuw. Precies op dat moment klinkt er geklop op een van de deuren.

Hij wacht een paar seconden, laat het touw dan los, stapt van de stoel af en pakt zijn jasje.

'Reidar?' roept een vrouw zacht.

Het is Veronica, ze moet door haar vingers gegluurd hebben terwijl ze telde en hem de bediendengang in hebben zien verdwijnen. Ze doet de deuren van allerhande zalen open en haar stem klinkt steeds duidelijker naarmate ze dichterbij komt.

Reidar knipt de lampen uit en verlaat de kinderkamer, opent de deur van de volgende zaal en blijft daar staan.

Veronica komt naar hem toe met een champagneglas in haar hand. Een warme glans trekt over haar donkere, benevelde ogen.

Ze is lang en slank en heeft haar zwarte haar in een flatteus jongenskapsel laten knippen.

'Zei ik dat ik met je naar bed wilde?' vraagt hij.

Ze draait wankel rond.

'Leuk, hoor,' zegt ze met een verdrietige blik.

Veronica Klimt is Reidars literair agent. Hij heeft de afgelopen dertien jaar weliswaar geen regel geschreven, maar de drie boeken die hij daarvoor schreef, blijven inkomsten genereren.

Er begint muziek op te klinken vanuit de eetzaal beneden, het snelle bastempo doet het geraamte van het landhuis zoemen. Reidar blijft bij de bank staan en haalt zijn hand door zijn zilverkleurige haar.

'Jullie hebben toch wel wat champagne voor mij bewaard?' vraagt hij en hij gaat op de bank zitten.

'Nee,' antwoordt Veronica en ze geeft hem haar halfvolle glas.

'Je man heeft me gebeld,' zegt Reidar. 'Hij vindt dat het tijd is dat je naar huis komt.'

'Ik wil niet, ik wil scheiden en...'

'Dat mag niet,' onderbreekt hij haar.

'Waarom zeg je dat?'

'Omdat je niet mag geloven dat je me iets kan schelen,' antwoordt hij.

'Dat geloof ik ook niet.'

Hij drinkt het laatste beetje op uit het glas, legt het achteloos op de bank, sluit zijn ogen en voelt de duizeling van de dronkenschap.

'Je zag er verdrietig uit en ik werd een beetje ongerust.'

'Ik voel me kiplekker,' kapt hij haar af.

Er klinkt gelach en de clubmuziek wordt zo hard gezet dat de vibraties door de vloer te voelen zijn in hun voeten.

'De gasten beginnen je vast te missen.'

'Dan gaan we erheen en zetten we de boel op stelten,' glimlacht hij.

Al zeven jaar zorgt Reidar ervoor om bijna vierentwintig uur per dag mensen om zich heen te hebben. Hij heeft een enorme kennissenkring. Soms houdt hij grote feesten in zijn landhuis, soms intiemere etentjes. Op sommige dagen, als een van de kinderen jarig is, is het ontzettend moeilijk om door te gaan met leven. Hij weet dat hij het zonder mensen om zich heen heel snel af zou leggen tegen de eenzaamheid en de stilte.

9

Reidar en Veronica slaan de deuren naar de eetzaal open en de bonkende muziek stoot tegen hun borstkassen. Mensen verdringen zich en dansen in het donker rondom de grote tafel. Sommigen eten nog steeds reebiefstuk en geroosterde wortelgroenten.

De acteur Wille Strandberg heeft zijn overhemd opengeknoopt en het is onmogelijk te verstaan wat hij roept als hij dansend naar Reidar en Veronica toe dringt.

'*Take it off*,' roept Veronica.

Wille lacht, rukt zijn overhemd uit, gooit het naar haar toe en danst voor haar met zijn handen in zijn nek. Zijn ronde middelbare buik hupt met de snelle bewegingen op en neer.

Reidar leegt nog een wijnglas en danst daarna met draaiende heupen naar Wille toe.

De muziek gaat een zachtere, suizende fase in en de oude uitgever David Sylwan pakt Reidars arm beet en hijgt iets met een bezweet, gelukkig gezicht.

'Wat?'

'We hebben vandaag geen wedstrijdje gedaan,' herhaalt David.

'Stud poker?' vraagt Reidar. 'Schieten, worstelen...'

'Schieten!' roept een aantal mensen.

'Haal de blaffer en een paar flessen champagne,' zegt Reidar glimlachend.

Het dreunende ritme komt terug en elk verder gesprek verdrinkt in het lawaai. Reidar haalt een olieverfschilderij van de muur en draagt het de deur door. Het is een portret van hemzelf, geschilderd door Peter Dahl.

'Ik vind dat een mooi schilderij,' zegt Veronica en ze probeert hem tegen te houden.

Reidar schudt haar hand van zijn arm en loopt door naar de hal. Bijna alle gasten volgen hem naar het ijskoude park. De verse sneeuw vlijt zich zacht en glad op de grond. Vlokken wervelen rond onder de zwarte hemel.

Reidar ploegt verder en hangt het portret aan een appelboom met besneeuwde takken. Wille Strandberg loopt achter hem aan met een noodfakkel die hij uit de doos in de bezemkast heeft gehaald. Hij pelt het plastic eraf en trekt aan het touwtje. Er klinkt een knal en dan vonkt de fakkel als hij fel begint te branden. Lachend wankelt hij verder en zet de fakkel in de sneeuw onder de boom. Het witte schijnsel doet de stam en de kale takken oplichten.

Nu kan iedereen het schilderij zien van Reidar met een zilveren pen in zijn hand.

Vertaler Berzelius heeft drie champagneflessen bij zich en David Sylwan laat glimlachend Reidars oude colt zien.

'Dit is niet leuk,' zegt Veronica met vlakke stem.

David gaat met de colt in zijn hand naast Reidar staan. Hij stopt zes kogels in het magazijn en draait dan de cilinder rond.

Wille Strandberg heeft nog steeds geen overhemd aan, maar door zijn dronkenschap voelt hij de kou niet.

'Win jij, dan mag je een paard uit de stal kiezen,' mompelt Reidar, en hij pakt de revolver van David aan.

'Alsjeblieft, wees voorzichtig,' zegt Veronica.

Reidar doet een paar stappen opzij, richt met rechte arm en schiet, maar raakt niets, de knal weerkaatst tussen de gebouwen.

Een paar gasten klappen beleefd in hun handen, alsof hij aan het golfen was.

'Mijn beurt,' lacht David.

Veronica staat rillend in de sneeuw. Haar voeten branden van de kou in haar dunne slingbacks.

'Ik vind dat een mooi portret,' zegt ze opnieuw.

'Ik ook,' antwoordt Reidar en hij schiet nogmaals.

De kogel raakt de bovenste hoek van het doek, het stuift, de gouden lijst raakt een beetje los en komt scheef te hangen.

David trekt de revolver gniffelend uit zijn hand, wankelt, valt om en vuurt een schot af naar de hemel en nog een als hij probeert op te staan. Een paar gasten klappen in hun handen, anderen proosten lachend.

Reidar pakt de revolver terug en klopt de sneeuw eraf.

'Het laatste schot is beslissend,' zegt hij.

Veronica loopt naar hem toe en kust hem op de mond.

'Hoe is het met je?'

'Fantastisch,' zegt hij. 'Ik had niet gelukkiger kunnen zijn.'

Veronica kijkt hem aan en strijkt haar van zijn voorhoofd. Uit de groep op het bordes klinkt gefluit en gelach.

'Ik heb een betere schietschijf gevonden,' roept een roodharige vrouw wier naam hij zich niet herinnert.

Ze sleept een gigantische pop door de sneeuw. Plotseling verliest ze de greep om de grote pop, valt op haar knieën en komt weer overeind. Haar jurk met luipaardprint is vlekkerig van het vocht.

'Die zag ik gisteren, hij lag onder een vies stuk zeil in de garage,' roept ze jubelend.

Berzelius haast zich naar haar toe om haar te helpen dragen. De pop is van beschilderd hard plastic en stelt Spiderman voor en is net zo lang als Berzelius.

'Bravo, Marie!' roept David.

'Schiet Spiderman dood,' mompelt een van de vrouwen achter hen.

Reidar kijkt op, ziet de grote pop en laat het wapen pardoes in de sneeuw vallen.

'Ik moet slapen,' zegt hij kortaf.

Hij slaat Willes toegestoken champagneglas weg en loopt met onvaste passen terug naar het hoofdgebouw.

10

Veronica loopt met Marie mee als ze Reidar zoekt in het grote huis. Ze lopen door kamers en zalen. Zijn jasje ligt op de trap naar de bovenverdieping en ze lopen naar boven. Het is donker, maar het spelende licht van het vuur is verder naar binnen in het huis te zien. In een grote kamer zit Reidar op de bank voor de haard. Zijn manchetknopen zijn verdwenen en zijn mouwen hangen over zijn handen. Op het lage boekenkastje naast hem staan vier flessen Château Cheval Blanc.

'Ik wil alleen sorry zeggen,' zegt Marie terwijl ze steun zoekt bij de deur.

'Laat me toch,' mompelt Reidar zonder zich om te draaien.

'Het was stom van me om die pop naar buiten te slepen zonder het eerst te vragen,' gaat Marie verder.

'Wat mij betreft kunnen jullie al die oude zooi verbranden,' antwoordt hij.

Veronica loopt naar hem toe, gaat op haar knieën zitten en kijkt glimlachend naar zijn gezicht.

'Heb je Marie eigenlijk al begroet?' vraagt ze. 'Ze is de vriendin van David... geloof ik.'

Reidar proost naar de roodharige vrouw en neemt een ferme slok. Veronica pakt het glas van hem af, proeft de wijn en gaat zitten.

Ze doet haar schoenen uit, leunt achterover en legt haar blote voeten op zijn schoot.

Langzaam streelt hij haar kuit, over de blauwe plek van de nieuwe stijgbeugelriem van het zadel, langs de binnenkant van haar dijbeen en verder naar boven. Ze laat het gebeuren, trekt zich er niets van aan dat Marie nog in de kamer staat.

De vlammen laaien hoog op in de enorme haard. De warmte pulseert en zijn gezicht gloeit zozeer dat het bijna verbrandt.

Marie komt voorzichtig dichterbij. Reidar kijkt naar haar. Het rode haar is gaan krullen van de warmte in de kamer. De jurk met luipaardprint is gekreukt en vlekkerig.

'Een bewonderaarster,' zegt Veronica, en ze houdt het glas bij Reidar weg als hij erbij probeert te komen.

'Ik ben dol op je boeken,' zegt Marie.

'Welke boeken?' vraagt hij bruusk.

Hij staat op, haalt een nieuw glas uit de vitrinekast en schenkt wijn in. Marie begrijpt het gebaar verkeerd en steekt haar hand uit om het glas aan te pakken.

'Ik ga ervan uit dat je naar de plee gaat als je moet pissen,' zegt Reidar, en hij neemt een slok.

'Je hoeft toch niet...'

'En als je wijn wilt, drink dan verdomme wijn,' onderbreekt hij haar met stemverheffing.

Marie wordt rood en hapt naar adem. Met trillende hand pakt ze de fles en schenkt zichzelf in. Reidar zucht zwaar en zegt dan op mildere toon: 'Ik vind dit jaar tot de betere behoren.'

Hij neemt de fles mee en gaat weer zitten.

Glimlachend slaat hij Marie gade als ze naast hem komt zitten, het wijnglas draait en proeft.

Reidar lacht en vult haar glas bij, kijkt haar in de ogen, wordt ernstig en kust haar dan op haar mond.

'Waar ben je mee bezig?' fluistert ze.

Reidar kust Marie opnieuw heel zacht. Ze trekt haar hoofd weg, maar kan een glimlachje niet onderdrukken. Ze drinkt wat wijn, kijkt hem in de ogen, leunt naar voren en kust hem.

Hij streelt haar nek, langs de haargrens, verder over haar rechterschouder, en hij voelt hoe de smalle schouderbandjes in het vlees zijn gezonken.

Ze zet het glas weg, kust hem weer en bedenkt dat ze gek is als ze hem een borst laat strelen.

Reidar dwingt zijn tranen weg zodat het pijn doet in zijn keel als hij haar dijen onder haar jurk streelt, haar nicotinepleister voelt en verder omhooggaat over haar billen.

Marie duwt zijn hand weg als hij haar slipje omlaag probeert te trekken, staat op en veegt haar mond af.

'We zouden misschien weer naar het feest moeten gaan,' zegt ze in een poging neutraal te klinken.

'Ja,' zegt hij.

Veronica zit stil op de bank en ontwijkt haar zoekende ogen.

'Gaan jullie mee?'

Reidar schudt zijn hoofd.

'Oké,' fluistert Marie en ze loopt naar de deur.

Haar jurk glanst als ze de kamer verlaat. Reidar staart door de deuropening. Het donker ziet eruit als vuil fluweel.

Veronica staat op, pakt haar wijnglas van tafel en drinkt. Ze heeft op haar jurk natte zweetplekken onder haar armen.

'Je bent een smeerlap,' zegt ze.

'Ik probeer alleen zo veel mogelijk uit het leven te halen,' antwoordt hij zacht.

Hij pakt haar hand en legt die tegen zijn wang, houdt hem daar en kijkt in haar verdrietige ogen.

11

Het vuur in de haard is gedoofd en het is ijskoud in de zaal als Reidar wakker wordt op de bank. Zijn ogen schrijnen en hij denkt aan de verhalen van zijn vrouw over de Zandman. De man die zand in de ogen van de kinderen strooit zodat ze in slaap vallen en de hele nacht doorslapen.

'Goddomme,' fluistert Reidar en hij gaat rechtop zitten.

Hij is naakt en heeft wijn op de leren zitting gemorst. In de verte klinkt gebulder van een vliegtuig. Het ochtendlicht gloort door stoffige ramen.

Reidar staat op en ziet Veronica in elkaar gekropen op de vloer voor de haard liggen. Ze heeft zich in het tafelkleed gewikkeld. Ergens in het bos blaft een ree. Het feest op de benedenverdieping gaat voort, maar gedempter. Reidar neemt de halfvolle wijnfles mee en verlaat wankel de kamer. De hoofdpijn bonst in zijn hoofd als hij de krakende eikenhouten trap naar de slaapkamer op loopt. Halverwege stokt hij, zucht en loopt weer naar beneden. Behoedzaam tilt hij Veronica op de bank, wikkelt haar in de plaid, pakt haar leesbril op van de vloer en legt hem op het tafeltje.

Reidar Frost is tweeënzestig jaar en is de schrijver van drie internationale bestsellers, de zogeheten Sanctum-serie.

Hij is acht jaar geleden verhuisd van het huis op Tyresö, toen hij het landgoed Råcksta even buiten Norrtälje kocht. Tweehonderd hectare bos en akkerland, stallen en een prachtige paddock waar hij zijn vijf paarden soms traint. Dertien jaar geleden kwam Reidar Frost alleen te staan op een manier die niemand ooit zou mogen meemaken. Zijn zoon en dochter verdwenen spoorloos op een avond toen ze het huis uit geslopen waren om een vriendje op te zoeken. De fietsen van Mikael en Felicia werden gevonden op een wandelpad in de buurt van

Badholmen. Behalve een commissaris met een Fins accent ging iedereen ervan uit dat de kinderen te dicht bij het water hadden gespeeld en
waren verdronken in de Erstaviken.

De politie hield op met zoeken, hoewel de lichamen nooit gevonden
waren. Reidars echtgenote Roseanna hield het niet uit met hem en haar
eigen gemis. Ze verhuisde tijdelijk naar haar zus, vroeg echtscheiding
aan en met het geld van de boedelverdeling vertrok ze naar het buitenland. Slechts een paar maanden na de scheiding werd ze gevonden in
een badkuip in een hotel in Parijs. Ze had zelfmoord gepleegd. Op de
vloer lag een tekening die Felicia voor haar had gemaakt op moeder-
dag.

De kinderen zijn doodverklaard. Hun namen staan op een grafsteen
die Reidar zelden bezoekt. Op de dag van de doodverklaring nodigde
hij zijn vrienden uit op een feest en sindsdien heeft hij ervoor gezorgd
dat gaande te houden zoals je een vuur smeulend houdt.

Reidar Frost is ervan overtuigd dat hij zich dood zal drinken, maar
weet tegelijkertijd dat hij zich van het leven zou beroven als hij alleen
werd gelaten.

12

Een goederentrein jaagt voort door een nachtelijk winterlandschap. De Traxx-locomotief trekt een bijna driehonderd meter lange trein achter zich aan.

In de stuurcabine zit machinist Erik Johnsson. Hij laat zijn hand op het controlepaneel rusten. Het gedreun uit de machinekamer en van de rails is ritmisch en monotoon.

De sneeuw lijkt in een tunnel van licht van de beide koplampen te vallen. De rest is donker.

Als de trein uit de grote bocht rond Vårsta komt, voert Erik Johnsson de snelheid weer op.

Hij bedenkt dat er zo veel stuifsneeuw is dat hij genoodzaakt zal zijn om op zijn laatst in Hallsberg te stoppen om een remcontrole te doen.

Verderop in de nevel huppelen twee reeën van de spoordijk de witte akker op. Ze verplaatsen zich met een magische souplesse door de sneeuw en verdwijnen in de nacht.

Als de trein de lange brug Igelstabron nadert, denkt Erik aan de tijd dat Sissela soms met hem meeging op de trein. Ze zoenden in elke tunnel en op elke brug. Nu vertikt ze het om ook maar één yogales te missen.

Hij remt voorzichtig af, passeert Hall en zoeft de hoge brug op. Het voelt net als vliegen. De sneeuw wervelt en draait rond in het licht van de koplampen en schakelt het gevoel wat onder en boven is bijna uit.

De locomotief is al midden op de brug, hoog boven het ijs op de Hallsfjärden, als machinist Erik Johnsson een schokkerige schaduw in de nevel ziet. Er is iemand op het spoor. Erik toetert luid en ziet de gestalte een grote stap naar rechts maken op het tegemoetkomende spoor.

De locomotief nadert heel snel. Een halve seconde lang bevindt de man zich midden in het schijnsel van de koplampen. Hij knippert een keer met zijn lichten. Een jonge man met een wezenloos gezicht. De kleren fladderen om het magere lichaam en dan is hij weg.

Erik is zich er niet van bewust dat hij de locomotiefrem heeft gebruikt en dat de hele trein vaart mindert. Het bonkt en knarst metalig en hij weet niet of hij de jonge man heeft aangereden.

Hij beeft, voelt de adrenaline door zijn lichaam stromen en belt het alarmnummer.

'Ik ben machinist en passeerde zojuist een man op de Igelstabron... hij liep midden op het spoor, maar ik geloof niet dat ik hem heb aangereden...'

'Is er iemand gewond?' vraagt de centralist van de meldkamer.

'Volgens mij heb ik hem niet geraakt, ik zag hem maar een paar seconden.'

'Waar heeft u hem precies gezien?'

'Midden op de Igelstabron.'

'Op het spoor?'

'Er is hier niets anders dan spoor, het is een spoorbrug...'

'Stond hij stil of liep hij een bepaalde kant op?'

'Ik weet het niet.'

'Mijn collega alarmeert nu de politie en ambulance in Södertälje. Het treinverkeer op de brug moet stilgelegd worden.'

13

De alarmcentrale stuurt onmiddellijk politiewagens naar beide kanten van de lange brug. Slechts negen minuten later slaat de eerste auto met zwaailicht af van de Nyköpingsvägen en rijdt verder over de smalle grindweg parallel aan de Sydgatan. De weg draait steil omhoog. Er is geen sneeuw geruimd en de losse sneeuw slaat over de motorkap en de voorruit.

De agenten verlaten de wagen bij het bruggenhoofd en lopen dan met brandende zaklantaarns het spoor op. Het is niet zo makkelijk om je langs het spoor te verplaatsen. Auto's passeren diep onder hen op de snelweg. De vier sporen versmallen zich tot twee sporen en strekken zich hoog boven industrieterrein Björkudden en de bevroren baai uit.

De voorste agent blijft staan en wijst. Iemand heeft heel duidelijk voor hen langs het rechterspoor gelopen. In het onrustige schijnsel van de zaklampen zijn bijna uitgewiste voetsporen en een enkele bloedspat te zien.

Ze schijnen verderop, maar zo ver ze kunnen zien is er niemand op de brug. Het licht van de haven straalt van onderaf en doet de sneeuw tussen de sporen pulseren als rook van een brand.

Nu pas bereikt de tweede politiewagen het bruggenhoofd meer dan twee kilometer verderop, aan de overkant van het diepe kanaal.

De banden razen als politieagent Jasim Muhammed naast het spoor komt rijden. Zijn collega Fredrik Mosskin heeft net radiocontact gekregen met hun collega's op de brug.

Er buldert zo'n sterke wind in de microfoon dat het bijna onmogelijk is de stem te horen, maar het is duidelijk dat er zeer onlangs iemand op de spoorbrug heeft gelopen.

De auto houdt halt en de koplampen beschijnen een hoge bergwand. Fredrik beëindigt het gesprek en staart leeg voor zich uit.

'Wat is er aan de hand?' vraagt Jasim.

'Hij lijkt onderweg hierheen.'

'Wat zeiden ze over bloed? Lag er veel bloed?'

'Dat heb ik niet verstaan.'

'We gaan kijken,' zegt Jasim en hij doet het portier open.

Het blauwe zwaailicht speelt op sparren met zwaar besneeuwde takken.

'Er is een ambulance onderweg,' zegt Fredrik.

Er heeft zich nog geen ijslaagje op de sneeuw gevormd en Jasim zakt er tot zijn knieën in weg. Hij haakt de zaklamp los en schijnt op de beide sporen. Fredrik glijdt uit op de spoordijk, maar klautert verder omhoog.

'Wat voor soort dier heeft een extra klootzak midden op zijn rug?' vraagt Jasim.

'Weet niet,' mompelt Fredrik.

Er zit zo veel sneeuw in de lucht dat ze het schijnsel van de zaklampen van hun collega's aan de andere kant van de brug niet zien.

'Een politiepaard,' antwoordt Jasim.

'Jezus, wat een...'

'Mijn schoonmoeder vertelde 'm aan de kinderen,' glimlacht hij en hij loopt de brug op.

Er zijn geen voetsporen in de sneeuw. Of de man is nog op brug, of hij is gesprongen. De leidingen boven hen sjirpen wonderlijk. De grond onder hen loopt steil omlaag.

Het schijnsel van de nabijgelegen gevangenis Hall is door de mist heen te zien, het straalt als een onderwaterstad.

Frederik probeert contact te krijgen met zijn collega's, maar de portofoon buldert alleen maar.

Ze lopen voorzichtig verder de brug op. Fredrik loopt achter Jasim met een zaklamp in zijn hand. Jasim ziet zijn eigen schaduw merkwaardig over de grond bewegen, van de ene kant naar de andere.

Het is raar dat hun collega's aan de andere kant van de brug niet zichtbaar zijn.

Als ze boven het kanaal zijn, is de wind vanaf zee hard. Sneeuw waait in hun ogen. Hun wangen raken verdoofd van de kou.

Jasim tuurt de brug af. Die verdwijnt in een wervelende duisternis. Plotseling ziet hij iets aan de rand van het schijnsel van de zaklamp. Een lange, magere stripfiguur zonder hoofd.

Jasim glijdt uit, grijpt met zijn hand naar de lage reling en ziet de sneeuw vijftig meter naar beneden op het ijs vallen.

Zijn zaklamp slaat ergens tegenaan en gaat uit.

Jasims hart bonkt hevig en hij tuurt weer voor zich, maar ziet de gestalte niet meer.

Fredrik roept iets achter hem en hij draait zich om. Zijn collega wijst naar hem, maar zijn woorden zijn onverstaanbaar. Hij ziet er bang uit, begint met de holster van zijn pistool te klooien en Jasim begrijpt dat hij hem probeert te waarschuwen, dat hij naar iets achter zijn rug heeft gewezen.

Hij draait zich om en hapt naar adem.

Vlak achter hem kruipt een mens over het spoor. Jasim deinst achteruit en probeert zijn pistool los te krijgen. De gestalte komt overeind en wankelt. Het is een jonge man. Hij staart de agenten met een lege blik aan. Het bebaarde gezicht is mager en zijn jukbeenderen steken uit. Hij wankelt, lijkt moeite te hebben met ademen.

'De helft van mij is nog onder de grond,' zegt hij hijgend.

'Ben je gewond?'

'Wie?'

De jonge man hoest en valt weer op zijn knieën.

'Wat zegt hij?' vraagt Fredrik met een hand op zijn dienstwapen in de holster.

'Ben je ergens gewond?' vraagt Jasim.

'Ik weet het niet, ik voel niets, ik...'

'Kom maar met mij mee.'

Jasim helpt hem overeind en ziet dat zijn rechterhand is bedekt met rood ijs.

'Ik ben maar half... de Zandman nam... hij nam de halve...'

14

De deuren van de ambulancegarage van het Söder-ziekenhuis gaan dicht. Een verzorgende met rode wangen helpt het ambulanceperso-neel de brancard uit te klappen en deze de spoedeisende hulp binnen te rijden.

'We hebben geen identiteitsbewijs gevonden, niets...'

De patiënt wordt overgedragen aan de triageverpleegkundige en naar een behandelruimte gebracht.

Nadat de vitale functies zijn gemeten geeft de verpleegkundige de patiënt triageniveau oranje, de op één na hoogste prioriteit, veel haast.

Vier minuten later komt de arts Irma Goodwin de behandelruimte binnen en de verpleegkundige brengt snel rapport uit: 'Luchtwegen vrij, geen acuut trauma... maar slechte saturatie, koorts, tekenen van verwarring, circulatiestoornissen.'

De arts kijkt in het dossier en loopt naar de magere man toe. Zijn kle-ren zijn opengeknipt. De knokige borstkas volgt zijn hijgende ademha-ling.

'Nog steeds geen naam?'

'Nee.'

'Geef hem zuurstof.'

De jonge man ligt met gesloten, trillende oogleden terwijl de ver-pleegkundige een zuurstofslangetje in zijn neus bevestigt.

Hij ziet er opmerkelijk ondervoed uit, maar er zitten geen zichtbare injectiesporen op zijn lichaam. Irma heeft nog nooit zo'n wit iemand gezien. De verpleegkundige meet zijn lichaamstemperatuur weer op via zijn oor.

'Negenendertig negen.'

Irma Goodwin vinkt aan welke onderzoeken er op de patiënt ver-richt dienen te worden en kijkt dan weer naar hem. Zijn borstkas schokt en hij hoest zwak en opent zijn ogen even.

'Ik wil niet, ik wil niet,' fluistert hij manisch. 'Ik moet naar huis, ik moet, ik moet...'

'Waar woon je? Kun je zeggen waar je woont?'

'Wie... wie van ons?' vraagt hij en hij slikt hard.

'Hij ijlt,' zegt de verpleegkundige gedempt.

'Heb je ergens pijn?'

'Ja,' antwoordt hij met een verward glimlachje.

'Kun je zeggen...'

'Nee, nee, nee, nee, ze schreeuwt in me, ik kan er niet tegen, ik hou het niet vol, ik...'

Zijn ogen rollen weg, hij hoest en mompelt iets over vingers van porselein en ademt dan amechtig.

Irma Goodwin besluit de patiënt een neurobioninjectie te geven, plus koortsverlagende en intraveneuze antibiotica, benzylpenicilline, in afwachting van de uitslagen van tests.

Ze verlaat de behandelkamer en loopt door de gang terwijl ze aan haar ringvinger voelt, waar haar trouwring achttien jaar heeft gezeten tot ze hem door de wc spoelde. Haar man had haar veel te lang bedrogen om hem nog te kunnen vergeven. Het doet geen pijn meer, maar het voelt nog steeds vervelend, als een grote verspilling van hun gezamenlijke toekomst. Ze vraagt zich af of ze haar dochter zal bellen, hoewel het al laat is. Na de scheiding is ze bezorgder geworden dan ooit tevoren en ze belt Mia veel te vaak.

Door de deur voor zich hoort ze de verpleegkundige aan de alarmlijn praten. Er is een ambulance in aantocht die een prio-1-oproep heeft aangenomen. Een ernstig verkeersongeluk. De verpleegkundige stelt een behandelteam met chirurg samen.

Irma Goodwin blijft staan en keert vlug terug naar de kamer waar de patiënt met onbekende identiteit ligt. De verzorgende met rode wangen helpt een verpleegkundige om een bloedende wond in zijn lies te wassen. Het lijkt erop dat de jonge man in een scherpe tak is gerend.

Irma Goodwin gaat in de deuropening staan.

'Jullie moeten antibiotica met macroliden geven,' zegt ze beslist. 'Eén gram erytromicine intraveneus.'

De verpleegkundige kijkt op.

'Je denkt dat hij de veteranenziekte heeft?' vraagt ze verbaasd.

'We moeten maar zien wat de kweek...'

Irma Goodwin zwijgt als het lichaam van de patiënt schokt. Ze richt haar blik op zijn witte gezicht en ziet hem langzaam zijn ogen opendoen.

'Ik moet naar huis,' zegt hij. 'Ik heet Mikael Kohler-Frost en ik moet naar huis...'

'Mikael Kohler-Frost,' zegt Irma. 'Je bevindt je in het Söder-ziekenhuis en...'

'Ze schreeuwt de hele tijd!'

Irma verlaat de behandelkamer en gaat op een holletje naar haar eenvoudige kantoor. Ze doet de deur achter zich dicht, zet haar bril op, gaat achter de computer zitten en logt in. Ze vindt hem niet in het patiëntenregister en gaat verder naar het archief van het bevolkingsregister.

Daar vindt ze hem.

Irma Goodwin friemelt onbewust aan de lege plek aan haar ringvinger en leest nogmaals de informatie over de patiënt in de behandelkamer.

Mikael Kohler-Frost is al zeven jaar dood en ligt begraven op het Malsta-kerkhof in de gemeente Norrtälje.

15

Commissaris Joona Linna bevindt zich in een kleine ruimte met wanden en vloer van kaal beton. Hij knielt terwijl een man in camouflagepak een pistool op zijn hoofd richt, een zwarte Sig Sauer. De deur wordt bewaakt door een andere man die zijn Belgische aanvalsgeweer continu op Joona gericht houdt.

Op de vloer bij de muur staat een fles Coca-Cola. Het licht komt van een plafondlamp met een gebutste aluminium kap.

Er gaat een mobiele telefoon. Voor de man met het pistool opneemt, schreeuwt hij tegen Joona dat die zijn hoofd omlaag moet doen.

De andere man legt zijn vinger op de trekker en doet een stap naar voren.

De man met het pistool praat in de mobiel en luistert zonder Joona uit het oog te verliezen. Grind knarst onder zijn laarzen. Hij knikt, zegt nog iets en luistert weer.

De man met het aanvalsgeweer zucht na een poosje en gaat op de stoel naast de deur zitten.

Joona knielt roerloos. Hij draagt een trainingsbroek en een wit T-shirt dat nat is van het zweet. De mouwen spannen om de spieren van zijn bovenarmen. Hij heft zijn hoofd een fractie. Zijn ogen zijn grijs als gepolijst graniet.

De man met het pistool praat verhit aan de telefoon, hangt op, lijkt een paar seconden na te denken en doet dan vier snelle stappen naar voren en drukt de loop van het pistool tegen Joona's voorhoofd.

'Nu overman ik jullie,' zegt Joona vriendelijk.

'Wat?'

'Ik moest wachten,' legt hij uit. 'Tot ik de mogelijkheid krijg tot direct fysiek contact.'

'Ik heb net bevel gekregen je te executeren.'

'Ja, de situatie is nogal acuut omdat ik het pistool uit mijn gezicht moet krijgen en het het liefst binnen vijf seconden moet zien te gebruiken.'

'Hoe?' vraagt de man bij de deur.

'Om hem te kunnen verrassen, mag ik niet op zijn bewegingen reageren,' legt Joona uit. 'Daarom liet ik hem naar me toe komen, blijven staan en precies twee keer ademen. Ik wacht dus tot het einde van de tweede uitademing voordat ik...'

'Waarom?' vraagt de man met het pistool.

'Ik win een paar honderdsten van een seconde omdat het bijna onmogelijk voor je is om te reageren zonder eerst in te ademen.'

'Maar waarom nou net de tweede uitademing?'

'Omdat het onverwacht vroeg is en precies midden in het gebruikelijkste aftellen ter wereld: "één twee drie"...'

'Ik snap het,' glimlacht de man en hij ontbloot een bruine voortand.

'Het eerste dat überhaupt zal bewegen is mijn linkerhand,' legt Joona uit aan de bewakingscamera onder het plafond. 'Die gaat in één beweging naar de loop van het pistool en weg van mijn gezicht. Ik moet hem vastpakken, omhoog draaien en op mijn voeten komen met zijn lichaam als schild. In één beweging. Mijn handen moeten prioriteit geven aan het wapen, maar tegelijkertijd moet ik de man met het aanvalsgeweer in de gaten houden. Zodra ik de macht over het pistool heb, is hij degene die de voornaamste dreiging vormt. Ik sla snel en zo vaak als nodig is met mijn elleboog tegen kin en hals om controle over het pistool te krijgen, vuur drie schoten af, draai dan rond en vuur nog drie schoten af.'

De mannen in de kamer beginnen opnieuw. De situatie herhaalt zich. De man met het pistool krijgt zijn bevel per telefoon, aarzelt en loopt dan snel naar Joona en drukt de loop tegen zijn voorhoofd. De man ademt een tweede keer uit en staat op het punt in te ademen om iets te zeggen als Joona de loop van het pistool met zijn linkerhand vangt.

Het geheel is wonderlijk verrassend en snel, hoewel het verwacht is.

Joona slaat het wapen opzij, draait het in één beweging naar het plafond en komt op zijn voeten. Hij maakt vier snelle pseudoslagen met

48

zijn elleboog tegen de hals van de man, krijgt het pistool los en schiet de andere man in zijn romp.

De drie knallen van de losse flodders ratelen tussen de wanden.

De eerste tegenstander wankelt nog achteruit als Joona zich omdraait en hem in de romp schiet.

Hij valt tegen de muur.

Joona loopt verder naar de deur, rukt het aanvalsgeweer naar zich toe, pakt het extra magazijn mee en verlaat de kamer.

16

De deur slaat hard tegen de betonnen wand en stuit dan terug. Joona loopt verder naar binnen terwijl hij het magazijn verwisselt. De acht personen in de belendende kamer verplaatsen hun blik allemaal van het breedbeeldscherm naar hem.

'Zesenhalve seconde tot het eerste schot,' zegt een van hen.

'Dat is veel te langzaam,' antwoordt Joona.

'Maar Markus zou het pistool sneller losgelaten hebben als je elleboog hem echt geraakt had,' zegt een lange man met kaalgeschoren hoofd.

'Ja, daar had je wat tijd mee gewonnen,' glimlacht een vrouwelijke bevelvoerder.

De scène is al in herhaling zichtbaar op het scherm. Joona's gespannen schouderspier, de soepele voorwaartse bewegingen, de lijn van het oog en de korrel terwijl de trekker ingedrukt wordt.

'Echt ongelofelijk indrukwekkend,' zegt de groepsbevelhebber en hij plaatst zijn beide handpalmen in een breed gebaar op tafel.

'Voor een smeris,' maakt Joona zijn zin af.

Ze lachen, leunen achterover en de groepsbevelhebber krabt met rood kleurende wangen aan zijn neuspuntje.

Joona Linna pakt een glas mineraalwater aan. Hij weet nog niet dat alles wat hij vreest binnenkort als een vuurstorm zal oplaaien. Hij heeft nog geen vermoeden van het kleine vonkje dat naar een zee van benzine dwarrelt.

Joona Linna bevindt zich in de vesting Karlsborg om de Bijzondere Operatiegroep te onderwijzen in man-tegen-mangevechten. Dat doet hij niet omdat hij een daartoe opgeleid instructeur is, maar omdat hij in Zweden waarschijnlijk de persoon is met de meeste ervaring met de technieken die zij moeten leren. Toen Joona achttien was, vervulde hij zijn dienstplicht hier in Karlsborg als paratroeper en hij werd onmiddellijk na de basisopleiding gerekruteerd voor een nieuwe speciale eenheid voor operatieve taken die niet opgelost konden worden door conventionele eenheden of wapensystemen.

Hoewel hij het leger lang geleden heeft verlaten om aan de politieacademie te gaan studeren, gebeurt het nog steeds dat hij 's nachts droomt over zijn tijd als paratroeper. Dan is hij terug in het transportvliegtuig, hoort hij het oorverdovende bulderen en staart hij door het hydraulische luik naar buiten. De schaduw van het vliegtuig loopt als een grijs kruis over het bleke water diep onder hem. In zijn droom rent hij de laadklep af en springt hij de koude lucht in, hij hoort hoe het giert in de hanglijnen, voelt de ruk aan het harnas en bungelt voorover als de parachute opengaat. Het water komt met enorme snelheid dichterbij. De zwarte rubberboot slaat schuimend tegen de golven ver onder hem.

Joona is in Nederland geschoold in effectieve man-tegen-mangevechten met messen, bajonetten en pistolen. Hij is erin getraind om verschillende omstandigheden te benutten en innovatief te zijn in het gebruik van voorwerpen als wapens. De doelgerichte technieken waren een gespecialiseerde gevechtsmethode met de Hebreeuwse naam Krav Maga.

'We beginnen altijd met deze situatie en daarna maken we het in de loop van de dag steeds moeilijker,' zegt Joona.

'Zoals twee mensen neerschieten met één kogel?' glimlacht de lange man met het kaalgeschoren hoofd.

'Dat kan niet,' zegt Joona.

'We hebben gehoord dat jij dat hebt gedaan,' werpt de vrouw nieuwsgierig tegen.

'Nee hoor,' zegt Joona glimlachend, en hij haalt zijn hand door zijn warrige blonde haar.

De telefoon in zijn binnenzak gaat. Hij ziet aan het nummer dat het Nathan Pollock van de rijksrecherche is. Nathan weet waar Joona is en zou alleen bellen als het om iets belangrijks gaat.

'Neem me niet kwalijk,' zegt Joona en hij neemt op.

Hij drinkt het glas water leeg en luistert eerst glimlachend en dan ernstig. Plotseling trekt alle kleur uit zijn gezicht weg.

'Is Jurek Walter nog altijd opgesloten?' vraagt hij.

Zijn hand trilt zo hevig dat hij het waterglas op tafel moet zetten.

17

Sneeuw wervelt door de lucht als Joona naar zijn auto rent en gaat zitten. Hij rijdt dwars over het grote, met grind verharde plein waar hij als achttienjarige exerceerde, keert met knerpende banden en verlaat het garnizoensterrein.

Zijn hart bonst hevig en hij vindt het nog steeds moeilijk te geloven wat Nathan vertelde. Zweet parelt op zijn voorhoofd en zijn handen willen niet ophouden met trillen.

Hij haalt een karavaan vrachtwagens in op de E20 even voor Arboga. Hij moet het stuur met beide handen vasthouden omdat de zuiging van de zware voertuigen zijn auto doet slingeren.

Hij denkt continu aan het telefoontje dat hij midden onder de training met de Bijzondere Operatiegroep kreeg.

Nathan Pollocks stem was volkomen kalm toen hij vertelde dat Mikael Kohler-Frost leefde.

Joona was er altijd van overtuigd geweest dat de jongen en zijn zusje twee van de vele slachtoffers van Jurek Walter waren. En nu vertelde Nathan dat Mikael door de politie was gevonden op een spoorbrug in Södertälje en was overgebracht naar het Söder-ziekenhuis.

Pollock vertelde dat de toestand van de jongen ernstig was, maar niet levensbedreigend. Hij was nog niet verhoord.

'Is Jurek Walter nog altijd opgesloten?' was Joona's eerste vraag.

'Ja, hij zit nog altijd op de isoleerafdeling,' antwoordde Pollock.

'Weet je het zeker?'

'Ja.'

'En de jongen? Hoe weten jullie dat het Mikael Kohler-Frost is?' vroeg Joona.

'Hij schijnt zijn naam meerdere malen te hebben gezegd. Dat is het enige wat we weten... en dat zijn leeftijd klopt,' antwoordde Pollock.

'We hebben natuurlijk een speekselmonster naar het gerechtelijk lab gestuurd...'

'Maar jullie hebben zijn vader niet op de hoogte gesteld?'

'We moeten proberen uitsluitsel te krijgen over zijn DNA voor we dat doen, ik bedoel, we mogen ons niet vergissen...'

'Ik kom eraan.'

18

De zwarte, nat besneeuwde weg wordt onder de auto gezogen en Joona Linna moet moeite doen om de snelheid niet op te voeren terwijl zijn herinnering beelden vormt van wat zo veel jaar geleden is gebeurd.

Mikael Kohler-Frost, denkt hij.

Mikael Kohler-Frost is na al die jaren levend aangetroffen.

Alleen de naam Frost is al genoeg voor Joona om alles te herbeleven.

Hij haalt een witte, vuile auto in en ziet het kind dat met zijn knuffeldier door de ruit naar hem zwaait amper. Hij is meegetrokken in zijn herinneringen en bevindt zich in de gezellig rommelige woonkamer van zijn collega Samuel Mendel.

Samuel leunt over de tafel zodat zijn zwarte, krullende haar over zijn voorhoofd valt en herhaalt Joona's woorden.

'Een seriemoordenaar?'

Dertien jaar geleden begon Joona een vooronderzoek dat zijn leven volkomen zou veranderen. Samen met zijn collega Samuel Mendel begon hij onderzoek te doen naar twee personen die in Sollentuna als vermist waren opgegeven.

De eerste zaak betrof een vijfenvijftigjarige vrouw die tijdens een avondwandeling was verdwenen. Haar hond was op een voetpad achter Ica Kvantum gevonden met een losse riem achter zich aan. Slechts twee dagen later verdween de schoonmoeder van de vrouw toen ze het korte stukje tussen haar aanleunwoning en de bingozaal liep.

Het bleek dat de broer van de vrouw vijf jaar geleden was verdwenen in Bangkok. Interpol en het ministerie van Buitenlandse Zaken waren ingeschakeld, maar hij werd nooit gevonden.

Er bestaan geen statistieken van hoeveel mensen er jaarlijks in de hele wereld verdwijnen, maar iedereen weet dat het om gruwelijk veel mensen gaat. In de vs verdwijnen er ongeveer honderdduizend mensen per jaar, in Zweden ongeveer zevenduizend.

De meesten komen boven water, maar er zijn nog steeds beangstigend veel mensen die vermist blijven.

Slechts een klein aantal van de mensen die nooit gevonden worden, is ontvoerd of vermoord.

Joona en Samuel werkten beiden nog maar vrij kort bij de rijksrecherche toen ze belangstelling kregen voor de twee vermiste vrouwen in Sollentuna. Sommige omstandigheden deden namelijk denken aan die van twee mensen die vier jaar eerder waren verdwenen in Örebro.

Toen betrof het een veertigjarige man en zijn zoon. Ze waren onderweg geweest naar een voetbalwedstrijd in Glanshammar, maar daar waren ze nooit aangekomen. De auto werd verlaten aangetroffen op een bosweggetje dat in het geheel niet naar de sportvelden leidde.

Aanvankelijk was het niet meer dan een inval, een spontaan geopperd idee.

Stel dat er een concreet verband tussen de gebeurtenissen bestaat, ondanks afstand in plaats en tijd?

Dan zou het niet onredelijk zijn om aan te nemen dat er meer verdwijningen met deze vier in verband konden worden gebracht.

Het voorbereidende vooronderzoek bestond uit het gebruikelijke rechercheren, werk dat achter het bureau plaatsvindt, achter de computer. Joona en Samuel verzamelden en structureerden de informatie die verband hield met alle vermisten in Zweden die de afgelopen tien jaar niet terecht waren gekomen.

Het idee was om te onderzoeken of de mensen die verdwenen waren iets gemeenschappelijks hadden dat buiten de grenzen van het toeval lag.

Ze legden de verschillende gevallen als doorschijnende blaadjes over elkaar heen – en geleidelijk tekende zich een soort sterrenbeeld af in het wazige systeem van met elkaar verbonden punten.

Het onverwachte patroon dat zichtbaar werd, was dat veel van de vermisten deel uitmaakten van families waar meer dan één persoon spoorloos was verdwenen.

Joona herinnerde zich de stilte die over de kamer neerdaalde toen ze een stap naar achteren deden en het resultaat opnamen. Vijfenveertig verdwenen mensen voldeden aan dat criterium. Veel van hen zouden de komende dagen waarschijnlijk weggestreept kunnen worden, maar vijfenveertig was vijfendertig meer dan kansberekening toeliet.

19

Aan de ene wand van Samuels kamer bij de rijksrecherche hing een grote kaart van Zweden waarop de vermisten met spelden waren gemarkeerd.

Ze begrepen uiteraard dat niet alle vijfenveertig vermisten waren vermoord, maar voorlopig besloten ze niemand buiten beschouwing te laten.

Omdat geen enkele bekende dader überhaupt klopte met de tijdstippen van de verdwijningen, begonnen ze te zoeken naar motieven en werkwijze, een modus operandi. Er waren geen overeenkomsten met opgehelderde moordzaken. De moordenaar met wie ze deze keer te maken hadden, liet geen sporen van geweld achter en hij verborg de lichamen van de slachtoffers heel goed.

Op basis van de keuze van slachtoffers worden seriemoordenaars over het algemeen ingedeeld in twee groepen: de specialisten die altijd op zoek zijn naar het ideale slachtoffer, iemand die zo goed mogelijk overeenkomt met hun fantasiebeelden. Deze moordenaars richten zich op een bepaalde menstype en zoeken bijvoorbeeld uitsluitend naar blonde jongens in de prepuberteit.

De tweede groep wordt generalisten genoemd – bij hen stuurt de bereikbaarheid van het slachtoffer de keuze. Het slachtoffer vervult op de eerste plaats een rol in de fantasie van de moordenaar, en het doet er eigenlijk niet toe wie het slachtoffer in werkelijkheid is en hoe hij of zij eruitziet.

Maar de seriemoordenaar wiens bestaan Joona en Samuel vermoedden, paste niet in een van deze twee categorieën. Enerzijds was hij een generalist, aangezien de slachtoffers zo divers waren, maar anderzijds was bijna niemand van hen makkelijk bereikbaar.

Ze zochten een seriemoordenaar die in principe onzichtbaar was.

Hij volgde geen patroon en liet geen sporen of opzettelijke signaturen achter.

De dagen verstreken zonder dat de verdwenen vrouwen uit Sollentuna gevonden werden.

Joona en Samuel konden geen concrete sporen van een seriemoordenaar aan hun leidinggevende presenteren. Ze bleven echter volhouden dat er geen andere verklaring voor al deze vermisten kon zijn. Twee dagen later had het onderzoek geen prioriteit meer en was er geen geld meer beschikbaar voor het recherchewerk.

Maar Samuel en Joona konden het niet loslaten, en ze begonnen vrije avonden en weekenden aan het zoeken te besteden.

Joona en Samuel concentreerden zich op het patroon dat aangaf dat wanneer twee personen uit één familie waren verdwenen, het risico significant toenam dat er in een nabije toekomst nog iemand zou verdwijnen.

Terwijl ze naspeuringen deden naar de familie van de vrouwen die in Sollentuna waren verdwenen, werden er twee kinderen op Tyresö als vermist opgegeven. Mikael en Felicia Kohler-Frost. Kinderen van de beroemde schrijver Reidar Frost.

20

Joona kijkt even op de benzinemeter als hij de afslag naar het Statoil-tankstation en een besneeuwde parkeerplaats passeert.

Hij herinnert zich het gesprek met Reidar Frost en zijn vrouw Roseanna Kohler, drie dagen nadat hun kinderen waren verdwenen. Hij zei niet wat hij vermoedde: dat ze gedood waren door een seriemoordenaar naar wie de recherche niet meer zocht, een moordenaar wiens bestaan ze uitsluitend op theoretisch niveau hadden weten vast te stellen.

Joona stelde gewoon zijn vragen en liet de ouders vasthouden aan het idee dat hun kinderen waren verdronken.

Het gezin woonde aan de Varvsvägen in een mooi huis aan een zandstrand langs het water. Het waren een paar zachte weken geweest en veel sneeuw was gesmolten. Straten en voetpaden waren zwart en vochtig. Het water lag langs de gehele oever open en het resterende ijs was donkergrijs en nat.

Joona herinnert zich hoe hij door het huis liep, door een grote keuken en aan een enorm witte tafel bij een raampartij ging zitten. Maar Roseanna had de gordijnen voor alle ramen dichtgetrokken, en hoewel ze met rustige stem sprak, schudde haar hoofd onafgebroken.

Het zoeken naar de kinderen had geen resultaat. Ze hadden ontelbaar veel vluchten met de helikopter gemaakt, ze hadden gedoken en naar lichamen gedregd en zoekacties gehouden met vrijwilligers en gespecialiseerde hondenteams.

Maar niemand had iets gehoord of gezien.

Reidar Frost had de blik van een gevangen dier.

Hij wilde niets anders dan doorgaan met zoeken.

Joona had tegenover de beide ouders gezeten, geroutineerd vragen gesteld over binnengekomen dreigementen, of iemand zich anders of ongewoon had gedragen, of ze zich achtervolgd hadden gevoeld.

'Iedereen denkt dat ze in het water gevallen zijn,' fluisterde de vrouw en haar hoofd begon weer te schudden.

'Jullie hebben verteld dat ze nadat ze naar bed zijn gegaan soms uit het raam klimmen,' vervolgde Joona rustig.

'Dat mag natuurlijk niet,' zei Reidar.

'Maar jullie weten dat ze soms het huis uit glippen en naar een gemeenschappelijke vriend gaan?'

'Rikard.'

'Rikard van Horn aan Björnbärsvägen 7,' zei Joona.

'We hebben geprobeerd het er met Micke en Felicia over te hebben, maar... het zijn kinderen en zo erg is het misschien ook weer niet, dachten we,' antwoordde Reidar, en hij legde zijn hand zacht op die van zijn vrouw.

'Wat doen ze bij Rikard?'

'Ze blijven niet lang en spelen Diablo.'

'Dat doet iedereen,' fluisterde Roseanna en ze trok haar hand weg.

'Maar afgelopen zaterdag zijn ze niet naar Rikard gefietst, maar naar Badholmen,' ging Joona verder. 'Zijn ze daar 's avonds wel vaker?'

'We denken van niet,' zei Roseanna en ze stond rusteloos op van tafel, alsof ze haar innerlijke trilling niet meer in bedwang kon houden.

Joona knikte.

Hij wist dat de jongen die Mikael heette kort voor hij en zijn zusje het huis verlieten een telefoontje had gekregen, maar het nummer was onmogelijk te achterhalen geweest.

Het was ondraaglijk geweest om tegenover de twee ouders te zitten. Joona zei niets, maar hij was er steeds sterker van overtuigd dat beide kinderen slachtoffer van de seriemoordenaar waren. Hij luisterde en stelde zijn vragen, maar kon hun niet vertellen wat hij dacht.

21

Als de twee kinderen inderdaad slachtoffer van deze seriemoordenaar waren en Joona en Samuel er gelijk in hadden dat hij binnenkort ook zou proberen een van de ouders te vermoorden, waren ze genoodzaakt een keuze te maken.

Ze besloten de bewaking rond Roseanna Kohler te concentreren.

Ze was ingetrokken bij haar zus in de wijk Gärdet in Stockholm.

Haar zus woonde met haar vierjarige dochter in een witte meergezinswoning aan de Lanforsvägen 25 in de buurt van Lill-Jansskogen.

Om beurten bewaakten Joona en Samuel 's nachts het witte huis. Een week lang zat een van hen tot het licht werd even verderop in de straat in een auto.

Op de achtste dag zat Joona achterovergeleund in de auto en zag hij zoals altijd hoe de mensen in het huis aanstalten maakten om naar bed te gaan. De lampen gingen een voor een uit in een patroon dat hij had leren herkennen.

Een vrouw in een zilverkleurig donzen jack liep het gebruikelijke rondje met haar golden retriever, en daarna werd het ook achter de laatste ramen donker.

Joona's auto stond in het donker op de Porjusvägen tussen een vuilwitte pick-up en een rode Toyota.

In de achteruitkijkspiegel zag hij besneeuwde bosjes en een hoog hek voor een elektriciteitshuisje.

De woonwijk voor hem lag er volkomen stil bij. Door de voorruit nam hij het statische schijnsel van de straatlantaarns op, de trottoirs en de zwarte ramen van de huizen.

Hij begon plotseling bij zichzelf te glimlachen toen hij eraan dacht hoe hij die avond met zijn vrouw en dochtertje had gegeten voor hij hierheen was gekomen. Lumi had haast met eten om Joona verder te kunnen onderzoeken.

'Ik wil eerst mijn bord leegeten,' probeerde hij.

Maar Lumi had haar ernstige gezicht opgezet en sprak met haar moeder over zijn hoofd heen en vroeg of hij zijn tanden zelf poetste.

'Hij doet het heel goed,' antwoordde Summa.

Ze vertelde met een glimlachje dat al Joona's tanden al door waren en at ondertussen. Lumi stopte een stuk keukenpapier onder zijn kin, probeerde een vinger in zijn mond te stoppen en zei tegen hem dat hij zijn mond wijd open moest doen.

De gedachten aan Lumi vervaagden toen er plotseling een lamp aanging in de woning van de zus. Joona zag Roseanna in haar flanellen nachthemd telefoneren.

De lampen achter het raam gingen weer uit.

Er verstreek een uur, maar de wijk lag er verlaten bij.

Het begon koud te worden in de auto toen Joona een gestalte in de achteruitkijkspiegel zag. Een in elkaar gedoken figuur kwam aangelopen door de lege straat.

22

Joona zakte een beetje verder onderuit in zijn stoel, volgde de gestalte in de achteruitkijkspiegel en probeerde een glimp van het gezicht op te vangen.

De takken van de lijsterbes bewogen toen hij passeerde.

In het grijze licht van het elektriciteitshuisje zag Joona dat het Samuel was.

Zijn collega was bijna een halfuur te vroeg.

Hij deed het portier open, ging op de passagiersplaats zitten, schoof de stoel achteruit en zuchtte.

'Je bent lang en blond, Joona... en we hebben het hier samen hartstikke gezellig in de auto,' zei hij. 'Maar toch slaap ik liever naast Rebecka... wil ik huiswerk maken met de jongens.'

'Je kunt huiswerk met mij maken,' antwoordde Joona.

'Dank je,' lachte Samuel.

Joona keek de weg af, naar het huis met de gesloten voordeuren, de roestige dragers van de balkons en de ramen die zwart glansden.

'We geven het nog drie dagen,' zei hij.

Samuel pakte zijn zilverkleurige thermoskan met yoich, zoals hij zijn kippensoep noemde.

'Ik weet het niet, ik heb veel nagedacht,' zei hij ernstig. 'Er klopt niets in deze zaak... we proberen een seriemoordenaar te vinden die misschien niet eens bestaat.'

'Hij bestaat,' zei Joona koppig.

'Maar hij klopt niet met wat we geleerd hebben, hij klopt niet met welk onderzoek dan ook en...'

'Dat is de reden... dat is de reden dat niemand hem gezien heeft,' zei Joona. 'Hij is alleen maar zichtbaar omdat hij een schaduw in de statistieken werpt.'

Ze zaten zwijgend naast elkaar. Samuel blies in zijn soep en zijn voorhoofd besloeg. Joona neuriede een tango en liet zijn blik van Roseanna's slaapkamer naar de ijspegels langs de dakrand glijden en omhoog over besneeuwde schoorstenen en ventilatoren.

'Er is iemand achter het huis,' fluisterde Samuel plotseling. 'Volgens mij zag ik een beweging.'

Samuel wees, maar alles was droomachtig stil.

De volgende seconde zag Joona lichte sneeuw om een struik achter het huis dwarrelen. Alsof er net iemand langs was gelopen.

Voorzichtig deden ze de portieren open en slopen naar buiten.

Het was stil in de slapende woonwijk. Het enige wat je hoorde waren hun stappen en het gezoem van het elektriciteitshuisje.

Het had een paar weken gedooid, maar daarna was het weer gaan sneeuwen.

Ze naderden de raamloze gevel van het gebouw, liepen stil over de grasdijk naar beneden en langs de behangzaak op de begane grond.

Het schijnsel van de dichtstbijzijnde lantaarnpaal viel over de gladde sneeuw op het open stuk grond achter de huizenrij. Ze bleven in elkaar gedoken staan bij de hoek van het gebouw en probeerden de bomen af te speuren die verderop, richting de Koninklijke Tennishal en het Lill-Jansskogen, dicht op elkaar stonden.

Eerst zag Joona niets in het donker tussen de oude, kromme bomen.

Hij wilde net naar Samuel gebaren verder door te lopen, toen hij de gestalte ontwaarde.

Er stond een man tussen de bomen, net zo roerloos als de besneeuwde takken.

Joona's hart begon sneller te kloppen.

De tengere man staarde als een spook naar het raam waar Roseanna Kohler lag te slapen.

De man leek geen haast te hebben, had geen zichtbaar doel.

Joona raakte vervuld van de ijzingwekkende overtuiging dat de man die in de tuin stond de seriemoordenaar was wiens bestaan ze vermoedden.

Het beschaduwde gezicht was mager en gerimpeld.

Hij stond daar maar, alsof de aanblik van het huis hem voedde met een genotvolle kalmte, alsof hij zijn slachtoffer al in een kreeftenfuik had zitten.

Ze trokken hun wapen, maar wisten niet wat ze moesten doen. Ze hadden het hier van tevoren niet over gehad. Hoewel ze Roseanna al zo veel nachten bewaakten, hadden ze nooit besproken wat ze zouden doen als bleek dat ze gelijk hadden.

Ze konden een man die alleen maar naar een donker raam stond te kijken niet overweldigen en arresteren. Ze zouden er weliswaar achter komen wie hij was, maar daarna zouden ze hem misschien moeten laten gaan.

23

Joona staarde naar de onbeweeglijke gedaante tussen de boomstammen. Hij voelde het gewicht van zijn halfautomatische pistool, voelde zijn vingers afkoelen door de lucht en hoorde Samuels adem naast zich.

De situatie begon bijna absurd te voelen toen de man plotseling een stap naar voren deed.

Ze zagen dat hij een tas in zijn hand hield.

Achteraf was het moeilijk te zeggen waardoor ze allebei wisten dat ze de man die ze zochten hadden gevonden.

De man glimlachte alleen maar stil naar het raam van Roseanna's slaapkamer en verdween daarna tussen de struiken.

De sneeuw die op het gras lag knerpte licht onder hun zolen toen ze achter hem aan slopen. Ze volgden de verse voetsporen dwars door het slapende loofbos en kwamen na een tijdje bij een oude spoorbaan.

Rechts in de verte konden ze de gestalte over de rails zien lopen. Hij passeerde een hoogspanningsmast, liep door de kruisende schaduwen van het vakwerk.

De oude spoorbaan werd nog steeds gebruikt voor goederenverkeer en liep van de haven Värtahamn door het hele bos Lill-Jansskogen.

Joona en Samuel volgden hem door de diepe sneeuw onder aan de spoordijk om niet gezien te worden.

De spoorbaan ging onder een viaduct door en verdween in het grote bos. Alles was daar meteen weer veel stiller en donkerder.

De zwarte bomen stonden dicht op elkaar met hun besneeuwde takken.

Zwijgend beenden Joona en Samuel door om hem niet kwijt te raken.

Toen ze bij het moeras van Uggleviken de bocht om kwamen, zagen ze dat de rechte spoorbaan verlaten was.

De man was ergens van het spoor afgeslagen, het bos in.

Ze liepen de spoordijk op, keken het witte bos in en begonnen terug te lopen. Het had de afgelopen dagen gesneeuwd en het terrein was praktisch ongerept.

Toen zagen ze de voetsporen die ze eerder hadden gemist. De tengere man had de rails verlaten en was recht het bos in gelopen. De grond onder het sneeuwdek was nat en de sporen van zijn schoenen waren donker gekleurd. Tien minuten geleden waren ze nog wit geweest en onmogelijk te zien in het zwakke licht, maar nu waren ze donker als lood.

Ze volgden de sporen het bos in, richting het grote reservoir. Het was bijna zwart tussen de bomen.

Drie keer kruisten de lichte sporen van een haas de baggerende sporen van de man.

Een poosje was het zo donker dat ze dachten dat ze hem opnieuw kwijt waren. Ze bleven staan, zagen de sporen weer en haastten zich verder.

Plotseling hoorden ze lichte, klagende geluiden. Het klonk als een dier dat jankte, het leek op niets wat Joona en Samuel ooit hadden gehoord. Ze volgden de voetsporen en kwamen dichter bij het geluid.

Wat ze toen tussen de boomstammen zagen, leek op een scène uit een groteske, middeleeuwse sage. De man die ze achtervolgd hadden, stond voor een ondiep graf. De grond om hem heen was donker van opgegraven aarde. Een magere en vuile vrouw probeerde voortdurend uit de kist te komen, ze worstelde huilend om over de rand van de kist heen te klimmen. Maar telkens als ze omhoogkwam, duwde de man haar weer omlaag.

Een paar seconden lang stonden Joona en Samuel alleen maar te staren voordat ze hun wapens ontgrendelden en op de man af stoven.

De man was ongewapend en Joona wist dat hij op zijn benen moest richten, maar toch richtte hij het wapen op zijn hart.

Ze renden over de vuile sneeuw, werkten de man op zijn buik tegen de grond, klemden zijn armen en benen vast.

Samuel stond hijgend met het pistool op hem gericht terwijl hij de alarmcentrale belde.

Joona hoorde de tranen in zijn stem.

Ze hadden een tot dan toe onbekende seriemoordenaar gegrepen.

Zijn naam was Jurek Walter.

Joona hielp de vrouw voorzichtig uit de kist en probeerde haar te kalmeren. Ze lag op de grond te hijgen. Toen Joona vertelde dat er hulp onderweg was, zag hij een beweging tussen de bomen. Iets groots dat vluchtte, een tak knapte, dennentakken zwiepten en sneeuw viel neer als stof.

Misschien was het een ree.

Joona begreep later dat het de handlanger van Jurek Walter moest zijn geweest, maar op dat moment waren ze er uitsluitend op gericht de vrouw te redden en de man over te brengen naar het huis van bewaring.

Het bleek dat de vrouw bijna twee jaar in de kist had gelegen. Jurek Walter moest haar geregeld van voedsel en water hebben voorzien en het graf daarna weer hebben bedekt.

De vrouw was blind geworden en was sterk ondervoed, haar spieren waren geatrofieerd, de doorligwonden hadden haar misvormd, haar handen en voeten vertoonden koudeletsel.

Eerst dacht men dat ze alleen getraumatiseerd was, maar later bleek ook dat ze zwaar hersenletsel had opgelopen.

24

Joona deed de deur heel zorgvuldig op slot toen hij om half vijf 's ochtends thuiskwam. Met zijn hart bonkend van angst verplaatste hij het warme, zweterige lichaam van Lumi wat naar het midden van het bed voor hij met zijn arm om haar en Summa heen ging liggen. Hij wist dat hij niet zou kunnen slapen, maar hij wilde heel graag bij zijn gezin liggen.

Om zeven uur was hij alweer terug in het Lill-Jansskogen. Het gebied was afgezet en werd bewaakt, maar de sneeuw rondom het graf was al zo vertrapt door agenten, honden en reddingswerkers dat het zoeken naar sporen van een eventuele medeplichtige zinloos was.

Om tien uur blafte een recherchehond bij een plaats in de buurt van het Uggleviks-reservoir, slechts tweehonderd meter van het graf van de vrouw. Technisch rechercheurs en onderzoekers plaats delict werden opgeroepen, en twee uur later hadden ze de stoffelijke resten van een man van middelbare leeftijd en een jongen van een jaar of vijftien opgegraven. Ze lagen allebei in een blauwe plastic ton geperst en forensisch onderzoek wees uit dat ze bijna vier jaar geleden begraven waren. Hoewel er een luchtpijp was, waren ze maar enkele uren blijven leven in de ton.

Jurek Walter stond ingeschreven op de Björnövägen in de wijk Hovsjö in Södertälje. Dat was zijn enige adres. Volgens het bevolkingsregister had hij nergens anders gewoond sinds hij in 1994 van Polen naar Zweden was gekomen en een verblijfsvergunning had gekregen.

Jurek Walter werkte als monteur bij het kleine bedrijf Menges werkplaats, waar hij treinwissels repareerde en dieselmotoren reviseerde.

Alles wees erop dat hij een volstrekt teruggetrokken en kalm leven had geleid.

De Björnövägen is een deel van het uniforme wooncomplex dat begin jaren zeventig is gebouwd in het mooie, natuurrijke Hovsjö in Södertälje.

Joona en Samuel en de twee technisch rechercheurs wisten niet wat ze zouden aantreffen in het appartement van Jurek Walter. Een martelkamer of een trofeeënverzameling, potten met formaline, vrieskisten met lichaamsdelen, kasten vol fotodocumentatie?

De politie had het gebied rondom de flat en de gehele tweede verdieping afgezet.

Ze hulden zich in beschermende pakken, openden de deur en legden staptegels neer om geen bewijs te verknoeien.

Jurek Walter woonde in een tweekamerappartement van drieëndertig vierkante meter.

Op de vloer onder de brievenbus lagen reclamefolders. De gang was helemaal leeg. In de halkast naast de voordeur hingen geen jassen en er stonden geen schoenen.

Langzaam gingen ze verder naar binnen.

Joona hield er rekening mee dat er zich iemand in de flat schuilhield, maar alles stond hier stil, alsof de tijd deze plaats had opgegeven.

De luxaflex was omlaaggetrokken. Het appartement rook naar zon en stof.

Er stonden geen meubels in de keuken. De koelkast stond open en was uitgeschakeld. Niets wees erop dat hij ooit was gebruikt. De kookplaten waren wat roestig. In de oven lag een gebruiksaanwijzing van Electrolux op de ongebruikte bakplaat. Het enige voedsel dat ze in de kasten vonden waren twee blikken met ananasschijven.

In de slaapkamer stond een smal bed zonder beddengoed en in de kleerkast hing een schoon overhemd aan een haakje.

Dat was alles.

Joona probeerde te begrijpen wat dat lege appartement betekende. Het stond als een paal boven water dat Walter daar niet had gewoond.

Misschien gebruikte hij het alleen als postadres.

Er was niets in het appartement dat hen verder bracht. De enige vingerafdrukken waren afkomstig van Walter zelf.

Hij kwam niet voor in het strafregister, het verdachtenregister of de registers van de sociale dienst. Jurek Walter was niet verzekerd, had nooit een lening afgesloten, zijn inkomstenbelasting werd van zijn brutoloon afgetrokken en hij had nooit belastingaangifte gedaan.

Er bestaan zeer veel verschillende registers. Meer dan driehonderd die onder de wet op persoonsgegevens vallen. Jurek Walter stond alleen in de registers die geen enkele burger kan vermijden.

Verder was hij onzichtbaar.

Hij had zich nooit ziek gemeld, had nooit een arts of tandarts bezocht.

Hij stond niet in het wapenregister, het motorvoertuigenregister, het schoolregister, een politiek register of registers van religieuze genootschappen.

Het was net alsof hij zijn leven had geleid met de bedoeling zo onzichtbaar mogelijk te blijven.

Geen enkele informatie leidde hen verder.

De weinige personen met wie hij contact had gehad op zijn werk wisten niets over hem. Ze vertelden dat hij nooit veel zei, maar dat hij een erg goede monteur was.

Toen de rijksrecherche bericht kreeg van Policja, haar Poolse pendant, bleek dat een man met de naam Jurek Walter al jaren dood was. Omdat deze Jurek Walter vermoord was aangetroffen in een openbaar toilet op het centraal station Kraków Główny, konden ze zowel foto's als vingerafdrukken sturen.

De foto's noch de vingerafdrukken kwamen overeen met de Zweedse seriemoordenaar.

Waarschijnlijk had hij alleen de identiteit van de echte Jurek Walter gestolen.

De man die ze in het Lill-Jansskogen hadden gearresteerd, bleek steeds meer een beangstigend raadsel.

Drie maanden lang kamden ze het bos uit, maar nadat de man en de jongen in de ton waren opgegraven, werden er geen slachtoffers van Jurek Walter meer gevonden.

Totdat Mikael Kohler-Frost kwam aanlopen over een brug richting Stockholm.

25

Een officier van justitie nam de verantwoordelijkheid voor het vooronderzoek over, maar Joona en Samuel leidden de verhoren vanaf de
inhechtenisneming tot aan de rechtszaak. Tijdens de gesprekken in
het huis van bewaring bekende Jurek Walter niets, maar hij ontkende
evenmin dat hij schuldig was aan een misdrijf. Hij hield zich uitsluitend bezig met filosoferen over de dood en de levensomstandigheden
van de mens. Omdat bewijs eigenlijk ontbrak, leidden de omstandigheden van de arrestatie, het gebrek aan verklaringen en het forensisch
psychiatrisch rapport tezamen tot het vonnis van de rechtbank. Zijn
advocaat ging in hoger beroep, en in afwachting van de uitspraak van
het gerechtshof gingen de verhoren in het huis van bewaring Kronoberg verder.

Het personeel was veel gewend, maar de aanwezigheid van Jurek
Walter bezwaarde hen. Ze voelden zich ongemakkelijk door zijn aanwezigheid. Waar hij zich bevond, laaiden plotseling conflicten op en
twee bewaarders waren met elkaar op de vuist gegaan, waardoor een
van hen bij de spoedeisende hulp belandde.

Er werd een crisisberaad belegd, waar besloten werd nieuwe veilig-
heidsvoorschriften in te voeren. Jurek Walter mocht geen medegedeti-
neerden meer ontmoeten of op de luchtplaats komen.

Samuel meldde zich ziek en Joona liep eenzaam door de gang, waar
rijen witte thermosflessen voor elke groene deur stonden. Lange,
zwarte krassen liepen over het glanzende linoleum.

De deur van Jurek Walters lege cel stond open. De wanden waren
kaal en het raam was voorzien van tralies. Het ochtendlicht glinsterde
op het versleten geplastificeerde matras dat op de aan de wand bevestigde brits lag en in de roestvrijstalen wasbak.

Verderop in de gang stond een politieman gekleed in een donkerblauwe trui met een Syrisch-orthodoxe geestelijke te praten.

'Ze hebben hem meegenomen naar verhoorkamer 2,' riep de agent naar Joona.

Buiten de verhoorkamer wachtte een bewaarder en door het raam zag Joona Jurek Walter met zijn gezicht op de vloer gericht op een stoel zitten. Voor hem stonden zijn advocaat en nog twee bewaarders.

'Ik ben hier om te luisteren,' zei Joona tegen de bewaarders.

Het werd stil, en na een poosje wisselde Jurek Walter enkele woorden met zijn verdediger. Hij sprak met zachte stem en keek niet op toen hij zijn advocaat vroeg te vertrekken.

'Jullie kunnen op de gang wachten,' zei Joona tegen de bewaarders.

Toen hij alleen met Jurek Walter in de verhoorkamer zat, trok hij een stoel bij en ging zo dicht bij hem zitten dat hij zijn zweetlucht rook.

Jurek Walter zat stil op de stoel en liet zijn hoofd naar voren hangen.

'Je advocaat is van mening dat je je in het Lill-Jansskogen bevond om de vrouw te bevrijden,' zei Joona neutraal.

Walter bleef een minuut of twee met zijn blik op de vloer gericht zitten voor hij zonder enige beweging antwoordde: 'Ik praat te veel.'

'De waarheid is voldoende,' zei Joona.

'Voor mij doet het er niet toe of ik onschuldig word veroordeeld,' antwoordde Walter.

'Je zult opgesloten zitten.'

Walter draaide zijn gezicht naar Joona en zei nadenkend: 'Het leven is al lang geleden uit me weggeblazen. Ik ben nergens bang voor. Niet voor pijn... niet voor eenzaamheid of verveling.'

'Maar ik zoek de waarheid,' zei Joona, opzettelijk naïef.

'Daar hoeft men niet naar te zoeken. Het is net als met rechtvaardigheid of goden. Men kiest ze naar behoefte.'

'Het zijn de leugens die men niet kiest,' zei Joona.

Walters pupillen trokken samen.

'In hoger beroep zal de beschrijving van de officier van justitie van mijn daden beschouwd worden als boven elke redelijke twijfel verheven,' zei hij zonder ook maar enig spoor van overreding in zijn stem.

'Bedoel je dat hij het mis heeft?'

'Ik zal niet blijven hangen bij technische details omdat een graf del-

74

ven eigenlijk hetzelfde is als het weer dicht scheppen.'

Toen Joona de verhoorkamer die dag verliet, was hij er aanzienlijk meer van overtuigd dat Jurek Walter extreem gevaarlijk was, maar tegelijkertijd bleef hij rekening houden met de mogelijkheid dat Walter had gesuggereerd dat hij andermans straf op zich nam. Hij begreep natuurlijk dat het Jurek Walters doel had kunnen zijn een zaadje van twijfel te planten, maar hij kon er tegelijkertijd niet omheen dat er werkelijk een barstje in de aanklacht zat.

26

De avond voor de rechtszaak aten Joona, Summa en Lumi bij Samuel en zijn gezin. Toen ze begonnen te eten had de zon door de linnen gordijnen naar binnen geschenen, maar nu was het donker geworden. Rebecka stak een kaars op tafel aan en blies de lucifer uit. Het schijnsel flakkerde over haar glanzende ogen met de ene wonderlijke pupil. Ooit had ze uitgelegd dat het dyscorie werd genoemd en niet gevaarlijk was, met dat oog zag ze net zo goed als met het andere.

De rustige maaltijd werd besloten met een donkere honingkoek en daarna kreeg Joona een keppeltje voor tijdens het dankgebed Birkat hamazon.

Het was de laatste keer dat hij Samuels gezin zag.

Welopgevoed speelden de jongens een poosje met de kleine Lumi voordat Joshua opging in een computerspelletje en Ruben naar zijn kamer verdween om op zijn klarinet te oefenen.

Rebecka ging aan de achterkant van het huis naar buiten om te roken en Summa hield haar gezelschap met het wijnglas in haar hand.

Joona en Samuel ruimden de tafel af en begonnen onmiddellijk over het werk en de rechtszaak van de dag erop te praten.

'Ik ben er morgen niet bij,' zei Samuel ernstig. 'Ik weet het niet, ik ben niet bang, maar ik heb het gevoel dat mijn ziel besmet raakt... dat die elke seconde in zijn nabijheid vuiler wordt.'

'Ik weet zeker dat hij schuldig is,' zei Joona.

'Maar?'

'Ik denk dat hij een medeplichtige heeft.'

Samuel zuchtte en zette de borden in de gootsteen.

'We hebben een seriemoordenaar gestopt,' zei hij. 'Een eenzame gek die...'

'Hij was niet alléén bij het graf toen wij kwamen,' viel Joona hem in de rede.

'Jawel, dat was hij wel,' glimlachte Samuel en hij begon de borden af te spoelen.

'Het is niet ongebruikelijk dat een seriemoordenaar een handlanger heeft,' wierp Joona tegen.

'Nee, maar helemaal niets wijst erop dat Jurek Walter tot die groep zou behoren,' zei Samuel opgeruimd. 'We hebben ons werk gedaan, we zijn klaar, maar jij, Joona, moet een wijsvinger in de lucht steken en אכפיא אמלידו zeggen.'

'Doe ik dat?' vroeg Joona glimlachend. 'Wat betekent het?'

'Maar misschien geldt het tegenovergestelde.'

'Dat kun je altijd overal aan toevoegen,' knikte Joona.

27

De zon scheen door het bobbelige vensterglas in het Wrangelska Palatset. De advocaat van Jurek Walter verklaarde dat zijn cliënt zich psychisch zo beroerd voelde door de rechtszaak dat hij niet in staat was om toe te lichten waarom hij zich op het moment van zijn arrestatie op de plaats delict had bevonden.

Joona was opgeroepen als getuige en hij beschreef al het speurwerk en de arrestatie. Daarna vroeg de verdediger of Joona één enkele reden kon vinden om te vrezen dat de beschrijving van de daad door de openbaar aanklager op een foutieve aanname berustte.

'Kan mijn cliënt door de rechtbank veroordeeld zijn voor de daad van iemand anders?'

Joona keek in de angstige ogen van de verdediger en zag tegelijkertijd voor zijn geestesoog hoe Jurek Walter de vrouw elke keer dat ze probeerde omhoog te kruipen zonder enige agressie terugduwde in de kist.

'Ik vraag het je omdat je daar was,' vervolgde de verdediger. 'Kan het zo zijn dat Jurek Walter in feite de vrouw in het graf probeerde te redden?'

'Nee,' antwoordde Joona.

Na twee uur beraadslaging deelde de woordvoerder van het gerechtshof mede dat het vonnis van de rechtbank van kracht was. Jurek Walter vertrok geen spier toen de aangescherpte strafrechtelijke gevolgen werden voorgelezen. Hij werd veroordeeld tot forensisch psychiatrische behandeling op een gesloten afdeling, met buitengewone specificaties betreffende de zogenoemde 'bijzondere ontslagtoetsing'.

Gezien de directe koppeling met diverse andere lopende onderzoeken kreeg hij ook ongebruikelijk strenge beperkingen opgelegd.

Toen de woordvoerder van het gerechtshof was uitgesproken, wendde Jurek Walter zich tot Joona. Zijn gezicht was bedekt met kleine rimpeltjes en zijn lichte ogen keken recht in die van Joona.

'Nu zullen beide zonen van Samuel Mendel verdwijnen,' zei Walter met vermoeide stem. 'En Samuels vrouw Rebecka zal verdwijnen, maar... Nee, luister naar me, Joona Linna. De politie zal zoeken en als de politie het opgeeft, zal Samuel doorgaan, maar als hij uiteindelijk begrijpt dat hij zijn gezin niet zal terugzien, berooft hij zich van het leven.'

Joona stond op om de rechtszaal te verlaten.

'En jouw dochtertje,' vervolgde Jurek Walter met zijn blik op zijn nagels gericht.

'Pas op,' zei Joona.

'Lumi zal verdwijnen,' fluisterde Walter. 'En Summa zal verdwijnen. En als je hebt begrepen dat je ze nooit zult vinden... verhang je jezelf.'

Hij tilde zijn hoofd op en keek Joona recht in de ogen. Er lag een kalmte over zijn gezicht, alsof zijn voorspelling al bewaarheid was.

Normaal gesproken wordt de veroordeelde in afwachting van overplaatsing en transport naar een andere instelling teruggebracht naar het huis van bewaring. Maar het personeel van het huis van bewaring Kronoberg was er zo op gebrand van Jurek Walter af te komen, dat ze ervoor hadden gezorgd dat hij direct van het Wrangelska Palatset naar de gesloten forensisch psychiatrische afdeling twintig kilometer ten noorden van Stockholm werd overgebracht.

*

Jurek Walter zou voor onbepaalde tijd strikt geïsoleerd gevangen worden gehouden op de best bewaakte eenheid van Zweden. Samuel Mendel had Walters dreigementen beschouwd als krachteloze woorden van een verslagen man, maar Joona had de gedachte dat het dreigement was uitgesproken als een waarheid, als een feit, niet los kunnen laten.

Het vooronderzoek kreeg geen prioriteit meer toen er niet nog meer lichamen werden gevonden.

Het werd niet afgesloten, maar het koelde af.

Joona weigerde het op te geven, maar er waren veel te weinig puzzelstukjes en de sporen waren stuk voor stuk doodlopende wegen. Hoewel Jurek Walter was opgepakt en veroordeeld, wisten ze eigenlijk niet meer over hem dan daarvoor.

Hij was nog steeds een raadsel.

Op een vrijdagmiddag twee maanden na de rechtszaak zat Joona samen met Samuel in Il Caffè in de buurt van het politiebureau en nam een dubbele espresso. Ze werkten nu allebei aan een andere zaak, maar ontmoetten elkaar geregeld en spraken dan over Jurek Walter. Ze hadden al het materiaal over hem meerdere malen doorgespit, maar hadden niets gevonden dat erop wees dat hij een handlanger had. De hele zaak stond op het punt in een grap tussen hen te veranderen, met het verdenken en aanwijzen van onschuldigen, toen de verschrikking plaatsvond.

28

Samuels telefoon bromde op het cafétafeltje naast het espressokopje. Op de display was een foto zichtbaar van zijn vrouw Rebecka met de traanvormige pupil. Joona luisterde verstrooid naar het gesprek terwijl hij de grove suikerkorrels van zijn kaneelbroodje pulkte. Rebecka en de jongens zouden blijkbaar eerder naar Dalarö afreizen dan het plan was, en Samuel zei dat hij onderweg boodschappen zou doen. Hij zei dat ze voorzichtig moest rijden en beëindigde het gesprek met een heleboel zoengeluiden.

'De timmerman die onze veranda repareert wilde dat we zo snel mogelijk naar de houten balustrade komen kijken,' legde Samuel uit. 'De schilder kon dit weekend blijkbaar al komen als dat klaar was.'

Joona en Samuel gingen terug naar hun kamers bij de rijksrecherche en zagen elkaar die werkdag niet meer.

Toen Joona vijf uur later met zijn gezin zat te eten, belde Samuel. Hij hijgde en praatte zo opgewonden dat het moeilijk was te verstaan wat hij zei, maar het was duidelijk dat Rebecka en de kinderen niet in het huis in Dalarö waren. Ze waren er niet geweest en namen de telefoon niet op.

'Er is vast een verklaring,' probeerde Joona.

'Ik heb alle ziekenhuizen gebeld en de politie en...'

'Waar ben je nu?' vroeg Joona.

'Op de Dalarövägen, maar ik ga weer terug naar het huis.'

'Wat wil je dat ik doe?' vroeg Joona.

De gedachte was al in hem opgekomen, maar toch gingen de haren in zijn nek overeind staan toen Samuel antwoordde: 'Nagaan of Jurek Walter niet is ontsnapt.'

Joona nam onmiddellijk contact op met de forensisch psychiatrische afdeling van het Löwenströmska-ziekenhuis, sprak chef-arts Brolin en kreeg het antwoord dat er geen abnormale activiteit was voorgekomen op de gesloten afdeling. Jurek Walter bevond zich in zijn cel en was de hele dag volledig geïsoleerd geweest.

Toen Joona Samuel terugbelde, was de stem van zijn vriend veranderd, gejaagd en schel.

'Ik ben in het bos,' schreeuwde Samuel haast. 'Ik heb Rebecka's auto gevonden, die staat midden op het weggetje naar de landtong, maar er is hier niemand, er is hier niemand.'

'Ik kom eraan,' zei Joona onmiddellijk.

De politie zocht grondig naar Samuels gezin. De sporen van Rebecka en de kinderen eindigden op de grindweg, slechts vijf meter voor de verlaten auto. De honden vonden geen geurspoor, liepen maar heen en weer, keerden en draaiden, maar vonden niets. De bossen, de wegen, de huizen en de wateren werden twee maanden lang onderzocht. Toen de politie haar manschappen terugtrok, bleven Samuel en Joona zelf doorzoeken. Ze zochten verbeten en met een angst in hun lichaam die groeide en zich vastzette op de grens van het onverdraaglijke. Geen enkele keer benoemde een van beiden waar het allemaal om ging. Ze durfden niet uit te spreken wat ze vreesden dat er met Joshua, Ruben en Rebecka was gebeurd. Ze waren allebei getuige geweest van de wreedheid van Jurek Walter.

29

In deze periode had Joona zulke verschrikkelijke angsten dat hij niet kon slapen. Hij bewaakte zijn gezin, ging overal met ze mee naartoe, haalde ze en bracht ze, stelde speciale regels voor Lumi's kleuterschool op, maar hij besefte natuurlijk dat dit op de lange duur niet voldoende zou zijn.

Joona was genoodzaakt om het gevaar recht in het gezicht te kijken.

Hij kon niet met Samuel praten, maar tegenover zichzelf mocht hij niet langer blijven zwijgen.

Jurek Walter had zijn misdaden niet alleen gepleegd. Iemand had de misdrijven met hem gedeeld. Alles in de absolute pretentieloosheid van Jurek Walter wees hem aan als leider. Maar sinds Samuels gezin was ontvoerd, was het duidelijk dat Jurek Walter een medeplichtige had.

Deze medeplichtige had de opdracht gekregen om Samuels gezin te pakken en hij had dat gedaan zonder een spoor achter te laten.

Joona begreep natuurlijk dat zijn eigen gezin nu aan de beurt was. Waarschijnlijk hadden alleen toevalligheden hem tot nu toe ontzien.

Jurek Walter kende geen genade.

Joona sprak hier meerdere malen met Summa over, maar ze nam de dreiging niet zo serieus als hij. Ze accepteerde zijn bezorgdheid en de veiligheidsmaatregelen omdat ze aannam dat zijn angst na verloop van tijd zou verdwijnen.

Eerst had Joona gehoopt dat de grote politieacties die op de verdwijning van het gezin van Samuel Mendel volgden, ook tot de arrestatie van de medeplichtige zouden leiden. Wekenlang voelde hij zich de jager, maar nu was de verhouding zonder enige twijfel omgedraaid.

Hij wist dat hij en zijn gezin het wild waren en de rust die hij tegenover Summa en Lumi uitstraalde, was alleen maar buitenkant.

Het was half elf 's avonds en Summa en hij lagen naast elkaar in bed te lezen toen Joona's hart steeds sneller begon te kloppen vanwege een geluid op de benedenverdieping. Hij wist dat het programma van de wasmachine nog niet was afgelopen. Het had geklonken alsof er een rits langs de trommel had geschuurd, maar hij kon het toch niet laten om op te staan en te controleren of alle ramen beneden dicht waren en of de buitendeur op slot zat.

Toen hij terugkwam had Summa haar lamp uitgeknipt en keek hem aan.

'Wat deed je?' vroeg ze zacht.

Hij dwong zichzelf te glimlachen en wilde net iets zeggen toen hij kleine voetstapjes hoorde. Joona draaide zich om en zag zijn dochtertje binnenkomen. Haar haar zat in de war en de lichtblauwe pyjamabroek was een kwartslag gedraaid om haar lichaam.

'Lumi, je moet slapen,' zuchtte hij.

'We zijn vergeten de kat welterusten te zeggen,' zei ze.

's Avonds las Joona Lumi altijd een verhaaltje voor en voor hij haar instopte moesten ze steevast door het raam naar buiten kijken en naar een grijze kat zwaaien die in het keukenraam van de buren sliep.

'Ga weer naar bed,' zei Summa.

'Ik kom nog even bij je kijken,' beloofde Joona.

Lumi mompelde iets en schudde haar hoofd.

'Zal ik je dragen?' vroeg hij en hij tilde haar op.

Ze klampte zich aan hem vast en toen voelde hij hoe snel haar hart sloeg.

'Wat is er? Heb je iets gedroomd?'

'Ik wilde alleen naar de kat zwaaien,' fluisterde ze. 'Maar er was een geraamte buiten.'

'Achter het raam?'

'Nee, hij stond op de grond,' antwoordde ze. 'Op de plek waar we de dode egel hebben gevonden... hij keek naar me...'

Joona zette haar vlug bij Summa op het bed neer.

'Blijf hier,' zei hij.

Hij rende geruisloos de trap af, deed geen moeite om het pistool uit de wapenkast te halen of om zijn schoenen aan te schieten. Hij opende de keukendeur en stormde zo de koude avondlucht in.

Daar was niemand.

Hij liep verder achter de huizen, stapte over het hek van de buren en ging verder naar de volgende tuin. De hele villawijk lag er rustig en stil bij. Hij keerde terug naar de boom aan de achterkant van het huis waar Lumi en hij afgelopen zomer een dode egel hadden gevonden.

Er had daar zonder twijfel iemand in het hoge gras gestaan, vlak buiten hun hek. Vanaf die plek kon je heel makkelijk door Lumi's raam naar binnen kijken.

Joona ging terug naar binnen, deed de deur achter zich op slot, haalde zijn pistool, liep het hele huis door en ging toen in bed liggen. Lumi viel bijna meteen in slaap tussen Summa en hem in en even later sliep ook zijn vrouw.

30

Joona had al geprobeerd het met Summa over vluchten te hebben, een nieuw leven te beginnen, maar ze had Jurek Walter nooit ontmoet, ze kende de reikwijdte van zijn daden niet en ze geloofde simpelweg niet dat hij achter de verdwijning van Rebecka, Joshua en Ruben zat.

Met een koortsachtige concentratie begon Joona naar het onvermijdelijke te staren. Een ijzige scherpte beving hem toen hij elk detail begon te bestuderen, elk aspect, om een plan uit te werken.

Een plan dat hen alle drie zou redden.

De rijksrecherche wist bijna niets over Jurek Walter. De doorslaggevende reden dat men geloofde dat hij een medeplichtige had, was dat na zijn arrestatie het gezin van Samuel Mendel was verdwenen.

Maar deze handlanger had geen enkel spoor achtergelaten.

Hij was een schaduw van een schaduw.

Zijn collega's zeiden dat het hopeloos was, maar Joona gaf het niet op. Hij begreep natuurlijk dat het niet makkelijk zou zijn om de onzichtbare handlanger te vinden en op te pakken. Het kon jaren gaan duren, en Joona was ook maar een mens. Hij zou niet kunnen zoeken én Summa en Lumi bewaken, niet tegelijkertijd, niet elke seconde.

Als hij twee lijfwachten inhuurde die hen dag en nacht zouden volgen, zou al hun spaargeld binnen een halfjaar op zijn.

Walters medeplichtige had maandenlang gewacht voor hij Samuels gezin had meegenomen. Hij had blijkbaar geduld en deed niets overhaast.

Joona probeerde uitwegen voor hen drieën te vinden. Ze konden verhuizen, van baan en identiteit veranderen en ergens in stilte gaan leven.

Niets was belangrijker dan samen met Summa en Lumi te kunnen zijn.

Maar als politieman wist hij dat beschermde identiteiten niet veilig zijn. Het betekent alleen een adempauze. Hoe verder weg je komt, hoe meer respijt je hebt, maar op de lijst van de vermoedelijke slachtoffers van Jurek Walter kwam een man voor die was verdwenen in Bangkok, uit een lift ergens in het Sukhothai Hotel, spoorloos.

Ze konden nergens heen.

Die nacht moest Joona concluderen dat er iets belangrijker was dan dat hij bij Summa en Lumi kon zijn.

Hun levens waren belangrijker.

Als hij samen met hen vluchtte of verdween, zou dat een directe aansporing voor Walter zijn om te gaan zoeken.

En als je zoekt, dan vind je de mensen die zich verborgen houden, vroeg of laat, dat wist Joona.

Jurek Walter mocht niet op zoek gaan, dacht hij. Dat was de enige manier om niet gevonden te worden.

Er was maar één oplossing: Jurek Walter en zijn schaduw moesten geloven dat Summa en Lumi dood waren.

31

Het verkeer is drukker geworden als Joona over de brede snelweg richting Stockholm rijdt. Sneeuwvlokken wervelen rond en verdwijnen op de natte rijbaan.

Hij brengt het niet op om na te denken over de manier waarop hij de dood van Summa en Lumi indertijd in scène heeft gezet om ze een ander leven te laten leiden. De Naald hielp hem, maar hij had het er moeilijk mee. Hij begreep dat het juist was om te doen wat ze deden als er een mededader was. Maar als Joona het mis had, was het een onvergeeflijke vergissing.

Deze twijfel had zich met de jaren als een mantel van verdriet om de magere schouders van de patholoog-anatoom gelegd.

Het hek van de Noorderbegraafplaats flitst langs en Joona herinnert zich het moment waarop de urnen van Summa en Lumi de grond in zakten. De regen sloeg tegen de zijden linten van de kransen en kletterde op de zwarte paraplu's.

Joona en Samuel bleven allebei zelfstandig door zoeken, maar hadden onderling geen contact. Hun verschillende lot maakte hen tot vreemden voor elkaar. Elf maanden na de verdwijning van zijn gezin hield Samuel op met zoeken en ging hij weer aan het werk. Nadat hij de hoop had opgegeven, hield hij het nog drie weken vol. Vroeg op de ochtend van een stralende dag in maart reisde Samuel af naar het zomerhuisje. Hij liep naar het mooie strand waar zijn zoons altijd gingen zwemmen, maakte zijn dienstpistool los, stopte er een kogel in en schoot zichzelf door het hoofd.

Toen Joona het telefoontje van zijn leidinggevende kreeg met het bericht dat Samuel dood was, werd hij bevangen door een vreselijke kou.

Twee uur later liep hij rillend naar de oude horlogezaak in de Roslagsgatan. Het was lang na sluitingstijd, maar de oude horlogemaker met de loep voor zijn oog zat nog steeds te werken in een zee van allerhande horloges. Joona tikte op het ruitje in de deur en werd binnengelaten.

Toen hij de horlogezaak twee weken later verliet, woog hij zeven kilo minder. Hij was bleek en zo zwak dat hij om de tien meter stil moest blijven staan om uit te rusten. Hij gaf over in het park dat later het Monica Zetterlunds-park zou gaan heten en strompelde verder naar de Odengatan.

Joona had nooit gedacht dat hij zijn gezin voor altijd kwijt zou raken. Hij had zich voorgesteld hoe hij hen een tijdlang noodgedwongen niet kon opzoeken, zien, aanraken. Hij begreep dat het jaren kon duren, misschien vele jaren, maar hij was er al die tijd van overtuigd geweest dat hij de schaduw van Jurek Walter zou vinden en arresteren. Hij was ervan uitgegaan dat hij hun misdrijven ooit zou kunnen onthullen, licht over hun daden kon laten schijnen en elk detail in alle rust kon beschouwen, maar na tien jaar was hij niet verder gekomen dan na tien dagen. Niets leidde verder. Het enige concrete bewijs dat de medeplichtige werkelijk bestond, was dat Walters vonnis over Samuel was voltrokken.

Officieel werd er geen verband gelegd tussen de verdwijning van Samuels gezin en Jurek Walter. Het werd als een ongeluk beschouwd. Algauw was Joona de enige die nog steeds geloofde dat Jurek Walters handlanger hen had ontvoerd.

Joona was ervan overtuigd dat hij gelijk had, maar was begonnen remise te accepteren. Hij zou de medeplichtige niet vinden, maar zijn gezin leefde nog.

Hij sprak niet meer over de zaak, maar omdat hij het feit dat hij misschien in de gaten werd gehouden onmogelijk kon negeren, was hij in wezen gedoemd tot eenzaamheid.

De jaren verstreken en de in scène gezette dood leek steeds meer op werkelijke dood.

Hij had zijn dochtertje en zijn vrouw werkelijk verloren.

Joona parkeert achter een taxi voor de hoofdingang van het Söderziekenhuis, stapt uit, loopt door de lichte sneeuw en gaat dan door de glazen draaideur naar binnen.

32

Mikael Kohler-Frost is van de behandelkamer op de spoedeisende hulp overgeplaatst naar afdeling 66 voor acute en chronische infectieziekten.

Een arts met een vermoeid maar sympathiek gezicht stelt zich voor als Irma Goodwin en volgt Joona Linna over het glanzende linoleum. Het licht schittert even in een ingelijste litho.

'Zijn algemene gezondheidstoestand was erg slecht,' legt ze uit terwijl ze door het gebouw lopen. 'Hij is ondervoed en heeft longontsteking. Het laboratorium heeft het antigeen voor legionella in zijn urine ontdekt en...'

'De veteranenziekte?'

Joona blijft staan in de gang en haalt een hand door zijn warrige haar. De arts ziet dat zijn ogen intens grijs zijn geworden, bijna als geborsteld zilver, en ze haast zich hem ervan te verzekeren dat de ziekte niet besmettelijk is.

'De ziekte houdt verband met specifieke plaatsen met...'

'Ik weet het,' antwoordt Joona, en ze lopen verder.

Hij weet dat de man die dood in de plastic ton was gevonden de veteranenziekte had. Om de ziekte te krijgen, moet je je op een plaats bevinden met besmet water. Het is heel ongebruikelijk om hier in Zweden besmet te raken. De legionellabacterie groeit in vijvers, watertanks en leidingen met te lage temperaturen.

'Maar hij komt er weer bovenop?' vraagt Joona.

'Dat denk ik wel, ik heb meteen macroliden laten toevoegen,' antwoordt ze terwijl ze de lange commissaris probeert bij te benen.

'En dat helpt?'

'Het duurt een paar dagen – hij heeft nog steeds hoge koorts en er bestaat een risico op septische embolieën,' zegt ze. Ze doet een deur open, maakt een uitnodigend gebaar en loopt met hem mee naar de patiënt.

Daglicht valt door het zakje aan de infuusstandaard heen en doet de inhoud oplichten. In het bed ligt een magere en heel bleke man met gesloten ogen die manisch mompelt: 'Nee, nee, nee... nee, nee, nee, nee...'

Zijn kin trilt en de zweetdruppels op zijn voorhoofd vormen stroompjes. Er zit een verpleegkundige naast hem, ze houdt zijn linkerhand vast en haalt zorgvuldig kleine stukjes glas uit een wond.

'Heeft hij iets gezegd?' vraagt Joona.

'Hij heeft wel wat geijld, het is niet makkelijk te verstaan wat hij zegt,' antwoordt de verpleegkundige, en ze tapet een kompres vast over de wond in zijn hand.

Ze verlaat de kamer en Joona loopt behoedzaam naar de patiënt toe. Hij neemt zijn vermagerde gelaat op en herkent moeiteloos het kindergezicht dat hij zo vaak op foto's heeft bestudeerd. De bekoorlijke mond met de geprononceerde bovenlip en de lange, donkere wimpers. Joona herinnert zich de laatste foto van Mikael. Daarop was hij tien jaar en zat hij met zijn pony voor zijn ogen en een geamuseerd glimlachje om zijn lippen achter de computer.

De jonge man in het ziekenhuisbed hoest vermoeid, ademt hortend en stotend met gesloten ogen en fluistert dan voor zich uit: 'Nee, nee, nee...'

Het is zonder twijfel Mikael Kohler-Frost die in het bed voor hem ligt.

'Je bent nu veilig, Mikael,' zegt Joona.

Irma Goodwin staat zwijgend vlak achter hem en kijkt naar het uitgemergelde lichaam in het bed.

'Ik wil niet, ik wil niet.'

Hij schudt zijn hoofd en alle spieren in zijn lichaam schokken en spannen zich. De vloeistof in het slangetje van het infuus kleurt rood van het bloed. Hij trilt en begint zacht te kermen.

'Ik heet Joona Linna, ik ben commissaris en ik was een van de mensen die naar je hebben gezocht toen je niet thuiskwam.'

Mikael opent zijn ogen een fractie, maar lijkt eerst niets te zien; hij knippert een paar keer en tuurt naar Joona.

'Jullie denken dat ik leef...'

Hij hoest en ligt dan hijgend naar Joona te kijken.

'Waar ben je geweest, Mikael?'

'Ik weet het niet, ik weet het echt niet, ik weet niets, ik weet niet waar ik ben, ik weet niets over...'

'Je bent in het Söder-ziekenhuis in Stockholm,' zegt Joona.

'Is de deur op slot? Is ie op slot?'

'Mikael, ik moet echt weten waar je geweest bent.'

'Ik snap niet wat je zegt,' fluistert hij.

'Ik moet echt weten...'

'Wat doen jullie verdomme met me?' vraagt hij met vertwijfeling in zijn stem en hij begint te huilen.

'Ik geef hem iets kalmerends,' zegt de arts en ze loopt de kamer uit.

'Je bent nu veilig,' vertelt Joona. 'En iedereen hier probeert je te helpen en...'

'Ik wil het niet, ik wil niet, ik kan er niet tegen...'

Hij schudt zijn hoofd en probeert met vermoeide vingers het slangetje in de holte van zijn elleboog weg te halen.

'Waar ben je al die tijd geweest, Mikael? Waar heb je gewoond? Heb je je verborgen gehouden? Was je opgesloten of...'

'Ik weet het niet, ik snap niet wat je zegt.'

'Je bent moe en hebt koorts,' zegt Joona zacht. 'Maar je moet proberen erover na te denken.'

33

Mikael Kohler-Frost ligt in het ziekenhuisbed en hijgt als een aangereden haas. Hij praat zacht voor zich uit, bevochtigt zijn lippen en kijkt Joona met grote, vragende ogen aan.

'Kun je opgesloten zijn in niets?'

'Nee, dat kan niet,' antwoordt Joona rustig.

'Kan dat niet? Ik snap het niet, ik vind het zo moeilijk om te denken,' fluistert de jonge man snel. 'Er is niets om me te herinneren, het is alleen maar donker... alles is net niets en ik haal het door elkaar... Ik haal door elkaar wat ervoor was en wat er in het begin was, ik kan niet denken, er was te veel zand, ik weet niet eens wat dromen zijn en...'

Hij hoest, laat zijn hoofd achterover zakken en sluit zijn ogen.

'Je zei iets over wat er in het begin was,' zegt Joona. 'Kun je proberen...'

'Raak me niet aan, ik wil niet dat je me aanraakt,' valt hij hem in de rede.

'Dat doe ik niet.'

'Ik wil niet, ik wil niet, ik kan niet, ik wil niet...'

Zijn ogen rollen weg en hij buigt zijn hoofd op een vreemde, scheve manier, sluit zijn ogen en trilt.

'Er is hier geen gevaar,' herhaalt Joona.

Na een tijdje ontspant Mikaels lichaam weer, hij hoest even en kijkt op.

'Kun je iets vertellen over hoe het in het begin was,' herhaalt Joona vriendelijk.

'Toen ik klein was... toen was het druk op de grond,' zegt hij bijna geluidloos.

'Dus er waren eerst meer mensen?' vraagt Joona, en er loopt een rilling langs zijn rug waardoor de haartjes in zijn nek overeind gaan staan.

'Iedereen was alleen maar bang... ik riep mama en papa... en er waren een volwassen vrouw en een oude opa op de vloer... ze zaten op de vloer achter de bank... Zij probeerde me gerust te stellen, maar... maar ik hoorde best dat ze de hele tijd huilde.'

'Wat zei ze?' vraagt Joona.

'Ik weet het niet meer, ik weet niks meer, misschien heb ik alles gedroomd...'

'Je noemde zonet een oude man en een vrouw.'

'Nee.'

'Achter de bank,' zegt Joona.

'Nee,' fluistert Mikael.

'Herinner je je de naam van iemand?'

Hij hoest en schudt zijn hoofd.

'Iedereen schreeuwde en huilde en de vrouw met het oog vroeg steeds naar twee jongens,' zegt hij met een introverte blik.

'Herinner je je een naam?'

'Wat?'

'Weet je de naam van de...'

'Ik wil niet, ik wil niet...'

'Het is niet mijn bedoeling je overstuur te maken, maar...'

'Iedereen verdween, iedereen verdween zomaar,' zegt Mikael met toenemende kracht. 'Iedereen verdween, iedereen...'

Mikaels stem breekt en de woorden zijn niet meer te onderscheiden.

Joona herhaalt dat alles goed zal komen. Mikael kijkt hem in de ogen, maar trilt zo hevig dat hij niet meer kan praten.

'Je bent hier veilig,' zegt Joona. 'Ik ben politieman en ik zorg ervoor dat je niets gebeurt.'

De arts Irma Goodwin komt samen met een verpleegkundige de kamer in. Ze lopen naar de patiënt en bevestigen voorzichtig het zuurstofslangetje weer in zijn neus. De verpleegkundige vertelt steeds vriendelijk wat ze doet terwijl ze via het infuusslangetje een angstdempend middel injecteert.

'Hij moet nu rusten,' zegt ze daarna tegen Joona.

'Ik moet erachter komen wat hij heeft gezien.'

Ze houdt haar hoofd scheef en frunnikt aan haar wijsvinger.

'Is er veel haast bij?'

'Nee,' antwoordt Joona. 'Eigenlijk niet.'

'Kom dan morgen terug,' zegt Irma. 'Want ik denk...'

Haar mobiel gaat en ze wisselt enkele woorden en verlaat de kamer dan gehaast. Joona blijft bij het bed staan en hoort haar door de gang verdwijnen.

'Mikael, wat bedoelde je met het oog? Je had het over de vrouw met het oog, wat bedoel je?' vraagt hij langzaam.

'Het was net... net een zwarte druppel...'

'De pupil?'

'Ja,' fluistert Mikael en hij sluit zijn ogen.

Joona kijkt naar de jonge man in het bed, voelt zijn hartslag dreunen in zijn slapen en zijn stem is stroef als metaal als hij vraagt: 'Heette ze Rebecka?'

34

Mikael huilt als de sederende medicatie zijn bloed in gaat. Zijn lichaam ontspant, zijn huilen klinkt steeds vermoeider en verstomt volledig in de seconden voor hij de slaap in glijdt.

Joona voelt zich wonderlijk leeg vanbinnen als hij de ziekenhuiskamer verlaat en zijn telefoon pakt. Hij blijft staan, haalt adem en belt de Naald, die de uitgebreide forensische secties heeft verricht op de lichamen die in het Lill-Jansskogen zijn gevonden.

'Nils Åhlén,' klinkt het aan de telefoon.

'Zit je nu achter je computer?'

'Joona Linna, leuk dat je belt,' zegt de Naald met zijn nasale stem. 'Ik zat met gesloten ogen in de warmte van het scherm. Fantaseerde dat ik een gezichtsbruiner had gekocht.'

'Kostbare dagdroom.'

'Wie wat bewaart heeft wat.'

'Zou je wat oude verslagen willen bekijken?'

'Bel Frippe, dan helpt hij je verder.'

'Dat gaat niet.'

'Hij weet net zoveel als...'

'Het gaat over Jurek Walter,' valt Joona hem in de rede.

Het is een hele poos stil.

'Ik heb gezegd dat ik het daar nooit meer over wil hebben,' zegt de Naald beheerst.

'Een van zijn slachtoffers is levend opgedoken.'

'Zeg dat niet.'

'Mikael Kohler-Frost... Hij heeft de veteranenziekte, maar komt er waarschijnlijk bovenop.'

'In welk verslag ben je geïnteresseerd?' vraagt de Naald met een nerveuze scherpte in zijn stem.

'De man in de ton had immers de veteranenziekte,' gaat Joona verder.

'Maar had de jongen die bij hem lag ook sporen van legionellabacteriën?'

'Waarom vraag je je dat af?'

'Als er een verband bestaat, zou je een lijst kunnen maken van de plaatsen waar die bacteriën zitten, en dan...'

'Dat zijn miljoenen plaatsen,' onderbreekt de Naald hem.

'Oké...'

'Joona, je moet begrijpen dat... dat ook als er legionellabacteriën in andere rapporten voorkomen, dat op geen enkele manier bewijst dat Mikael slachtoffer van Jurek Walter zou zijn.'

'Dus er zaten legionellabacteriën in...'

'Ja, in het bloed van de jongen heb ik antilichamen tegen de bacterie gevonden, hij had waarschijnlijk pontiackoorts gehad,' zegt de Naald en hij slaakt een zucht. 'Ik weet dat je gelijk wilt krijgen, Joona, maar niets van wat je zegt is genoeg om...'

'Mikael Kohler-Frost zegt dat hij Rebecka heeft gezien,' onderbreekt Joona hem.

'Rebecka Mendel?' vraagt de Naald, en zijn stem trilt even.

'Ze waren samen opgesloten,' bevestigt Joona.

'Dus... je had overal gelijk in, Joona,' zegt de Naald, en het klinkt alsof hij bijna moet huilen. 'Je hebt er geen idee van hoe opgelucht ik ben nu ik dat hoor.'

Hij slikt hard in de hoorn en fluistert dat ze ondanks alles het juiste hebben gedaan.

'Ja,' zegt Joona eenzaam.

De Naald en hij hadden het juiste gedaan toen ze lang geleden het auto-ongeluk voor de vrouw en dochter van Joona in scène hadden gezet.

Twee verongelukte personen werden in plaats van Lumi en Summa gecremeerd en begraven. Met behulp van vervalste tandkaarten had de Naald de identiteit van de doden verwisseld. Hij had zich altijd zorgen gemaakt dat hetgeen waarmee hij Joona hielp niet het juiste was. Hij geloofde en vertrouwde Joona, maar het besluit was zo groot, zo noodlottig, dat de twijfel hem nooit met rust had gelaten.

Joona durft het ziekenhuis niet te verlaten voordat er twee geüniformeerde politieagenten komen om Mikaels kamer te bewaken. In de gang onderweg naar buiten belt hij Nathan Pollock en zegt dat ze iemand moeten sturen om Mikaels vader te halen.

'Ik weet zeker dat het Mikael is,' zegt hij. 'En ik ben ervan overtuigd dat hij al die jaren de gevangene van Jurek Walter is geweest.'

Hij stapt in de auto, rijdt langzaam weg bij het ziekenhuis terwijl de ruitenwisserbladen sneeuw van de voorruit vegen.

Mikael Kohler-Frost was tien toen hij verdween – pas toen hij drieentwintig was, lukte het hem te ontsnappen.

Soms gebeurt het dat gevangenen vluchten, zoals Elisabeth Fritzl in Oostenrijk, die ontsnapte na vierentwintig jaar als seksslaaf in de kelder van haar vader opgesloten te zijn geweest. Of Natascha Kampusch, die haar ontvoerder na acht jaar wist te ontvluchten.

Joona denkt dat Mikael net als Elisabeth Fritzl en Natascha Kampusch moet hebben gezien wie hem gevangen hield. Plotseling bestaat er een mogelijk einde. Over een paar dagen, zodra hij genoeg is opgeknapt, zou Mikael de weg moeten kunnen wijzen naar de plaats waar hij al die jaren opgesloten was.

De banden razen als Joona de sneeuwstrook in het midden kruist en een bus inhaalt. Hij passeert het Riddarhuset en ziet de stad zich weer openen met de dichte vallende sneeuw tussen de zwarte lucht en het donkere water.

De handlanger weet natuurlijk dat Mikael is ontsnapt en hem kan ontmaskeren, denkt Joona. Waarschijnlijk heeft hij al geprobeerd sporen uit te wissen en heeft hij een andere schuilplaats gevonden, maar als Mikael hen naar de plek kan brengen waar hij gevangen is gehouden, zullen de technisch rechercheurs sporen vinden, en dan is de jacht geopend.

Er is nog een lange weg te gaan, maar Joona's hart begint toch sneller te kloppen in zijn borst.

De gedachten zijn zo revolutionair dat hij de auto midden op de brug aan de kant moet zetten. Een automobilist toetert geïrriteerd.

Joona stapt uit, loopt het trottoir op en inhaleert de koude lucht tot diep in zijn longen.

Een migrainesteek doet hem naar voren wankelen en steun zoeken bij de reling. Hij sluit zijn ogen even, wacht en voelt de pijn wegtrekken, waarna hij zijn ogen weer opent.

Miljoenen en miljoenen sneeuwvlokken storten door de lucht omlaag en verdwijnen op het zwarte wateroppervlak alsof ze nooit hebben bestaan.

Het is te vroeg om de gedachte zelfs maar af te maken, maar hij weet toch wat alles betekent. Zijn hele lichaam wordt zwaar van deze kennis. Als het hem lukt de handlanger te pakken, zal de dreiging jegens Summa en Lumi voorbij zijn.

35

Het is te warm in de sauna om te praten. Goudkleurig licht valt op hun naakte lichamen en het lichte sandelhout. Het is nu 97 graden en de lucht brandt in de longen van Reidar Frost als hij inademt. Zweetdruppels vallen van zijn neuspuntje naar het inmiddels witte haar op zijn borst.

De Japanse journaliste Mizuho zit naast Veronica op de bank. Hun lichamen zijn allebei rood en glanzend. Zweet stroomt tussen hun borsten, over hun buik en in hun schaamhaar.

Mizuho kijkt Reidar ernstig aan. Ze is helemaal uit Tokio gekomen om hem te interviewen. Hij antwoordde vriendelijk dat hij nooit interviews gaf maar dat ze hartelijk welkom was op het feest van die avond. Waarschijnlijk hoopte ze hem iets te laten zeggen over het feit dat de Sanctum-serie een mangafilm wordt. Ze is hier inmiddels al vier dagen.

Veronica zucht en sluit even haar ogen.

Mizuho heeft haar gouden ketting niet afgedaan voor ze de sauna in ging en Reidar ziet dat die gloeiend heet is geworden. Marie is maar vijf minuten blijven zitten voor ze wegging om te douchen en nu verlaat ook de Japanse journaliste de sauna.

Veronica leunt naar voren, steunt met haar ellebogen op haar knieën en ademt door haar halfopen mond terwijl er zweet van haar tepels druppelt.

Reidar voelt een soort broze tederheid voor haar. Maar hij weet niet hoe hij ooit het verlaten landschap dat hij met zich meedraagt zal kunnen uitleggen, dat alles wat hij doet in het heden, alles waar hij zich in stort, niet meer is dan een willekeurig tasten naar iets wat hem de volgende minuut kan doen doorstaan.

'Marie is erg mooi,' zegt Veronica.

'Ja.'

'Grote borsten.'

'Hou op,' mort Reidar.

Ze kijkt hem aan en haar gezicht staat ernstig als ze zegt: 'Waarom kan ik niet gewoon scheiden van...'

'Dan is het over tussen ons,' kapt Reidar haar af.

Veronica's ogen vullen zich met tranen en ze wil net iets zeggen als Marie terugkomt en met een lichte giechel naast Reidar gaat zitten.

'God, wat is het warm,' puft ze. 'Hoe kunnen jullie hier zitten.'

Veronica gooit een schep water op de stenen. Het sist hevig en hete stoom walmt omhoog en omsluit hen een paar seconden. Daarna staat de droge warmte weer stil.

Reidar hangt over zijn knieën heen. Het haar op zijn hoofd is zo warm dat hij zijn hand haast brandt als hij die erdoor haalt.

'Dit gaat niet,' puft hij ten slotte, en hij klautert omlaag.

De twee vrouwen lopen achter hem aan als hij zo de zachte sneeuw in loopt. De schemering strijkt haar eerste laag duisternis over het sneeuwdek, dat al lichtblauw glanst.

Dikke sneeuwvlokken dwarrelen omlaag als de drie naakte mensen door de diepe, verse sneeuw ploeteren.

David, Wille en Berzelius zijn met de anderen uit het bestuur van het Sanctum Fonds aan het dineren, en de drinkliederen zijn tot hier aan de achterkant van het landhuis te horen.

Reidar draait zich om en kijkt naar Veronica en Marie. Er stijgt stoom op van hun vuurrode lichamen, ze zijn in een sluierachtige nevel gehuld en er valt sneeuw om hen heen. Hij wil net iets zeggen als Veronica zich bukt en sneeuw over hem heen stort. Hij loopt lachend achteruit en struikelt, valt op zijn rug en verdwijnt onder de losse sneeuw.

Hij ligt op zijn rug en hoort hun gelach.

De sneeuw voelt bevrijdend. Zijn lichaam is nog steeds brandend heet. Reidar kijkt recht naar de hemel, de hypnotiserende sneeuwval wervelt vanuit het midden van de schepping, een eeuwigheid van dwarrelend wit.

Hij wordt verrast door een herinnering. Hoe hij de sneeuwpakken van zijn kinderen afpelde. Mutsen met vastgeklonterde sneeuw afdeed.

Hij herinnert zich hun koude wangen en zweterige haar. De geur van de droogkast en natte laarzen.

Het gemis van zijn kinderen is door de intensiteit puur lichamelijk.

Op dit moment zou hij alleen willen zijn en in de sneeuw kunnen blijven liggen tot hij het bewustzijn verloor. Sterven, omsloten door zijn herinnering aan Felicia en Mikael. Hoe ze ooit van hem waren.

Hij komt moeizaam overeind en kijkt uit over de witte akkers. Marie en Veronica lachen, maken sneeuwpoppen en rollen even verderop rond.

'Hoe lang zijn deze feesten eigenlijk al bezig?' roept Marie naar hem.

'Ik wil het er niet over hebben,' mompelt Reidar.

Hij besluit naar binnen te gaan, zich te bezatten en daarna de strop over zijn hoofd te trekken, maar Marie gaat wijdbeens voor hem staan.

'Je wilt nooit praten, ik weet niets,' zegt ze met een lachje. 'Ik weet niet eens of je kinderen hebt of...'

'Laat me godverdomme met rust!' schreeuwt Reidar en hij loopt langs haar heen. 'Wat wil je eigenlijk?'

'Sorry dat...'

'Laat me met rust,' zegt hij kortaf en hij verdwijnt het huis in.

De twee vrouwen lopen rillend terug naar de sauna. Hun lichamen druipen en de warmte sluit zich weer om hen heen, alsof die nooit is weg geweest.

'Wat is er eigenlijk mis met hem?' vraagt Marie.

'Hij doet alsof hij leeft, maar voelt zich dood,' antwoordt Veronica eenvoudig.

36

Reidar Frost heeft inmiddels een nieuwe broek met dubbele bies en een open overhemd aan. Het haar in zijn nek is vochtig. In elke hand draagt hij een fles Château Mouton Rothschild.

Vanmorgen was hij op weg naar de kamer boven om het touw over de balk weg te halen, maar toen hij bij de deur kwam, werd hij bevangen door scheuten van verlangen. Hij stond met zijn hand op de deurkruk en dwong zichzelf om te draaien, naar beneden te gaan en zijn vrienden wakker te maken. Ze schonken gekruide brandewijn in spits toelopende glazen en maakten gekookte eieren met Russische kaviaar.

Reidar loopt blootsvoets door de gang met donkere portretten.

De sneeuw van buiten zorgt voor een indirect licht, als een bleke duisternis.

In de leeskamer met de glanzende leren meubels blijft hij staan en hij kijkt uit door het enorme raam. Het uitzicht is sprookjesachtig. Alsof Koning Winter sneeuw over de appelboomgaard en akkers heeft geblazen.

Plotseling flikkert er licht op de lange oprijlaan die van de toegangshekken naar het voorplein leidt. Er komt een auto aanrijden. De sneeuw die erachter omhoog wervelt, kleurt rood van de achterlichten.

Reidar kan zich niet herinneren dat hij nog meer mensen heeft uitgenodigd.

Als hij denkt dat Veronica zich maar over de nieuwe bezoekers moet ontfermen, ziet hij dat het een politiewagen is.

Reidar aarzelt, zet de flessen neer op een ladekast, loopt de trap weer af en trekt zijn met vilt gevoerde winterlaarzen aan. Hij loopt de koude lucht in om de auto op het voorplein op te vangen.

'Reidar Frost?' vraagt een agente in burger en ze stapt uit.

'Ja,' antwoordt hij.

'Mogen we binnenkomen?'

'Hier gaat het ook,' zegt hij.

'Wil je niet in de auto komen zitten?'

'Lijkt het of ik daar zin in heb?'

'We hebben je zoon gevonden,' zegt de vrouw, en ze doet een paar stappen naar hem toe.

'Ik begrijp het,' zucht hij en hij houdt zijn hand op om de vrouw tot zwijgen te manen.

Hij ademt in en ruikt de geur van sneeuw, van water dat hoog in de lucht is bevroren tot ijskristallen. Reidar vermant zich en laat zijn geheven hand afwezig zakken.

'En waar lag Mikael?' vraagt hij met wonderlijk klankloze stem.

'Hij liep over een brug die...'

'Wat zeg je godverdomme?' brult Reidar.

De vrouw doet een stap naar achteren. Ze is lang en heeft een dikke paardenstaart op haar rug.

'Ik probeer uit te leggen dat hij leeft,' zegt ze.

'Wat is dit?' vraagt Reidar, en hij ziet er niet-begrijpend uit.

'Hij ligt voor observatie in het Söder.'

'Dat is niet mijn zoon, hij is jaren geleden over...'

'Er is geen enkele twijfel over dat hij het is.'

Reidar staart haar aan met ogen die helemaal zwart zijn geworden.

'Leeft Mikael?'

'Hij is teruggekomen.'

'Mijn zoon?'

'Ik begrijp dat het vreemd is, maar...'

'Ik dacht...'

Reidars kin trilt als hij de agente hoort zeggen dat het DNA voor honderd procent klopt. De grond onder hem voelt zacht, deint als een golf en hij zoekt in de lucht naar steun.

'Lieve god,' fluistert hij. 'Dank u, goede god...'

Hij glimlacht breed en ziet er volkomen kapot uit, richt zijn blik omhoog naar de vallende sneeuw terwijl zijn benen onder hem wegklappen. De agente probeert hem op te vangen, maar zijn ene knie stoot tegen de grond, hij valt opzij en vangt zichzelf op met zijn hand.

Hij krijgt hulp om overeind te komen, houdt zich vast aan de arm van de agente en ziet Veronica met zijn grote winterjas om zich heen op blote voeten van de trap komen rennen.

'Weet je zeker dat hij het is?' fluistert hij, en hij kijkt de agente in de ogen.

Ze knikt.

'We hebben net de uitslag van een honderdprocentmatch binnengekregen,' herhaalt de agente. 'Het is Mikael Kohler-Frost en hij leeft.'

Veronica is inmiddels bij hem. Ze ondersteunt hem als hij meeloopt naar de politieauto.

'Wat is er aan de hand, Reidar?' vraagt ze geschrokken.

Hij kijkt haar aan. Zijn gezicht is verward en hij ziet er opeens heel oud uit.

'Mijn kleine jongen,' zegt hij alleen.

37

Uit de verte lijken de witte gebouwen van het Söder-ziekenhuis op graf-stenen, zoals ze daar vagelijk zichtbaar in de dichte sneeuwval staan.

Als een slaapwandelaar heeft Reidar Frost zijn overhemd onder-weg naar Stockholm dichtgeknoopt en in zijn broek gestopt. Hij heeft de agenten horen zeggen dat de patiënt die is geïdentificeerd als Mikael Kohler-Frost van de intensive care is overgeplaatst naar een gewone zie-kenzaal, maar alles lijkt zich nog steeds in een parallelle werkelijkheid af te spelen.

Als het waarschijnlijk is dat iemand dood is, zonder dat het lichaam is gevonden, kan diens familie in Zweden na een jaar een verklaring van overlijden aanvragen. Nadat Reidar zes jaar had gewacht tot de lichamen van zijn kinderen gevonden zouden worden, vroeg hij een dergelijke verklaring aan. Zijn aanvraag werd toegewezen, het besluit werd een halfjaar later bekendgemaakt en was sindsdien van kracht.

Nu loopt Reidar samen met de agente in burger door een lange gang. Hij herinnert zich niet naar welke verpleegafdeling ze op weg zijn, maar loopt domweg mee, met zijn blik op het linoleum en de laverende sporen van wielen van bedden gericht.

Reidar probeert zichzelf voor te houden dat hij niet te veel moet ho-pen, dat de politie zich vergist kan hebben.

Dertien jaar geleden zijn zijn kinderen, Felicia en Mikael, verdwenen toen ze 's avonds laat stiekem naar buiten waren gegaan.

De politie ging met duikers het water in en dregde het hele Lilla Vär-tan van Lindskär tot Björndalen af. Er werden zoektochten gehouden en de eerste dagen werd een helikopter ingezet.

Reidar stelde foto's, vingerafdrukken, tandkaarten en DNA-mon-sters van zijn twee kinderen beschikbaar om het zoeken te vergemak-kelijken.

Bekende misdadigers werden nagetrokken, maar volgens de uiteindelijke theorie van de regiopolitie was het ene kind in het koude maartse water gevallen en was het andere erin getrokken toen het had geprobeerd het eerste eruit te helpen.

In het geheim nam Reidar een detectivebureau in de arm om andere mogelijke sporen te laten onderzoeken, op de eerste plaats alle personen in de directe omgeving van de kinderen: elke onderwijzer en medewerker van de buitenschoolse opvang, voetbaltrainer en buurman, postbodes, buschauffeurs, tuinmannen, winkelbedienden van de buurtsuper, personeel in cafés en iedereen met wie de kinderen telefonisch of via internet contact hadden gehad. De ouders van hun klasgenoten werden nagetrokken, en zelfs de familie van Reidar.

Lang nadat de politie het zoeken had gestaakt en toen iedereen tot in de uiterste periferie was doorgelicht, begon het Reidar te dagen dat het voorbij was. Maar hij bleef nog jarenlang elke dag naar het strand gaan in afwachting van het moment waarop zijn kinderen zouden aanspoelen.

Reidar en de agente in burger met de blonde paardenstaart op haar rug wachten terwijl er een bed met een oude vrouw de lift in wordt gereden. Ze lopen naar de deuren van de verpleegafdeling en trekken lichtblauwe schoenhoezen aan.

Reidar wankelt even en zoekt steun bij de muur. Hij heeft zich meerdere malen afgevraagd of hij droomt en durft zijn gedachten niet de vrije loop te laten.

Ze gaan de afdeling op en passeren verpleegkundigen in witte kleren. Reidar voelt zich hevig verkrampt, maar begint toch snel te lopen.

Ergens verneemt hij geroezemoes van andere mensen, maar binnen in hem heerst onbegrijpelijke stilte.

Rechts achterin ligt kamer 4. Hij stoot per ongeluk tegen een wagentje met avondeten, waardoor een stapel kopjes omvalt.

Het is alsof hij losraakt van de werkelijkheid als hij de kamer in komt en de jonge man in het bed ziet liggen. Hij heeft een slangetje in de holte van zijn elleboog en krijgt zuurstof via zijn neus. Aan de infuusstandaard hangt een infuuszak naast een witte pulsoximeter, die aan zijn linkerwijsvinger is bevestigd.

Reidar blijft staan, haalt zijn hand over zijn mond en voelt dat hij de controle over zijn gezicht verliest. De werkelijkheid keert terug in de vorm van een oorverdovende waterval aan gevoelens.

'Mikael,' zegt Reidar voorzichtig.

De jonge man opent langzaam zijn ogen en Reidar ziet hoezeer hij op zijn moeder lijkt. Hij legt behoedzaam zijn hand op Mikaels wang en zijn lippen trillen zo hevig dat hij moeite heeft met spreken.

'Waar ben je toch geweest?' vraagt Reidar, en hij merkt dat de tranen over zijn wangen stromen.

'Papa,' fluistert Mikael.

Zijn gezicht is beangstigend bleek en zijn ogen staan heel moe. Er zijn dertien jaren verstreken en het kindergezicht dat Reidar in zijn herinnering heeft bewaard, is het gezicht van een man geworden, maar zijn magerte doet denken aan de zuigeling in de couveuse die hij ooit was.

'Nu kan ik weer gelukkig worden,' fluistert Reidar, en hij aait over het hoofd van zijn zoon.

38

Disa is eindelijk terug in Stockholm. Ze wacht in zijn topappartement aan Wallingatan 31. Joona is onderweg naar huis nadat hij tarbot heeft gekocht die hij van plan is te bakken en er zelfgemaakte remouladesaus bij te serveren.

Er ligt een paar decimeter sneeuw op de stoep langs de hekjes waar niemand heeft gelopen. Alle lichten van de stad schijnen als wazige lantaarns.

Als hij langs de Kammakargatan loopt, hoort hij verderop opgewonden stemmen. Dit is een donker deel van de stad. Sneeuwwallen en rijen geparkeerde auto's werpen schaduwen. Trieste achtergevels met vegen van smeltwater.

'Ik moet mijn geld hebben,' schreeuwt een man met ruwe stem.

In de verte zijn twee gedaanten te zien. Ze bewegen zich langzaam voor de reling naar de Dalatrap. Joona loopt rechtdoor.

Twee hijgende mannen met een in elkaar gedoken lichaamshouding staren elkaar aan, dronken en kwaad. De een draagt een geruit gewatteerd jack en een bontmuts. Hij houdt een glanzend mesje in zijn hand.

'Godvergeten strontzuiger,' reutelt hij. 'Rottige kleine...'

De ander, met een volle baard en een zwarte overjas met gebarsten naden op de schouders zwaait met een lege wijnfles voor zich.

'Ik wil mijn geld met rente hebben,' zegt de baardmans.

'*Kiskoa korkoa*,' antwoordt de ander en hij spuugt bloed in de sneeuw.

Een forse vrouw van een jaar of zestig leunt tegen de blauwe plastic bak met strooizand voor op de trap. De gloeiende punt van haar sigaret wipt op en neer en verlicht haar pafferige gezicht.

De man met de fles loopt achteruit tot onder de grote boom met besneeuwde takken. De ander waggelt achter hem aan. Het lemmet glinstert even als hij ermee uithaalt. De baardmans verplaatst zich naar achteren, haalt uit met de fles en raakt de ander hoog op zijn hoofd. De fles gaat aan diggelen en groene scherven stuiven rondom de bontmuts. Joona heeft de impuls om naar zijn pistool te grijpen, hoewel hij weet dat het in de wapenkast ligt.

De man met het mes wankelt, maar valt niet. De ander houdt het puntige overblijfsel van de fles voor zich uit.

Iemand schreeuwt. Joona rent over sneeuwwallen en ijsklompen van de afvoerpijpen.

De bebaarde man glijdt uit en valt op zijn rug. Hij tast met zijn hand over de stalen leuning van de trap.

'Mijn geld,' herhaalt hij en hij hoest.

Joona veegt sneeuw van een geparkeerde auto bij elkaar en kneedt er een bal van.

De man met het geruite jack wankelt en loopt op de liggende man met het mes af.

'Ik zal je buik opensnijden en het geld erin stoppen...'

Joona gooit en raakt de man met het mes in zijn nek. Er klinkt een droge bons als de sneeuw alle kanten op schiet.

'*Perkele*,' zegt de man in verwarring gebracht en hij draait zich om.

'Sneeuwballengevecht, jongens!' roept Joona en hij kneedt een nieuwe bal.

De man met het mes kijkt hem aan en er begint iets te gloeien in zijn troebele blik.

Joona gooit en raakt de liggende man midden op zijn borst, zodat de sneeuw in zijn bebaarde gezicht spat.

De man met het mes kijkt op hem neer en lacht met leedvermaak: '*Lumiukko*.'

De liggende man gooit losse sneeuw naar de ander. Die loopt achteruit, stopt zijn mes weg en maakt een sneeuwbal. De baardmans staat wankel op en houdt zich vast aan de reling.

'Hier ben ik goed in,' mompelt hij, terwijl hij een sneeuwbal kneedt.

De man met het geruite jack richt op de ander, maar draait zich opeens om en gooit een sneeuwbal die Joona op de schouder raakt.

Een paar minuten vliegen er sneeuwballen alle kanten op. Joona glijdt uit en valt. De baardmans verliest zijn muts en de ander rent erheen en vult hem met sneeuw.

De vrouw klapt in haar handen en krijgt een sneeuwbal tegen haar voorhoofd die als een witte buil blijft plakken. De baardmans schatert en gaat midden in een stapel oude kerstbomen zitten. De man met het geruite jack trapt wat sneeuw tegen hem aan, maar heeft de puf niet daarmee door te gaan. Hij hijgt en richt zijn blik op Joona.

'Waar kwam jij nou vandaan, man?' vraagt hij.

'Rijksrecherche,' antwoordt Joona en hij klopt sneeuw van zijn kleren.

'Politie?'

'Jullie hebben mijn kind afgepakt,' mompelt de vrouw.

Joona raapt de bontmuts op, klopt de sneeuw eruit en geeft hem aan de man met het geruite jack.

'Bedankt.'

'Ik heb een vallende ster gezien,' gaat de beschonken vrouw verder en kijkt Joona in de ogen. 'Die heb ik gezien toen ik zeven was... en ik wens dat je zal branden in de hel en zal schreeuwen als...'

'Hou je kop,' reutelt de man met het geruite jack. 'Ik ben blij dat ik mijn mes niet in mijn broertje heb gestoken en...'

'Ik moet mijn geld hebben,' roept de ander glimlachend.

39

Als Joona thuiskomt, brandt er licht in de badkamer. Hij doet de deur op een kier open en ziet Disa met gesloten ogen in het water liggen. De badkuip zit vol schuim en ze neuriet iets. Haar modderige kleren liggen in een grote hoop op de grond.

'Ik dacht dat ze je in de gevangenis hadden gegooid,' zegt Disa. 'Ik was geheel bereid om je appartement over te nemen.'

Afgelopen winter is er onderzoek naar Joona gedaan door de nationale eenheid voor politiezaken van het openbaar ministerie. Hij was ervan beschuldigd langdurig politieonderzoek teniet te hebben gedaan en het arrestatieteam van de veiligheidsdienst in gevaar te hebben gebracht.

'Ik blijk schuldig te zijn,' antwoordt hij en hij raapt haar kleren op en stopt ze in de wasmachine.

'Dat zei ik van het begin af aan al.'

'Ja, het...'

Joona's ogen zijn plotseling zo grijs als een regenlucht.

'Is er iets?'

'Een lange dag,' antwoordt hij en hij loopt naar de keuken.

'Niet weggaan.'

Als hij niet terugkomt staat ze op uit het bad, droogt zich af en trekt de dunne ochtendjas aan. De beige zijde plakt tegen haar warme lichaam.

Joona staat in de keuken aspergeaardappeltjes goudbruin te bakken als ze binnenkomt.

'Wat is er gebeurd?'

Joona werpt een korte blik op haar.

'Een van de slachtoffers van Jurek Walter is teruggekomen... hij is al die tijd gevangen gehouden.'

'Dus je had gelijk, er was een medeplichtige.'

'Ja,' zucht hij.

Disa doet een paar stappen naar hem toe, legt haar handpalm heel licht op zijn onderrug.

'Kun je hem pakken?'

'Ik hoop het,' zegt Joona ernstig. 'Ik heb de jongen nog niet fatsoenlijk kunnen verhoren, hij is erg verzwakt. Maar hij zou ons erheen moeten kunnen brengen.'

Joona zet de koekenpan aan de kant, draait zich om en kijk haar aan.

'Wat is er?' vraagt ze, en ze ziet er bang uit.

'Disa, je moet dat onderzoeksproject in Brazilië aannemen.'

'Dat wil ik niet, dat heb ik toch gezegd,' zegt ze snel, en ze begrijpt daarna wat hij bedoelt. 'Zo kun je niet redeneren. Ik heb lak aan Jurek Walter, ik ben niet bang, ik wil me niet door angst laten leiden.'

Teder schuift hij het natte haar weg dat voor haar gezicht is gevallen.

'Een tijdje maar,' zegt hij. 'Tot ik dit heb geregeld.'

Ze leunt tegen zijn borstkas, hoort de doffe dubbelklank van zijn hartslag.

'Er is nooit iemand anders geweest dan jij,' zegt ze eenvoudig. 'Toen je na het ongeluk van je gezin bij mij woonde, toen gebeurde het, dat weet je... ik raakte aan je gehecht, ik... verloor mijn hart, zoals het heet... maar het is waar.'

'Ik ben alleen maar zuinig op je.'

Ze streelt zijn arm en fluistert dat ze er niet heen wil. Als haar stem stokt trekt hij haar dicht tegen zich aan en kust haar.

'Maar we gaan al die tijd toch al met elkaar om,' zegt Disa, en ze kijkt op naar zijn gezicht. 'Ik bedoel, als er nou een medeplichtige zou zijn die ons bedreigt, waarom is er dan niets gebeurd? Het klopt niet...'

'Ik weet het, ik ben het met je eens, maar toch... Ik moet dit doen, ik zal op hem jagen, nu gaat alles gebeuren.'

Disa voelt een golf tranen opstijgen naar haar keel. Ze vecht ertegen en wendt haar gezicht af. Ooit was ze Summa's vriendin. Zo hebben Joona en zij elkaar leren kennen. En toen zijn leven kapotging, was zij daar.

In de periode waarin het het slechtst met hem ging, mocht hij tijdelijk bij haar inwonen.

Die nachten sliep hij op de bank, en elke nacht hoorde ze zijn bewegingen en wist ze dat hij wist dat ze klaarwakker in de kamer ernaast lag. Dat hij de deuropening van haar slaapkamer gadesloeg en dacht dat ze daar lag, steeds meer verwonderd en gekwetst over zijn afstand, zijn kilte. Tot hij op een nacht opstond, zich aankleedde en haar flat verliet.

'Ik blijf,' fluistert Disa en ze veegt de tranen van haar wangen.

'Je moet gaan.'

'Waarom?'

'Omdat ik van je hou,' zegt hij. 'Dat moet je toch voelen...'

'Denk je dat ik nu dan wél ga?' vraagt ze met een brede glimlach.

40

Op een van de negen schermen van de grote monitor is Jurek Walter te zien. Als een gekooid roofdier loopt hij een rondje in het dagverblijf, passeert de bank, slaat links af en volgt de muur langs de televisie. Hij loopt om de loopband heen, gaat verder naar links en wandelt dan zijn kamer weer in.

Anders Rönn ziet hem van bovenaf in een van de andere schermpjes en tegelijkertijd op de andere monitor.

Walter wast zijn gezicht en gaat dan zonder zich af te drogen op de plastic stoel zitten. Hij staart naar de deur naar de gang terwijl het water op zijn overhemd loopt en opdroogt.

My zit op de plaats van de operator. Ze kijkt op de klok, wacht een halve minuut, kijkt naar Walter, markeert de zone op de computer en doet de deur naar het dagverblijf op slot.

'Vandaag krijgt hij tartaar bij het avondeten... daar houdt hij van,' zegt ze.

'O ja?'

Anders Rönn vindt de dagelijkse routines rondom de enige patiënt zo repetitief en statisch dat het moeilijk zou zijn om de dagen uit elkaar te houden als ze dat patiëntenoverleg op afdeling 30 niet gehad hadden. De andere artsen vertellen over hun patiënten en behandelplannen. Niemand verwacht ook maar dat hij zal herhalen dat de situatie op de beveiligde eenheid onveranderd is.

'Heb je weleens geprobeerd met de patiënt te praten?' vraagt Anders.

'Met Walter? Dat moet je niet doen,' antwoordt ze en ze krabt aan haar getatoeëerde onderarm. 'Het is namelijk zo dat... hij allerlei dingen zegt die je niet kunt vergeten.'

Sinds de eerste dag heeft Anders Jurek Walter niet meer gesproken. Hij zorgt er alleen voor dat de patiënt zijn gebruikelijke injectie met antipsychotica krijgt.

'Weet je hoe de computer werkt?' vraagt Anders. 'Het lukte me niet om uit te loggen uit de dossiers.'

'Dan mag je niet naar huis,' zegt ze.

'Maar ik...'

'Grapje,' lacht ze. 'De computers hierbeneden lopen continu vast.'

Ze staat op, pakt de fles Fanta van tafel en loopt de gang op. Anders ziet dat Walter nog steeds doodstil zit met open ogen.

Het is misschien niet zo leuk om je specialisatie diep onder de grond, achter veiligheidsdeuren en sluizen te vervullen, maar voor hem is het geweldig om zo dicht bij huis te kunnen werken, om 's avonds bij Agnes te kunnen zijn, houdt hij zichzelf voor en hij loopt achter My aan. Ze loopt ontspannen door de verduisterde gang. Als ze het lichte kantoor binnenkomt, ziet hij dat haar rode slipje door de witte stof van haar verpleegstersbroek heen schijnt.

'Eens kijken,' mompelt ze. Ze gaat op een stoel zitten en wekt de computer uit de slaapstand. Met een tevreden gezicht forceert ze de afsluiting van het programma en logt ze opnieuw in.

Anders bedankt haar, vraagt wie er nachtdienst heeft en verzoekt haar het medicijnwagentje aan te vullen als ze eraan toekomt.

'Vergeet niet de medicijnlijst na afloop te ondertekenen,' zegt hij, en hij vertrekt.

Hij slaat de hoek naar de tweede gang om en loopt naar de kleedkamer. Het is muisstil op de afdeling. Hij weet niet wat hem bezielt als hij My's kastje opendoet en met trillende handen haar sporttas doorzoekt. Voorzichtig schuift hij een vochtig T-shirt en de lichtgrijze joggingbroek aan de kant en vindt een zweterig slipje. Hij pakt het op, brengt het naar zijn gezicht en snuift haar geur op. Plotseling beseft hij dat als My naar de operatorplaats is teruggegaan ze hem op dit moment op de monitor kan zien.

41

Als Anders thuiskomt is het stil in het huis en de lamp in Agnes' kamer is uit. Hij doet de deur achter zich op slot en loopt de keuken in. Petra staat bij het aanrecht en droogt de maatbeker van een blender af.

Ze heeft zakkige kleren aan: een te groot T-shirt met de tekst CHICAGO WHITE SOX en een gele legging die in haar knieholtes omhoog is gekropen. Anders gaat achter haar staan en slaat zijn armen om haar heen, ruikt de geur van haar haar en de nieuwe deodorant. Ze staat op het punt weg te draaien, maar hij laat zijn handen toch omhoog glijden en omklemt haar zware borsten.

'Hoe is het met Agnes?' vraagt hij en hij laat haar los.

'Ze heeft een vriendje in het kinderdagverblijf,' zegt Petra met een brede glimlach. 'Een jongen die vorige week voor het eerst is gekomen en dol op haar lijkt... ik weet niet of het wederzijds is, maar hij mocht haar in elk geval legosteentjes geven.'

'Klinkt als liefde,' zegt hij en hij gaat zitten.

'Ben je moe?'

'Ik heb zin in een glas wijn. Wil je ook?' vraagt hij.

'Wil?'

Ze kijkt hem in de ogen en glimlacht breder dan in tijden.

'Wat is er?' vraagt hij.

'Telt mijn wil dan mee?' fluistert ze.

Hij schudt zijn hoofd en ze kijkt hem met glinsterende ogen aan. Ze verlaten de keuken en lopen geruisloos de slaapkamer in. Anders doet de deur naar de gang op slot en ziet Petra de spiegeldeuren van de kleerkast openschuiven en een lade uittrekken. Ze tilt een stapel ondergoed op en haalt er een plastic zak onder vandaan.

'Dus daar heb je de spullen verstopt.'

'Nu mag je me niet verlegen maken,' zegt ze.

Hij trekt de sprei van het bed en Petra schudt de plastic zak leeg, de inhoud ervan hebben ze gekocht nadat ze *Vijftig tinten grijs* had gelezen. Hij pakt het zachte touw en bindt haar handen aan elkaar, laat het door de spijlen van het hoofdeinde lopen en trekt het dan zo aan dat ze met haar armen boven haar hoofd achterovervalt. Hij bevestigt het touw met twee lussen om de stijlen van het voeteneinde. Ze houdt haar benen tegen elkaar en kronkelt als hij haar legging en slipje omlaag trekt.

Hij maakt het touw weer los, slaat een lus om haar linkerenkel, bindt het touw om de stijl en laat hem naar de andere stijl lopen, en vandaar naar haar rechterenkel.

Voorzichtig trekt hij aan het touw, zodat haar benen langzaam uit elkaar glijden.

Ze kijkt hem met vuurrode wangen aan.

Plotseling geeft hij een harde ruk en dwingt haar dijen maximaal uit elkaar.

'Voorzichtig,' zegt ze snel.

'Jij houdt je mond,' zegt hij streng, en hij ziet haar tevreden glimlachen.

Hij maakt het touw vast, loopt naar het hoofdeinde en trekt haar T-shirt over haar gezicht, zodat ze hem niet meer kan zien. Haar borsten schommelen als ze de stof uit haar gezicht probeert te krijgen.

Het is onmogelijk voor haar om los te komen – ze is volkomen hulpeloos in deze situatie, met haar armen boven haar hoofd en haar benen zo wijd uit elkaar dat haar liezen wel pijn moeten doen.

Anders staat daar maar, ziet haar haar hoofd schudden en zijn hart begint steeds sneller te bonzen. Langzaam knoopt hij zijn broek open en hij ziet hoe haar geslacht glinstert van het vocht.

42

Joona gaat de ziekenhuiskamer in en ziet een oudere man bij het bed van de jongen zitten. Het duurt even voor hij beseft dat dat Reidar Frost is. Het is jaren geleden dat ze elkaar gezien hebben, maar hij is nog veel en veel ouder geworden. De jongen slaapt, maar Reidar zit naast hem en houdt zijn linkerhand in zijn twee handen.

'Jij hebt nooit geloofd dat mijn kinderen waren verdronken,' zegt de vader gedempt.

'Nee,' antwoordt Joona.

Reidar laat zijn blik op het slapende gezicht van Mikael rusten, draait zich dan om naar Joona en zegt: 'Bedankt dat je niets over de moordenaar hebt verteld.'

De verdenking dat broer en zus Kohler-Frost tot de slachtoffers van Jurek Walter behoorden, werd versterkt doordat hij via deze kinderen werd opgespoord en gearresteerd; Joona en Samuel hadden hem namelijk de eerste keer voor het raam van hun moeder gezien.

Joona neemt het smalle gezicht van de jonge man op, het vlassige baardhaar op zijn kin, de ingevallen wangen en het koortszweet dat op zijn voorhoofd parelt.

Toen Mikael vertelde hoe het in het begin was geweest, toen ze met zovelen waren en hij Rebecka Mendel had ontmoet, ging het over de eerste weken van de isolatie van Jurek Walter, denkt Joona.

Sindsdien is er meer dan een decennium in gevangenschap verstreken.

Maar het is hem gelukt te ontsnappen – de plaats waar hij heeft gezeten moet op te sporen zijn.

'Ik ben nooit opgehouden met zoeken,' zegt Joona gedempt tegen Reidar.

Reidar kijkt naar zijn zoon en zijn gezicht breekt open in een onbeheerste glimlach. Hij zit al uren zo, maar hij krijgt er maar geen genoeg van naar zijn kind te kijken.

'Ze zeggen dat ie er weer bovenop komt, ze beloven het, er is niks mis met hem,' zegt hij met hese stem.

'Heb je met hem gepraat?' vraagt Joona.

'Hij krijgt vrij veel pijnstillers en slaapt bijna continu, maar ze zeggen dat dat goed is, dat hij dat nodig heeft.'

'Dat denk ik ook,' bevestigt Joona.

'Hij komt het wel te boven... psychisch bedoel ik, het zal wel een tijdje duren, maar dat geeft niks.'

'Heeft hij überhaupt iets gezegd?'

'Hij heeft dingen tegen me gefluisterd, het is niet te verstaan,' zegt Reidar. 'Het klinkt heel verward allemaal. Maar hij herkende me.'

Joona weet dat het belangrijk is om onmiddellijk te beginnen te vertellen over wat er is gebeurd. Herinneren is een cruciaal onderdeel van het genezingsproces. Mikael heeft tijd nodig, maar hij mag niet met rust gelaten worden. Het belastingsniveau van de vragen kan langzaam opgevoerd worden, maar het risico dat een getraumatiseerde persoon zich volledig sluit bestaat altijd.

En er is eigenlijk geen haast bij, herhaalt Joona in zichzelf.

Het kan maanden duren om alles wat er gebeurd is in kaart te brengen, maar hij moet de belangrijkste vraag vandaag al stellen.

Ik moet weten of Mikael weet wie Walters medeplichtige is, denkt hij, en hij voelt zijn hart weer harder kloppen.

Als hij alleen een naam of een goed signalement geeft, kan de nachtmerrie voorbij zijn.

'Ik moet hem spreken zodra hij wakker is,' zegt Joona. 'Vanwege een paar concrete vragen, maar het kan vervelend voor hem zijn.'

'Zolang hij maar niet bang wordt,' zegt Reidar. 'Daar kan ik niet mee instemmen...'

Hij zwijgt als er een verpleegkundige binnenkomt. Ze groet hen zacht en controleert Mikaels hartslag en het zuurstofgehalte van zijn bloed.

'Zijn handen zijn koud geworden,' zegt Reidar tegen haar.

'Ik zal hem zo dadelijk iets tegen de koorts geven,' verzekert de verpleegkundige hem.

'Maar hij krijgt toch antibiotica?'

'Ja, maar het kan twee dagen duren voordat die beginnen te werken,' zegt de verpleegkundige, en ze glimlacht geruststellend terwijl ze een nieuwe zak infuusvloeistof ophangt.

Reidar helpt haar, hij staat op, houdt de slang opzij om het ophangen te vergemakkelijken en loopt dan met haar mee naar de deur.

'Ik wil de arts spreken,' zegt hij.

Mikael zucht en fluistert iets voor zich uit. Reidar blijft staan en draait zich om. Joona leunt naar voren om te proberen te verstaan wat hij zegt.

43

Mikael ademt sneller, zwaait zijn hoofd heen en weer, fluistert iets, opent zijn ogen en kijkt Joona recht aan met een gejaagde blik.

'Je moet me helpen, ik kan hier niet liggen,' zegt hij. 'Ik kan er niet tegen, ik kan er niet tegen, mijn zusje wacht op me, ik voel haar de hele tijd, ik voel...'

Reidar loopt snel naar hem toe, pakt zijn hand en houdt die tegen zijn wang.

'Mikael, ik weet het,' fluistert hij en hij slikt hard.

'Papa...'

'Ik weet het, Mikael, ik denk voortdurend aan haar...'

'Papa!' schreeuwt Mikael met snerpende stem. 'Ik kan er niet tegen, ik hou het niet vol, ik...'

'Rustig maar,' troost hij.

'Ze leeft, Felicia leeft,' schreeuwt hij. 'Ik kan hier niet liggen, ik moet...'

Hij rochelt keer op keer. Reidar houdt zijn hoofd omhoog en probeert hem te helpen. Hij herhaalt kalmerende woorden tegen zijn zoon, maar zijn blik brandt van bodemloze paniek.

Mikael zakt hijgend terug in het kussen en fluistert onverstaanbare woorden voor zich uit terwijl de tranen over zijn wangen lopen.

'Wat zei je over Felicia?' vraagt Reidar beheerst.

'Ik wil niet,' hijgt hij. 'Ik kan hier niet liggen...'

'Mikael,' onderbreekt Reidar hem. 'Nu moet je duidelijk zijn.'

'Ik kan er niet tegen om...'

'Je zei dat Felicia leeft,' zegt Reidar weer. 'Waarom zei je dat?'

'Ik heb haar verlaten, ik heb haar achtergelaten,' huilt Mikael. 'Ik ben weggerend en liet haar achter.'

'Zeg je dat Felicia nog in leven is?' vraagt Reidar voor de derde keer.

'Ja, papa,' fluistert Mikael terwijl de tranen over zijn wangen stromen.

'Lieve god,' fluistert zijn vader en hij strijkt met trillende hand over zijn hoofd. 'Lieve god.'

Mikael hoest enorm, een wolk bloed wordt in het slangetje gedrukt, hij hapt naar lucht, hoest weer en hijgt daarna.

'We zijn al die tijd samen geweest, papa. In het donker, op de vloer... maar ik heb haar achtergelaten.'

Mikael zwijgt alsof elk spatje kracht verdwenen is. Zijn blik wordt langzaam troebel en vermoeid.

Reidar kijkt zijn zoon aan met een gezicht dat elke stevigheid kwijt is, dat de behoefte aan een façade heeft laten gaan.

'Je moet zeggen...'

Zijn stem breekt, hij haalt diep adem en herhaalt dan: 'Mikael, je begrijpt toch dat je moet zeggen waar ze is, zodat ik haar op kan halen...'

'Ze zit er nog... Felicia zit er nog,' zegt Mikael zwakjes. 'Ze zit er nog. Ik voel haar en ze is bang...'

'Mikael,' smeekt Reidar.

'Ze is bang omdat ze alleen is... Ze houdt het niet vol, ze wordt 's nachts altijd huilend wakker tot ze doorheeft dat ik er ben...'

Reidar voelt het in zijn borst samentrekken. Onder de oksels van zijn overhemd zijn er grote zweetplekken ontstaan.

44

Reidar hoort wat Mikael zegt, maar de inhoud dringt maar moeilijk tot hem door. Hij staat aan het bed van zijn zoon, antwoordt troostend en kijkt hem aan.

Maar zijn gedachten zitten vast in een draaikolk. Ze cirkelen om slechts één punt. Hij moet Felicia ophalen. Ze mag niet alleen zijn.

Hij staart voor zich uit en loopt dan met zware stappen naar het raam. Ver onder hem zitten een paar huismussen in de kale rozenbottelstruiken. Honden hebben in de sneeuw onder een lantaarnpaal gepist. Onder het bankje bij de bushalte ligt een want.

Ergens achter zich hoort hij Joona Linna een poging doen om meer van Mikael te weten te komen. De donkere stem vermengt zich met Reidars bonzende hartslag.

Pas achteraf zie je je vergissingen, en sommige ervan zijn zo pijnlijk dat je jezelf niet meer kunt verdragen.

Reidar weet dat hij een onrechtvaardige vader was. Dat is nooit zijn bedoeling geweest, maar toch gebeurde het.

Er wordt vaak gezegd dat je van al je kinderen evenveel houdt, denkt hij. Toch behandel je ze verschillend.

Mikael was zijn lieveling.

Felicia irriteerde hem voortdurend en maakte hem soms zo kwaad dat hij haar bang maakte. Achteraf bezien onbegrijpelijk. Hij was immers volwassen en zij een klein kind.

Ik had niet tegen haar moeten schreeuwen, denkt hij. Hij staart naar de bewolkte lucht en voelt een flinke pijn opkomen in zijn linkeroksel.

'Ik voel haar de hele tijd,' zegt Mikael tegen Joona. 'Nu ligt ze alleen maar op de grond... ze is zo verschrikkelijk bang.'

Reidar slaakt een zucht vanwege de hevige pijn in zijn borst. Zweet stroomt langs zijn hals. Joona is bij hem, pakt zijn bovenarm vast en zegt iets.

'Niks aan de hand,' zegt Reidar.

'Heb je pijn op de borst?' vraagt Joona.

'Ik ben gewoon moe,' antwoordt hij haastig.

'Je lijkt...'

'Ik moet Felicia vinden,' zegt hij.

Een brandende pijn vlamt door zijn kaken en dan schrijnt zijn borst weer. Hij valt en klapt met zijn wang op de verwarming, maar kan er alleen maar aan denken dat hij op de dag dat Felicia verdween tegen haar heeft geschreeuwd dat ze waardeloos was.

Hij komt overeind op zijn knieën, probeert te kruipen en hoort Joona terugkomen met een arts.

45

Joona praat met de arts van Reidar en keert terug naar Mikaels kamer, hangt zijn jasje aan een haak aan de binnenkant van de deur, trekt de enige stoel bij en gaat zitten.

Als Felicia inderdaad nog in leven is, dan is er ineens haast geboden. Misschien zijn er nog meer gevangenen? Hij moet zorgen dat hij Mikael over zijn herinneringen laat vertellen.

Een uur later wordt Mikael wakker. Hij opent langzaam zijn ogen en knijpt ze dicht tegen het licht. Terwijl Joona herhaalt dat er niets ernstigs is met zijn vader, sluit Mikael zijn ogen weer.

'Ik heb een belangrijke vraag,' zegt Joona ernstig.

'Mijn zus,' fluistert hij.

Joona legt zijn mobiele telefoon op het nachtkastje en zet hem op opnemen.

'Mikael, ik moet je vragen... Weet je wie jou gevangen hield?'

'Zo was het niet...'

'Hoe niet?'

De jongen ademt sneller.

'Hij wou alleen dat we zouden slapen, dat was het enige, we moesten slapen...'

'Wie wilde dat?'

'De Zandman,' fluistert Mikael.

'Wat zeg je?'

'Niks, ik kan niet meer...'

Joona kijkt naar zijn mobieltje om te controleren of het gesprek nog steeds wordt opgenomen.

'Ik dacht dat je Zandman zei,' dringt hij aan. 'Bedoel je soms Klaas Vaak, die de kinderen in slaap brengt?'

Mikael kijkt hem aan.

'Hij bestaat echt,' fluistert hij. 'De Zandman ruikt naar zand, overdag verkoopt hij barometers.'

'Hoe ziet hij eruit?'

'Het is altijd donker als hij komt...'

'Je moet toch iets gezien hebben?'

Mikael schudt zijn hoofd en huilt geluidloos, de tranen stromen zomaar over zijn slapen op het kussen onder zijn hoofd.

'Heeft de Zandman nog een andere naam?' vraagt Joona.

'Dat weet ik niet, hij praat niet, hij heeft al die tijd nooit iets tegen ons gezegd.'

'Kun je hem beschrijven?'

'Ik heb hem alleen gehoord in het donker... hij heeft vingertoppen van porselein en als hij zand uit de zak haalt dan rinkelen ze tegen elkaar... en dan...'

Mikaels mond beweegt zonder dat er geluid uit komt.

'Ik hoor je niet,' zegt Joona zacht.

'Hij strooit zand in de ogen van de kinderen... en even later slaap je.'

'Hoe weet je dat het een man is?' vraagt Joona.

'Ik heb hem horen hoesten,' antwoordt Mikael ernstig.

'Maar je hebt hem nooit gezien?'

'Nee.'

46

Een heel erg mooie vrouw met Indiase trekken staat Reidar op te nemen als hij wakker wordt. Ze legt uit dat hij angina pectoris heeft.

'Ik dacht dat ik een hartinfarct kreeg,' mompelt hij.

'We moeten zeker overwegen om een hartkatheterisatie te doen en...'

'Ja,' zucht hij en hij gaat rechtop zitten.

'Je moet rusten.'

'Ik kreeg te horen... dat mijn...' zegt hij, maar dan beginnen zijn lippen zo te trillen dat hij de zin niet kan afmaken.

Ze legt haar hand op zijn wang en glimlacht alsof hij een verdrietig kind is.

'Ik moet naar mijn zoon toe,' legt hij met iets vastere stem uit.

'Je begrijpt dat je het ziekenhuis niet kunt verlaten voor we de symptomen nader hebben onderzocht,' antwoordt ze slechts.

Hij krijgt een roze flesje met nitroglycerine mee, die hij bij de minste druk op zijn borst onder zijn tong kan spuiten.

Reidar loopt naar afdeling 66, maar voordat hij bij Mikaels kamer is, blijft hij in de gang staan en steunt met één hand tegen de muur.

Als hij de kamer binnenkomt, staat Joona op en biedt hem de stoel aan. Zijn telefoon ligt nog op het nachtkastje.

Mikael ligt met open ogen in bed. Reidar loopt naar hem toe.

'Mikael, je moet me helpen haar te vinden,' zegt hij terwijl hij gaat zitten.

'Hoe gaat het met je, papa?' vraagt zijn zoon beheerst.

'Niks aan de hand,' antwoordt Reidar en hij probeert te glimlachen.

'Wat zeggen ze, wat zegt de dokter?' vraagt Mikael.

'Ze zegt dat ik een probleempje met de kransslagader heb, maar dat geloof ik niet, allemaal onzin, we moeten Felicia vinden.'

'Ze wist zeker dat het je niks kon schelen dat ze was verdwenen. Ik zei dat dat niet zo was, maar ze wist zeker dat je alleen naar mij zou zoeken.'

Reidar blijft doodstil zitten. Hij weet wat zijn zoon bedoelt, want hij is nooit vergeten wat er die laatste dag gebeurd is. Mikael legt zijn magere hand op zijn vaders arm en ze kijken elkaar weer aan.

'Je kwam uit de richting van Södertälje – moet ik daar beginnen met zoeken?' vraagt Reidar. 'Kan ze daar misschien zijn?'

'Ik weet het niet,' antwoordt Mikael zacht.

'Maar iets moet je je toch herinneren?' vervolgt Reidar gedempt.

'Ik herinner me alles,' zegt zijn zoon. 'Maar er is gewoon niets om me te herinneren.'

Joona legt zijn beide handen op het voeteneind van het bed. Mikaels ogen zijn halfgesloten en hij houdt zijn vaders hand stevig vast.

'Eerder vertelde je dat Felicia en jij samen waren, op de vloer in het donker,' begon Joona.

'Ja,' fluistert Mikael.

'Hoe lang waren jullie daar met z'n tweeën? Wanneer verdwenen de anderen?'

'Ik weet het niet,' antwoordt hij. 'Het is niet te zeggen, de tijd werkt niet zoals jullie denken.'

'Hoe zag de kamer eruit?'

Mikael kijkt gekweld in Joona's grijze ogen.

'Ik heb de kamer nooit gezien,' antwoordt hij. 'Behalve in het begin, toen ik klein was... toen was er een felle lamp die soms aanging, we konden naar elkaar kijken. Maar ik weet niet meer hoe de kamer eruitzag, ik was alleen maar bang...'

'Maar je herinnert je toch wel iets?'

'De duisternis, het was bijna altijd donker.'

'Er moet een vloer geweest zijn,' probeert Joona.

'Ja,' fluistert Mikael.

'Ga door,' zegt Reidar vriendelijk.

Mikael keert zijn blik van de beide mannen af. Hij staart recht voor zich uit als hij vertelt over de plek waar hij zo lang opgesloten heeft gezeten.

'De vloer... die was hard en koud. Zes stappen zo... en vier stappen zo... En de muren waren van beton dat heel dof klinkt als je erop slaat.'

47

Reidar knijpt in zijn hand zonder iets te zeggen. Mikael sluit zijn ogen en laat de beelden en herinneringen woorden worden.

'Er is een bank en een matras dat we wegtrekken van het afvoerputje als we de kraan moeten gebruiken,' zegt hij en hij slikt hard.

'De kraan,' herhaalt Joona.

'En de deur... die is van ijzer of staal. Hij is nooit open. Ik heb hem nooit open gezien, er zit geen slot aan de binnenkant, geen deurkruk... en naast de deur zit een gat in de muur, daar komt de emmer met eten doorheen. Het is een klein gat, maar als je je arm erin steekt en hem naar boven draait, dan kun je met je vingertoppen een metalen luikje voelen...'

Reidar huilt geluidloos terwijl hij luistert naar wat Mikael zich van de kamer weet te herinneren.

'We proberen zuinig te zijn met het eten,' zegt hij. 'Maar soms raakt het op... een paar keer duurde het zo lang dat we alleen maar lagen te luisteren of we het luikje hoorden en als we dan weer iets binnenkregen, moesten we overgeven... en soms kwam er geen water uit de kraan, we kregen dorst en het afvoerputje begon te stinken...'

'Wat was het voor eten?' vraagt Joona rustig.

'Alleen maar restjes... stukken worst, aardappels, wortelen, uien... macaroni.'

'Degene die jullie het eten bracht... die zei nooit iets?'

'In het begin riepen we zodra het luik openging, maar dan ging het meteen weer dicht en kregen we niets... daarna probeerden we te praten met degene die het luik opende, maar we kregen nooit antwoord... We luisterden altijd... we hoorden ademen, schoenen op de betonnen vloer... altijd dezelfde schoenen...'

Joona controleert of het opnemen nog goed gaat. Hij denkt aan het enorme isolement waarin de twee zich bevonden. De meeste serie-moordenaars vermijden contact met hun slachtoffers, praten niet met hen, om ze als object te kunnen blijven zien. Maar af en toe moeten ze bij hun slachtoffers naar binnen, ze willen de angst en hulpeloosheid op hun gezicht zien.

'Je hebt hem horen bewegen,' zegt Joona. 'Heb je nog iets anders van buitenaf gehoord?'

'Hoe bedoel je?'

'Denk eens goed na,' zegt Joona ernstig. 'Vogels, blaffende honden, auto's, treinen, stemmen, vliegtuigen, gehamer, tv, lachen, schreeu-wen... sirenes... wat dan ook.'

'Alleen de geur van zand...'

Buiten was het donker geworden en er kletterden harde druppels te-gen het ziekenhuisraam.

'Wat deden jullie als jullie wakker waren?'

'Niets... In het begin, toen we nog best wel klein waren, was het me gelukt om een schroef uit de onderkant van de bank te halen... we schraapten een gat in de muur. De schroef werd zo warm dat we ons er bijna aan brandden. We waren er een eeuwigheid mee bezig... alleen maar beton en na vijf centimeter kwam er een raster van ijzer, we groe-ven een vierkantje uit, maar daarna zat er weer een raster, het was niet te doen... Het is onmogelijk om uit de capsule te ontsnappen.'

'Waarom noem je de kamer een capsule?'

Mikaels vermoeide glimlach laat hem er oneindig eenzaam uitzien.

'Felicia is ermee begonnen... ze fantaseerde dat we in de ruimte wa-ren, dat het een opdracht was... dat was helemaal in het begin, voordat we ophielden met praten, maar ik bleef de kamer als een capsule zien.'

'Waarom hielden jullie op met praten?'

'Ik weet het niet, het gebeurde gewoon, er viel niets meer te zeggen...'

Reidar brengt bevend zijn hand naar zijn mond. Het lijkt alsof hij vecht tegen de tranen.

'Je zegt dat ontsnappen onmogelijk is... en toch heb je dat gedaan,' zegt Joona.

48

De chef van de rijksrecherche, Carlos Eliasson, vertrekt in de lichte sneeuwval van een vergadering in het stadhuis terwijl hij met zijn vrouw telefoneert. Op dat moment lijkt het politiebureau op een zomerpaleis in een winters park. De hand die de telefoon vasthoudt is zo koud geworden dat zijn vingers pijn doen.

'Ik ga zware middelen inzetten.'

'Weet je zeker dat Mikael beter zal worden?'

'Ja.'

Carlos stampt de sneeuw van zijn lage schoenen als hij de stoep heeft bereikt.

'Geweldig,' mompelt ze.

Hij hoort dat zijn vrouw een zucht slaakt en op een stoel gaat zitten.

'Ik kan het niet vertellen,' zegt hij na een poosje. 'Dat kan niet, of wel?'

'Nee,' antwoordt ze.

'Maar stel dat het cruciaal is voor het onderzoek?' vraagt hij.

'Je mag het niet vertellen,' zegt ze ernstig.

Carlos loopt verder door de Kungsholmsgatan, kijkt op zijn horloge en hoort zijn vrouw dan fluisteren dat ze moet ophangen.

'Tot vanavond,' zegt hij zacht.

Het politiebureau is in de loop der jaren stukje bij beetje uitgebreid. Elke verbouwing getuigt van veranderende mode. Het nieuwste gedeelte ligt helemaal tegen het Kronobergspark aan. Daar is de rijksrecherche gehuisvest.

Carlos passeert twee veiligheidsdeuren, loopt door de beglaasde binnenplaats en neemt de lift naar de achtste verdieping. Zijn gezicht staat bezorgd als hij zijn jas uittrekt en langs de rij gesloten deuren in de gang loopt. In de luchtstroom achter hem fladdert een krantenknipsel op het prikbord. Het hangt daar sinds de pijnlijke avond waarop het politiekoor weggestemd werd uit de talentenjacht *Talang*.

In de vergaderruimte zijn al vijf collega's aanwezig. Op de glanzende grenen tafel staan glazen en flesjes water. De gele gordijnen zijn opengetrokken en door de rij lage ramen zijn de besneeuwde boomkruinen zichtbaar. Iedereen probeert kalm te blijven, maar onder de oppervlakte stromen duistere gedachten. De vergadering die door Joona bijeen is geroepen, begint over twee minuten. Benny Rubin heeft zijn schoenen uitgetrokken en doet tegenover Magdalena Ronander uit de doeken wat hij van de nieuwe formulieren voor risicoanalyse vindt.

Carlos schudt Nathan Pollock en Tommy Kofoed van de landelijke afdeling Moordzaken de hand. Nathan draagt zoals altijd een donkergrijs jasje en zijn grijze paardenstaart hangt ver over zijn rug. Naast beide mannen staat Anja Larsson in een zilverkleurige bloes en een lichtblauwe rok.

'Anja heeft ons geprobeerd te moderniseren... we moesten Analyst's Notebook leren gebruiken,' glimlacht Nathan. 'Maar daar zijn we te oud voor...'

'Spreek voor jezelf,' moppert Tommy nors.

'Jullie ruiken allemaal een beetje naar recycling,' zegt Anja.

Carlos gaat aan het hoofd van de tafel staan en de diepe ernst op zijn gezicht brengt zelfs Benny tot zwijgen.

'Welkom allemaal,' zegt Carlos zonder ook maar een zweem van zijn gebruikelijke glimlach. 'Zoals jullie misschien hebben begrepen zijn er nieuwe ontwikkelingen in de zaak-Jurek Walter en... het vooronderzoek kan niet langer als afgesloten worden beschouwd...'

'Wat heb ik gezegd?' klinkt een kalme stem met Fins accent.

49

Carlos draait zich snel om en ziet Joona Linna in de deuropening staan. De zwarte jas van de lange commissaris glinstert van de sneeuw.

'Joona heeft echt niet altijd gelijk, hoor,' zegt Carlos. 'Alhoewel, toegegeven... dit keer...'

'Was Joona dan de enige die dacht dat Jurek Walter een medeplichtige had?' vraagt Nathan Pollock.

'Tja, eh...'

'En bijna iedereen was geschokt toen hij vertelde dat het gezin van Samuel Mendel tot de slachtoffers behoorde,' zegt Anja zacht.

'Inderdaad,' knikt Carlos. 'Joona was briljant, zonder twijfel... Ik was nieuw als chef en luisterde misschien niet naar de juiste mensen, maar nu weten we het... en nu kunnen we doorgaan om...'

Hij zwijgt en kijkt naar Joona, die een stap de kamer in zet.

'Ik kom net uit het Söder-ziekenhuis,' zegt hij kort.

'Heb ik iets verkeerds gezegd?' vraagt Carlos.

'Nee.'

'Maar je vindt misschien dat ik meer zou moeten zeggen?' vraagt Carlos met een opgelaten blik en hij kijkt naar de anderen. 'Joona, het is dertien jaar geleden, er is sindsdien heel wat water naar de zee gestroomd...'

'Ja.'

'En je had toen absoluut gelijk, dat zeg ik toch.'

'Waarin had ik eigenlijk gelijk?' vraagt Joona op gedempte toon terwijl hij Carlos aankijkt.

'Waarin?' herhaalt Carlos schel. 'In alles, Joona. Je had overal gelijk in. Is het nu genoeg? Ik vind het zo eigenlijk wel genoeg geweest...'

Joona glimlacht even en Carlos gaat zuchtend zitten.

'De algemene gezondheidstoestand van Mikael Kohler-Frost is al veel beter, en ik heb een paar keer de gelegenheid gehad om vragen te stellen... Ik had natuurlijk gehoopt dat Mikael de medeplichtige zou kunnen identificeren.'

'Dat is misschien te vroeg,' zegt Nathan bedachtzaam.

'Nee... Mikael heeft geen naam, geen signalement... zelfs geen stem, maar...'

'Is hij getraumatiseerd?' vraagt Magdalena Ronander.

'Hij heeft hem simpelweg nooit gezien,' zegt Joona terwijl hij haar aankijkt.

'Dus we hebben helemaal niets?' fluistert Carlos.

Joona loopt verder naar binnen en zijn schaduw valt over de kamer en de vergadertafel.

'Mikael noemt zijn ontvoerder Zandman... Ik heb het nagevraagd bij Reidar Frost en hij heeft uitgelegd dat die naam uit een verhaaltje komt dat hun moeder voor het slapengaan aan de kinderen vertelde... De Zandman is dus een soort gepersonifieerde slaapbrenger die zand in de ogen van kinderen strooit zodat ze gaan slapen.'

'Ja precies,' zegt Magdalena en ze glimlacht. 'De korrels in je ogen als je 's ochtends wakker wordt zijn het bewijs dat het zandmannetje is geweest.'

'De Zandman,' zegt Nathan nadenkend, en hij schrijft iets in zijn zwarte notitieboek met gewaxte kaft.

Anja pakt Joona's mobieltje aan en sluit het aan op het draadloze audiosysteem.

'Mikael en Felicia Kohler-Frost zijn half Duits. Roseanna Kohler kwam op achtjarige leeftijd uit Schwabach naar Zweden,' begint Joona.

'Dat ligt ten zuiden van Neurenberg,' zegt Carlos.

'De Zandman is haar Klaas Vaak,' vervolgt Joona. 'En elke avond voor het slapengaan vertelde ze de kinderen een verhaaltje over hem... Door de jaren heen heeft ze het sprookje uit haar jeugd vermengd met veel eigen fantasieën en fragmenten uit de barometerverkoper en de mechanische meisjes van E.T.A. Hoffmann... Mikael en Felicia waren pas acht en tien jaar oud en ze dachten dat de Zandman hen had meegenomen.'

De mannen en vrouwen rond de tafel kijken toe terwijl Anja voorbereidingen treft voor het afspelen van Mikaels verhaal. Hun gezichten staan ernstig. Voor het eerst zullen ze het enige ontsnapte slachtoffer van Jurek Walter horen getuigen over wat er is gebeurd.

'We kunnen de medeplichtige dus niet identificeren,' zegt Joona. 'Het enige wat ons rest is de plek... Als Mikael ons kan terugbrengen naar de plek, dan...'

50

De luidsprekers ruisen en sommige geluiden, zoals ritselend papier, worden versterkt terwijl andere nauwelijks hoorbaar zijn. Soms horen ze Reidar huilen, zoals wanneer zijn zoon vertelt over Felicia's fantasie over de ruimtecapsule.

Nathan Pollock maakt aantekeningen in zijn notitieboek en Magdalena Ronander tikt onafgebroken op haar laptop terwijl ze luistert.

'Je zegt dat ontsnappen onmogelijk is,' klinkt Joona's ernstige stem uit de luidsprekers. 'En toch heb je dat gedaan...'

'Het is onmogelijk, zo is het niet gegaan,' antwoordt Mikael Kohler-Frost snel.

'Hoe is het dan gegaan?'

'De Zandman blies zijn stof over ons heen en toen ik wakker werd, besefte ik dat ik niet meer in de capsule was,' vertelt Mikael. 'Het was pikdonker, maar ik hoorde dat deze kamer anders was en ik voelde dat Felicia niet in de buurt was. Ik tastte in het rond en vond een deur met een deurkruk... en ik deed hem gewoon open en liep een gang in... ik geloof niet dat ik toen aan vluchten dacht, maar ik wist dat ik gewoon rechtdoor moest lopen... Ik kwam bij een deur die op slot zat en ik dacht dat ik in een val was gelopen, ik besefte dat de Zandman natuurlijk elk moment terug kon komen... Ik raakte in paniek en sloeg met mijn hand de glazen ruit kapot, stak mijn arm erdoor en deed de deur van het slot... Ik rende door een magazijn met stoffige zakken cement en kartonnen dozen... en toen zag ik dat de muur rechts alleen maar uit plastic bestond dat vastgeniet zat... ik kon niet goed ademhalen en ik merkte dat mijn vingers bloedden voor het me lukte het plastic naar beneden te trekken. Ik begreep dat ik me had bezeerd aan de kapotte ruit, maar dat kon me niet schelen, ik liep over een grote betonnen vloer... ze waren de kamer nog aan het bouwen en ik liep zo de sneeuw in... het was nog niet helemaal donker... ik rende naar het bos toe langs een graafmachine met een blauwe ster en ik begon te snappen dat ik vrij was. Ik rende tussen de bomen en door de struiken, er viel sneeuw op me, ik keek niet om, ik liep dwars over een akker en door een bosje toen ik gestopt werd... Een afgebroken tak was recht mijn lies in gegaan, ik zat vast, en daar stond ik. Er stroomde bloed in mijn schoen en het deed pijn. Ik probeerde me los te trekken, maar ik zat vast... Ik bedacht dat ik de tak af kon breken, ik probeerde het, maar het lukte niet, ik was te zwak, ik stond daar maar, dacht dat ik de Zandman met zijn porseleinen vingers hoorde rinkelen... Toen ik probeerde achteruit te lopen, gleed ik uit en viel, en de tak schoot los. Misschien viel ik wel bijna flauw... ik was traag geworden, maar ik krabbelde overeind, liep een heuvel op, struikelde en dacht dat ik niet meer kon, maar ik ging kruipend verder en kwam bij een spoorlijn. Ik weet niet hoe lang ik heb gelopen, ik had het koud maar ging door, af en toe zag ik huizen in de verte, maar ik was zo moe dat ik domweg het spoor bleef volgen... Het begon steeds harder te sneeuwen, ik liep in een soort van droom, wou nooit meer stoppen, wou alleen maar verder weg...'

51

Als Mikael klaar is met vertellen en het geruis van de luidsprekers is verdwenen, wordt het muisstil in de vergaderzaal. Carlos is opgestaan. Hij bijt op een duimnagel en staart voor zich uit.

'We hebben twee kinderen aan hun lot overgelaten,' zegt hij daarna zacht. 'Ze waren vermist, maar wij zeiden dat ze dood waren en gingen door met ons leven.'

'We waren er echt van overtuigd,' zegt Benny vriendelijk.

'Joona wilde doorgaan,' zegt Anja zacht.

'Hoewel ik op het laatst ook niet meer geloofde dat ze nog leefden,' antwoordt Joona.

'En we hadden helemaal niets meer om mee verder te gaan,' zegt Nathan. 'Geen sporen, geen getuigen...'

Carlos' wangen zijn bleek, hij gaat met zijn hand over zijn hals en probeert het bovenste knoopje van zijn overhemd los te maken.

'Maar ze leefden,' zegt hij bijna fluisterend.

'Ja,' antwoordt Joona.

'Ik heb veel meegemaakt, maar dit hier,' zegt Carlos, en hij trekt nogmaals aan zijn boordje. 'Ik begrijp alleen niet waarom. Waarom in godsnaam? Ik begrijp het niet, ik...'

'Het valt niet te begrijpen,' zegt Anja mild en ze probeert hem mee de kamer uit te krijgen. 'Drink een glaasje water.'

'Waarom sluit iemand twee kinderen meer dan tien jaar op?' gaat hij met stemverheffing verder. 'Zorgt ervoor dat ze blijven leven, maar verder niets, geen losgeld, geen geweld, geen misbruik...'

Anja probeert hem de kamer uit te leiden, maar hij verzet zich en grijpt Nathans arm vast.

'Zoek het meisje,' zegt hij. 'Zorg dat jullie haar vandaag vinden.'

'Ik denk niet dat...'

'Vind haar,' kapt Carlos hem af en hij verlaat de vergaderzaal.

Even later komt Anja terug. De mensen mompelen wat en kijken in hun papieren. Tommy Kofoed glimlacht gekweld. Benny zit met zijn mond open en port afwezig met zijn tenen in Magdalena's sporttas. 'Wat is er met jullie?' vraagt Anja streng. 'Jullie hebben toch gehoord wat de chef zei?'

Snel komt de groep tot de beslissing dat Magdalena en Tommy een arrestatieteam en een team met technisch rechercheurs zullen organiseren, terwijl Joona de afbakening van een primair zoekgebied ten zuiden van station Södertälje-Zuid zal coördineren.

Joona kijkt naar een print van de laatste foto die van Felicia is genomen. Hij weet niet hoe vaak hij er al naar heeft gekeken. Haar ogen zijn groot en donker, het lange, zwarte haar ligt in een warrige vlecht over haar schouder. Ze houdt een paardrijhelm vast en kijkt met een pientere glimlach in de camera.

'Mikael Kohler-Frost zegt dat hij vlak voordat het donker was is gaan lopen,' begint Joona met zijn blik op de grote detailkaart aan de muur. 'Hoe laat heeft de machinist precies alarm geslagen?'

Benny leest op zijn laptop.

'Om 03.22 uur,' antwoordt hij.

'Hier hebben ze Mikael gevonden,' zegt Joona, en hij omcirkelt de noordzijde van de Igelstabron. 'Het is niet aannemelijk dat hij sneller dan vijf kilometer per uur heeft gelopen, gewond en met de veteranenziekte.'

Met een liniaal meet Anja het maximale traject recht naar het zuiden af – in verhouding tot de snelheid en de schaal van de kaart – en trekt dan met een grote passer een cirkel. Twintig minuten later hebben ze de vijf bouwplaatsen gelokaliseerd en omcirkeld die met Mikaels beschrijving zouden kunnen kloppen.

Op een twee meter breed plasmascherm wordt een hybride van een kaart en een satellietfoto vertoond. Benny is nog steeds moeizaam bezig informatie in te voeren in zijn laptop, die nu de monitor deelt met het plasmascherm. Anja zit naast hem en haalt met twee telefoons aanvullende gegevens binnen, terwijl Nathan en Joona de verschillende bouwplaatsen doornemen.

Vijf rode cirkels op het grote scherm markeren de in aanbouw zijnde panden in het primaire gebied. Drie van de cirkels bevinden zich tussen andere bebouwing.

Joona staat voor de kaart, volgt de denkbare spoorweg met zijn ogen en wijst op een van de andere cirkels, in het bos vlak bij de Älgberg.

'Hier is het,' zegt hij.

Benny klikt op de cirkel en de coördinaten poppen op, Anja leest de beknopte informatie voor: het bedrijf NCC is bezig een nieuwe serverhal voor Facebook te bouwen, maar het werk ligt sinds een maand stil vanwege een conflict dat moet voorkomen bij de milieurechtbank.

'Zal ik de tekeningen van het complex opvragen?' vraagt Anja.

'Nee, we rijden er meteen heen,' zegt Joona.

52

Op de hobbelige weg door het bos is de sneeuw ongerept. Een groot terrein is kaalgeslagen. Buizen en kabelgoten zijn ingegraven en de afvoeren voor het oppervlaktewater zijn aangelegd. Het betonnen fundament van 40.000 vierkante meter is gestort, meerdere vleugels zijn zo goed als klaar, terwijl van andere alleen nog maar een skelet staat. Op de graafmachines en kiepwagens ligt sneeuw.

Tijdens de rit naar de Älgberg ontving Joona een overzicht van de bouwplaats op zijn telefoon. Anja had de tekeningen weten op te snorren die bij de gemeente waren ingediend voor de vergunning.

Magdalena Ronander bestudeert samen met het arrestatieteam de kaart, waarna ze allemaal uitstappen om het complex van drie verschillende kanten binnen te gaan.

Ze verplaatsen zich langs de bosrand. Het is donker tussen de stammen en de sneeuw is vol kuilen. Ze nemen snel hun posities in, naderen de bouwplaats behoedzaam en overzien het open terrein.

Er hangt een vreemde, soezerige sfeer op de plek. Een grote graafmachine staat stil voor een gapende schacht.

Marita Jakobson rent naar voren, stopt bij een stapel beschermingsmatten en zakt op één knie. Ze is een commissaris van middelbare leeftijd met een lange staat van dienst. Ze speurt de gebouwen grondig af door haar kijker en wenkt de groep.

Joona trekt zijn pistool en gaat samen met een groepje van het arrestatieteam de hoek van de lagere zijvleugel om. Sneeuw waait van het dak en dwarrelt glinsterend door de lucht.

Ze dragen allemaal een keramisch kogelvrij vest en een helm, en twee agenten hebben een aanvalsgeweer van Heckler & Koch.

Zwijgend lopen ze langs een bouwskelet en gaan de kale betonvloer op.

Joona wijst in de richting van het losse bouwplastic dat beweegt in de wind. Het plastic zit los tussen twee palen en hangt vermoeid naar opzij.

De groep volgt Marita dwars door een magazijn naar een deur met een gebroken ruit. Op de vloer en de deur zitten zwarte bloedspetters.

Dit is zonder twijfel de plek waar Mikael ontsnapt is.

De scherven knarsen onder hun laarzen. Ze lopen verder de gang in, openen de ene deur na de andere en met hun wapens perken ze in elke kamer effectief vuurlijnen af.

Alle vertrekken zijn leeg.

In een ruimte staat een krat met lege flessen, dat is alles.

Het valt nog niet uit te maken waar Mikael zich bevond toen hij wakker werd, maar het is hoogstwaarschijnlijk in een van de kamers in de gang.

De groepjes verplaatsen zich efficiënt door het kantoorgebouw en doorzoeken alle ruimtes, waarna ze terugkeren naar de auto's.

Dan pas gaan de technisch rechercheurs naar binnen.

Daarna moet het hele bos met hondenpatrouilles worden doorzocht.

Joona staat met zijn helm in zijn hand te kijken naar de sneeuwfonkelingen die over de grond spelen.

Hij wist eigenlijk wel dat ze Felicia hier niet zouden vinden. De kamer die Mikael 'capsule' noemde heeft dikke, gewapende muren, een waterkraan en een voedselsluis. Die ruimte was gemaakt om mensen gevangen te houden.

Joona heeft in het medisch dossier gelezen dat de artsen sporen van het narcosemiddel sevofluraan in Mikaels vetweefsel hebben aangetroffen. Hij bedenkt dat Mikael hier gedrogeerd en in bewusteloze toestand heen gebracht moet zijn. Dat klopt met zijn beschrijving dat hij wakker werd in een andere ruimte. Hij is in de capsule in slaap gevallen en hier wakker geworden.

Om de een of andere reden is Mikael na al die jaren naar deze plek gebracht.

Was het dan eindelijk tijd voor hem om in een kist te belanden toen hij wist te ontsnappen?

Als Joona de politiemensen ziet terugkeren naar hun auto's is het nog kouder geworden. Het getekende gezicht van Marita Jakobson staat verbeten en ze ziet er verdrietig uit.

Als Mikael verdoofd was, dan heeft hij geen enkele mogelijkheid om hun de weg naar de capsule te wijzen.

Hij heeft al die tijd niets gezien.

Nathan Pollock gebaart naar Joona dat het tijd is om te vertrekken. Joona maakt aanstalten zijn hand op te steken maar het lukt hem niet.

Zo mag het niet eindigen. Het mag niet voorbij zijn, denkt hij, en hij haalt zijn hand door zijn haar.

Wat kunnen ze nog doen?

Als Joona terugloopt naar de auto's weet hij het angstaanjagende antwoord op zijn eigen vraag al.

53

Soepel draait Joona de Q-Park-parkeergarage in, trekt een kaartje uit de automaat, rijdt naar beneden en parkeert. Hij blijft in zijn auto zitten terwijl een medewerker van de grote, bovengelegen supermarkt de boodschappenwagentjes verzamelt.

Als er niemand meer te zien is in de garage, stapt Joona uit en loopt naar een glanzende, zwarte bestelbus met donkere ruiten, opent de deur aan de zijkant en stapt in.

De deur glijdt geruisloos dicht en op gedempte toon groet Joona Carlos Eliasson, chef rijksrecherche en Verner Zandén, chef van de veiligheidsdienst Säpo.

'Felicia Kohler-Frost zit opgesloten in een donkere kamer,' zegt Carlos. 'Ze heeft daar meer dan tien jaar met haar grote broer doorgebracht. Nu is ze helemaal alleen. Laten we haar aan haar lot over? Zeggen we dat ze dood is en laten we haar daar zitten? Als ze niet ziek is, blijft ze misschien nog wel twintig jaar leven.'

'Carlos,' zegt Verner kalmerend.

'Ik weet dat ik niet voldoende afstand bewaar,' zegt hij glimlachend en hij steekt afwerend zijn handen omhoog. 'Maar ik wil dat we dit keer écht alles doen wat we kunnen.'

'Ik heb een groot team nodig,' zegt Joona. 'Als ik vijftig man krijg, kunnen we proberen alle losse eindjes en oude sporen, elke verdwijning na te trekken. Het levert misschien niets op, maar het is onze enige mogelijkheid. Mikael heeft de medeplichtige niet gezien en hij werd gedrogeerd voordat hij werd verplaatst. Hij kan ons niet vertellen waar de capsule is. We blijven natuurlijk met hem praten, maar ik denk dat hij simpelweg niet weet waar hij de afgelopen dertien jaar heeft gezeten.'

'En als Felicia nog leeft, dan zit ze naar alle waarschijnlijkheid in de capsule,' zegt Verner met zijn lage bas.

'Ja,' antwoordt Joona.

'Hoe moeten we haar in godsnaam vinden? Dat gaat gewoon niet,' zegt Carlos. 'Niemand weet waar de capsule is.'

'Niemand, behalve Jurek Walter,' zegt Joona.

'Die niet te verhoren is,' zegt Verner.

'Nee,' zegt Joona.

'Nog steeds helemaal psychotisch en...'

'Dat is hij nooit geweest,' valt Joona hem in de rede.

'Ik weet alleen wat er in het forensisch psychiatrisch onderzoek staat,' zegt Verner. 'Ze schreven dat hij schizofreen, psychotisch, chaotisch en zeer gewelddadig is.'

'Alleen omdat Walter wilde dat dat erin zou staan,' antwoordt Joona kalm.

'Jij denkt dus dat hij gezond is? Bedoel je dat te zeggen, dat hij gezond is?' vraagt Verner. 'Wat is dit, verdomme? Waarom wordt hij niet gewoon verhoord?'

'Hij moet geïsoleerd blijven,' zegt Carlos. 'In het vonnis van het gerechtshof...'

'Het is verdomme toch wel mogelijk om het vonnis te omzeilen,' zucht Verner en hij strekt zijn lange benen.

'Misschien,' zegt Carlos.

'En ik heb bekwame mensen met ervaring in het verhoren van terreurverda...'

'Joona is de beste,' kapt Carlos hem af.

'Nee, dat ben ik niet,' antwoordt Joona.

'Jij was degene die Walter heeft opgespoord en gegrepen en jij was de enige met wie hij vóór de rechtszaak gesproken heeft.'

Joona schudt zijn hoofd en laat zijn blik door de getinte ruit dwalen, de verlaten parkeergarage in.

'Ik heb het geprobeerd,' zegt hij langzaam. 'Maar Walter kun je niet om de tuin leiden, hij is anders dan andere mensen, hij kent geen angst, hij wil geen medelijden, hij zegt niets.'

'Zou je een poging willen wagen?' vraagt Verner.

'Nee, ik kan het niet,' antwoordt Joona.

'Waarom niet?'

'Omdat ik te bang ben,' antwoordt hij eenvoudig.

Carlos kijkt hem bezorgd aan.

'Je maakt zeker een grapje,' zegt hij nerveus.

Joona neemt hem op. Zijn ogen staan hard en doen denken aan nat leisteen.

'We hoeven toch niet bang te zijn voor een oude vent achter slot en grendel,' zegt Verner en hij krabt gestrest aan zijn voorhoofd. 'Hij moet bang zijn voor óns. Verdomme, we kunnen zijn cel binnenvallen, hem tegen de grond werken en hem de duimschroeven flink aandraaien. Hem hard aanpakken, en dan bedoel ik echt meedogenloos hard.'

'Dat werkt niet,' zegt Joona.

'Maar er zijn methodes die altijd werken,' gaat Verner door. 'Ik heb een geheime groep die in Guantánamo is geweest.'

'Deze bijeenkomst heeft overigens nooit plaatsgevonden,' haast Carlos zich te zeggen.

'Ik heb zelden bijeenkomsten die plaatsvinden,' zegt Verner met zijn basstem, en hij leunt naar voren. 'Mijn groep weet alles over waterboarden en elektrische schokken.'

'Walter is niet bang voor pijn,' zegt Joona.

'Dus we geven het maar op?'

'Nee,' antwoordt Joona en hij leunt achterover, waardoor de stoel kraakt achter zijn rug.

'Maar in welke richting moeten we denken, volgens jou?' vraagt Verner.

'Als we met Walter gaan praten, kunnen we er zeker van zijn dat hij liegt. Hij zal het gesprek sturen, en als hij heeft uitgevogeld wat we van hem willen, begint hij te marchanderen en het eind van het liedje is dat we hem iets gegeven hebben waar we spijt van krijgen.'

Carlos slaat zijn blik neer en krabt geïrriteerd aan zijn knieholte.

'Wat kunnen we dan nog?' vraagt Verner zacht.

'Ik weet niet of het mogelijk is,' zegt Joona. 'Maar als we een agent als patiënt op dezelfde gesloten afdeling kunnen plaatsen...'

'Meer wil ik er niet over horen,' kapt Carlos hem af.

'Het moet iemand zijn die zo overtuigend is dat Jurek Walter toenadering zoekt,' gaat Joona verder.

'Jezus christus,' mompelt Verner.

'Een patiënt,' fluistert Carlos.

'Want ik denk niet dat we kunnen volstaan met iemand die hij kan gebruiken, uitbuiten,' zegt Joona.

'Wat wil je daarmee zeggen?'

'We moeten een agent zien te vinden die zó uitzonderlijk is dat Walters nieuwsgierigheid geprikkeld wordt.'

54

De bokszak zucht en de ketting rammelt. Saga Bauer verplaatst zich soepel opzij, volgt de beweging van de zak met haar lichaam en stoot weer. Tweemaal een smakkend geluid, gevolgd door een dreun tussen de muren van het lege bokslokaal.

Ze traint een combinatie van twee snelle linkse hoeken, een hoge en een lage, en een harde rechtse hoek.

De zwarte bokszak schommelt, de bevestiging knerpt. De schaduw van de zak glijdt over Saga's gezicht en ze slaat weer. Drie snelle stoten. Ze rolt met haar schouders, verplaatst zich naar achteren, beweegt soepel rond de zak en stoot.

Haar lange, blonde haar zwaait opzij door de snelle heupbeweging en valt dan voor haar gezicht.

Saga vergeet de tijd als ze traint, en alle gedachten uit haar hoofd worden weggedrukt. Ze is al twee uur helemaal alleen in de zaal. De laatste boksers zijn vertrokken toen ze aan het touwtjespringen was. De lampen boven de boksring zijn uit, maar het witte licht van de frisdrankautomaat in de entree schijnt naar binnen. Sneeuw wervelt buiten voor de ramen, rond het verlichte uithangbord van de stomerij en boven de trottoirs.

Vanuit haar ooghoek ziet Saga een auto voor de boksclub stoppen, maar ze blijft doorgaan met dezelfde combinatie van stoten en probeert haar kracht voortdurend te vergroten. Zweetdruppels spatten op de vloer voor een peerbal die is losgeraakt uit zijn bevestiging.

Stefan komt binnen. Hij stampt de sneeuw van zich af en blijft even zwijgend staan. Zijn lange jas hangt open en daaronder is een glimp van zijn lichte pak en witte overhemd te zien.

Ze blijft stoten en ziet dat hij zijn schoenen uittrekt en de zaal in loopt.

Het enige geluid komt van de stoten tegen de zak en het rammelen van de ketting.

Saga wil doorgaan met trainen, ze is niet bereid zich uit haar concentratie te laten halen. Ze brengt haar voorhoofd omlaag en stoot haar snelle serie in gelijkmatig tempo, hoewel Stefan achter de zak is gaan staan.

'Harder,' zegt hij, en hij fixeert de zak.

Een rechtse directe komt zo hard aan dat hij een stap achteruit moet doen. Ze schiet ongewild in de lach, en nog voordat hij zijn evenwicht heeft teruggevonden stoot ze weer.

'Fixeren,' zegt ze met een zweem van ongeduld in haar stem.

'We moeten gaan.'

Haar gezicht is gesloten en verhit als ze een harde serie stoot. Ze laat zich zo makkelijk overweldigen door haar vertwijfelde woede. De woede maakt dat ze zich zwak voelt, maar zorgt er ook voor dat ze doorvecht als anderen het opgeven.

De harde stoten doen de zak sidderen en de ketting ratelen. Hoewel ze nog lang zou kunnen doorgaan, remt ze zichzelf af.

Hijgend doet ze een paar lichte passen naar achteren. De zak blijft schommelen. Fijn betongruis komt los bij de bevestiging in het plafond.

'Nu ben ik tevreden,' zegt ze glimlachend en met haar mond trekt ze de bokshandschoenen uit.

Stefan loopt met haar mee naar de dameskleedkamer en helpt haar met het afwikkelen van de bandages rond haar polsen.

'Je hebt je bezeerd,' fluistert hij.

'Niks bijzonders,' zegt ze terwijl ze haar hand bekijkt.

De verwassen sportkleren zijn doorweekt van het zweet. Haar tepels schijnen door de natte beha heen en haar spieren zijn gezwollen en goed doorbloed.

Saga Bauer is inspecteur bij de veiligheidsdienst en ze heeft in twee grote zaken samengewerkt met Joona Linna van de rijksrecherche. Ze bokst niet alleen op topniveau, maar ze is ook een uitmuntend scherpschutter en heeft een speciale opleiding in geavanceerde verhoortechnieken gevolgd.

Ze is zevenentwintig, heeft ogen zo blauw als een zomerhemel, draagt kleurige linten in haar lange blonde haar en is haast onwerkelijk mooi. De meeste mensen die haar zien worden vervuld door een wonderlijk, hopeloos gevoel van gemis. Saga aanschouwen betekent ongelukkig verliefd worden.

Het warme water in de douche dampt en de spiegels zijn beslagen. Saga staat stevig op de grond, met haar benen uit elkaar en hangende armen terwijl het water over haar heen spoelt. Een grote blauwe plek op haar bovenbeen kleurt geel en de knokkels van haar rechterhand bloeden.

Ze kijkt op, veegt het water uit haar gezicht en ziet Stefan met een volkomen weerloos gezicht naar haar staan kijken.

'Waar denk je aan?' vraagt Saga.

'Dat het regende de eerste keer dat we seks hadden,' zegt hij zacht.

Ze herinnert zich die middag nog heel goed. Ze waren midden op de dag naar de film geweest en toen ze uit de bioscoop op de Medborgarplatsen kwamen, hoosde het. Ze renden door de Sankt Paulsgatan naar zijn studio, maar waren toch doorweekt toen ze aankwamen. Stefan had het er nog vaak over dat ze zich zo achteloos had uitgekleed, haar kleren over de verwarming had gehangen en daarna op zijn piano was gaan pingelen. Hij vertelde dat hij wist dat staren onbeleefd was, maar ze verlichtte de kamer als de bal vloeibaar glas in een donkere glasblazerij.

'Kom onder de douche,' zegt Saga.

'Daar hebben we geen tijd voor.'

Ze kijkt hem aan met een rimpel tussen haar wenkbrauwen.

'Ben ik alleen?' vraagt ze plotseling.

'Hoe bedoel je?' zegt hij glimlachend.

'Ben ik alleen?'

Stefan houdt haar een handdoek voor en zegt kalm: 'Kom nou maar.'

55

Als ze bij het Glenn Miller-café uit de taxi stappen, sneeuwt het. Saga keert haar gezicht naar de hemel, sluit haar ogen en voelt de vlokken op haar warme gezicht neerdalen.

De krappe ruimte zit al vol gasten, maar ze hebben geluk en vinden een vrij tafeltje. Kaarsen flakkeren in matglazen kaarsenstandaards en de sneeuw glijdt nat langs de ramen aan de Brunnsgatan.

Stefan hangt zijn tas aan een stoelleuning en loopt naar de bar om te bestellen.

Saga's haar is nog nat en ze rilt als ze haar groene parka uittrekt, die op de rug donker is van het vocht. Om haar heen draaien mensen zich om en ze is bang dat ze per ongeluk op andermans plek zijn gaan zitten.

Stefan zet twee wodka martini en een schaaltje pistachenoten op tafel. Ze zitten tegenover elkaar en proosten zwijgend. Saga wil net zeggen dat ze trek heeft als een slanke man met een ronde bril naar hen toe komt.

'Jacky,' zegt Stefan verrast.

'Ik dacht al dat ik kattenpis rook,' zegt hij glimlachend.

'Dit is mijn vriendin,' zegt Stefan.

Jacky kijkt even naar Saga maar neemt niet de moeite om zich voor te stellen, in plaats daarvan fluistert hij iets tegen Stefan en lacht.

'Nee, maar serieus, je moet met ons meespelen,' zegt hij. 'Mini is er ook.'

Hij wijst naar een stevige man die op weg is naar de hoek waar een bijna zwarte contrabas en een semiakoestische Gibson-gitaar staan opgesteld.

Saga luistert niet naar hun gesprek, het gaat over een of andere legendarische gig, het beste contract ooit en een geniale kwartetsamenstelling. Ondertussen laat ze haar blik door het etablissement glijden.

Stefan zegt iets tegen haar terwijl Jacky aan hem begint te sjorren.

'Ga je spelen?' vraagt Saga.

'Eén nummer maar,' roept Stefan met een glimlach.

Ze wuift hem na. Het geroezemoes wordt zachter als Jacky de microfoon pakt en zijn gast aankondigt. Stefan gaat achter de piano zitten.

'*April in Paris*', zegt hij kort, en hij begint te spelen.

56

Saga ziet Stefan zijn ogen half sluiten en ze krijgt kippenvel als de muziek de overhand krijgt en de ruimte verdicht, de gedempte verlichting glanzend en zacht maakt.

Jacky begint heel soepel met zwierende akkoorden, en dan klinkt ook de bas.

Saga weet hoeveel Stefan hiervan houdt, maar ze kan zich er toch niet overheen zetten dat ze hadden afgesproken dat ze dit keer samen zouden luisteren en praten.

Ze heeft er de hele week naar uitgekeken.

Langzaam eet ze een paar pistachenootjes, veegt de doppen op een hoop en wacht.

Een vreemde angst over het feit dat hij haar zomaar alleen liet, maakt haar plotseling helemaal koud. Ze vindt zichzelf irrationeel, ze weet niet wat er aan de hand is en ze houdt zich voor dat ze niet zo kinderachtig moet doen.

Als haar drankje op is, neemt ze dat van Stefan. Het is niet koud meer, maar ze drinkt het toch.

Net als ze naar de uitgang kijkt, fotografeert een man met rode wangen haar met zijn mobiel. Ze is moe en denkt dat ze beter naar huis en naar bed kan gaan, maar wil graag eerst met Stefan overleggen.

Ze is de tel kwijt van het aantal nummers dat ze al achter de rug hebben. John Scofield, Mike Stern, Charles Mingus, Dave Holland, Lars Gullin en een lange versie van een stuk waarvan ze de naam niet meer weet van de cd met Bill Evans en Monica Zetterlund.

Saga kijkt naar de berg fletse notendoppen, de prikkers in de martiniglazen en de lege stoel tegenover zich. Ze loopt naar de bar om een flesje Grolsch te bestellen en als ze dat op heeft, gaat ze naar de wc.

Een paar vrouwen staan zich voor de spiegel op te maken, de wc is bezet en ze moet een poosje in de rij staan. Als ze eindelijk aan de beurt is, gaat ze naar binnen, doet de deur op slot, gaat zitten en staart naar de witte deur.

Een oude herinnering ontneemt haar ineens al haar kracht. Ze herinnert zich dat haar moeder met een door ziekte getekend gezicht naar de witte deur lag te staren. Saga was nog maar zeven en probeerde haar te troosten, probeerde te zeggen dat het gauw weer goed zou komen, maar haar moeder wilde haar hand niet vasthouden.

'Kappen nou,' fluistert Saga in zichzelf op de wc, maar de herinnering blijft hangen.

Haar moeder werd zieker en Saga moest op zoek naar de medicijnen, het glas met water vullen en haar helpen de pillen in te nemen.

Saga zat op de grond naast haar moeders bed en keek naar haar, haalde een deken als ze het koud had en probeerde telkens als haar moeder dat vroeg haar vader te bellen.

Als haar moeder eindelijk sliep, knipte Saga het bedlampje uit, kroop in bed en vlijde zich in haar armen.

Ze denkt hier eigenlijk nooit aan. Ze zorgt er altijd voor de herinnering op afstand te houden, maar nu kwam die zomaar boven en haar hart bonst in haar borstkas als ze de wc uit gaat.

Hun tafeltje is nog steeds vrij, hun lege glazen staan er nog en Stefan speelt maar door. Hij houdt oogcontact met Jacky, op een speelse manier beantwoorden ze elkaars improvisaties.

Misschien ligt het aan de drankjes of aan de herinnering dat haar oordeel kantelt. Ze dringt naar voren, naar de muzikanten toe. Stefan is net begonnen aan een lange improvisatie met veel uitweidingen als ze haar hand op zijn schouder legt.

Hij schrikt op, kijkt haar aan en schudt gespannen zijn hoofd. Ze pakt zijn arm en probeert hem te laten ophouden met spelen.

'Kom nu,' zegt ze.

'Zorg dat je vriendin opdondert,' sist Jacky.

'Ik speel,' fluistert Stefan verbeten.

'Maar wij... We hadden toch afgesproken dat we...' probeert ze, en ze merkt tot haar verbazing dat de tranen in haar ogen springen.

'Hoepel op,' hoort ze Jacky sissen.

'Kunnen we zo niet naar huis?' vraagt ze en ze streelt zijn nek.

'Jezus christus,' fluistert hij scherp.

Saga deinst terug en gooit per ongeluk een bierglas om dat op een versterker staat, waardoor het op de grond kapot valt.

Bier spat op Stefans kleren.

Ze blijft staan, maar zijn ogen zijn uitsluitend op de piano gericht en op zijn handen die over de toetsen glijden, terwijl het zweet over zijn gezicht loopt.

Ze wacht nog even en keert dan terug naar het tafeltje. Een paar mannen hebben hun plek ingenomen. Haar groene parka ligt op de grond. Ze raapt hem met trillende handen op en haast zich naar buiten, de dichte sneeuwval in.

57

De volgende dag zit Saga Bauer de hele ochtend samen met vier andere politiemensen, drie analytici en twee mensen van het ministerie in een middelgrote vergaderzaal van de veiligheidsdienst. De meesten hebben een laptop of tablet voor zich en op een grijs projectiescherm staat op dit moment een diagram van de afgelopen week van de communicatie via vaste lijnen over de landgrens.

Ze bespreken de analysedatabase van SIGINT, nieuwe zoektermen en de op het oog snelle radicalisering van een dertigtal moslims, die positief tegenover geweld staan.

'Hoewel de islamitische organisatie Al-Shabaab veel gebruik heeft gemaakt van het propagandaforum Al-Qimmah,' zegt Saga, en ze strijkt haar lange haar naar achteren, 'denk ik niet dat het veel zal opleveren. We gaan uiteraard door, maar ik vind toch dat we ook zouden moeten beginnen de groep vrouwen in de marge te infiltreren... zoals ik al eerder heb aangegeven, en...'

De deur gaat open en Verner Zandén, chef veiligheidsdienst, komt binnen en steekt verontschuldigend zijn hand op.

'Ik wil absoluut niet storen,' zegt hij met zijn bulderende stem en hij vangt Saga's blik. 'Maar ik was net van plan een wandelingetje te maken en het zou prettig zijn als je me even gezelschap hield.'

Ze knikt en logt uit, maar laat de laptop op tafel liggen als ze samen met Verner de vergaderzaal verlaat.

Als ze de Polhemsgatan op komen, valt er fonkelende sneeuw. Het is erg koud en de kleine kristallen in de lucht vullen zich met nevelig zonlicht. Verner loopt met grote passen en Saga dribbelt naast hem als een kind.

Ze steken zwijgend de Fleminggatan over, lopen door de poort bij het gezondheidscentrum, door het ronde park met de kapel en gaan de trappen af naar de bevroren baai Barnhusviken.

Saga vindt de situatie steeds merkwaardiger, maar ze vraagt niets.

Verner gebaart met zijn hand en ze gaan linksaf het fietspad op.

Konijntjes schieten weg onder de besneeuwde struiken om zich voor hen te verstoppen als ze dichterbij komen. De parkbanken zijn zachte formaties in een wit landschap.

Na een poosje gaan ze tussen twee hoge gebouwen aan het water omhoog. Bij een portiekdeur toetst Verner een code in, opent de deur en gaat haar voor naar de lift.

In de gekraste spiegel ziet Saga dat fonkelende sneeuwvlokken zich helemaal over haar haar hebben uitgespreid. Nu begint de sneeuw te smelten en verandert hij in glanzende waterdruppels.

Als de krakende lift stopt, haalt Verner een sleutel met een plastic label tevoorschijn, draait een voordeur met braaksporen van het slot en knikt naar Saga om mee te komen.

Ze lopen een volstrekt leeg appartement in. Iemand is net verhuisd. De muren zitten vol gaten van schilderijen en boekenplanken. Op de versleten vloer liggen grote stofvlokken en een vergeten Ikea-sleuteltje.

De wc wordt doorgetrokken en Carlos Eliasson, chef rijksrecherche, komt naar buiten. Hij droogt zijn handen af aan zijn broekspijpen en begroet Saga en Verner.

'We gaan naar de keuken,' zegt Carlos. 'Willen jullie iets drinken?'

Hij haalt een rol plastic bekertjes tevoorschijn en tapt water uit de keukenkraan, daarna geeft hij Saga en Verner ieder een bekertje.

'Je had misschien een lunch verwacht,' zegt Carlos als hij haar vragende gezicht ziet.

'Nee, maar...'

'Ik heb nog wel iets te snoepen,' zegt hij, en hij haalt een doosje Läkerol tevoorschijn.

Saga schudt haar hoofd, maar Verner pakt het doosje van Carlos aan, schudt er rammelend een paar snoepjes uit en stopt ze in zijn mond.

'Wat een feest,' zegt hij glimlachend.

'Saga, zoals je begrijpt is dit een zeer informele bijeenkomst,' zegt Carlos en hij schraapt zijn keel.

'Wat is er aan de hand?' vraagt Saga.

'Heb je weleens van Jurek Walter gehoord?'

'Nee.'

'Dat hebben maar weinig mensen... en dat is maar goed ook,' zegt Verner.

58

Weerkaatste vlekken zonlicht dansen op de vuile keukenruit als Carlos Eliasson een dossier aan Saga Bauer overhandigt. Ze opent de map en kijkt recht in Walters lichte ogen. Ze legt de foto opzij en begint het dertien jaar oude verslag te lezen. Ze trekt wit weg en gaat op de grond zitten met haar rug tegen de verwarming, leest verder, kijkt naar de foto's, scant de sectierapporten en leest over het vonnis en de plaatsing op de gesloten afdeling.

Als ze de map dichtslaat, vertelt Carlos dat Mikael Kohler-Frost na dertien jaar vermissing lopend is aangetroffen op de Igelstabron.

Verner speelt op zijn telefoon de geluidsfile af waarin de jonge man zijn gevangenschap en vlucht beschrijft. Saga luistert naar de vertwijfelde stem en als ze hem over zijn zusje hoort vertellen, wordt haar gezicht rood en begint haar hart zwaar te bonzen. Ze kijkt naar de foto in de map. Er staat een meisje op met een warrige vlecht en een paardrijhelm, en ze glimlacht alsof ze iets leuks van plan is wat eigenlijk niet mag.

Als Mikaels stem zwijgt, staat ze op en ijsbeert door de lege keuken tot ze uiteindelijk voor het raam blijft staan.

'De rijksrecherche is nog geen stap verder dan dertien jaar geleden,' zegt Verner.

'Wij weten niets... maar Walter weet het, hij weet waar Felicia zich bevindt en hij weet wie zijn handlanger is...'

Verner legt uit dat het onmogelijk is om de waarheid met conventionele verhoormethodes of met behulp van psychologen of dominees uit Walter te krijgen.

'Zelfs martelen werkt niet,' zegt Carlos, en hij probeert in de vensterbank te gaan zitten.

'Maar waarom doen we in godsnaam niet wat we altijd doen?' vraagt

Saga. 'Gewoon een infiltrant rekruteren, dat is zo ongeveer het enige wat onze organisatie doet naast...'

'Joona is van mening... sorry dat ik je onderbreek,' zegt Verner. 'Maar Joona denkt dat Walter een infiltrant gewoon kapot zal maken als die probeert...'

'Wat is er dán verdomme nodig?'

'Onze enige mogelijkheid is een ervaren agent als patiënt op dezelfde afdeling plaatsen,' antwoordt hij.

'Waarom zou hij tegen een patiënt wél praten?' vraagt Saga sceptisch.

'Joona heeft ons opgedragen een agent te vinden die zo uitzonderlijk is dat Walter nieuwsgierig wordt.'

'Op welke manier nieuwsgierig?'

'Naar de persoon... en niet alleen naar de kans om te ontsnappen,' antwoordt Carlos.

'Heeft Joona mijn naam laten vallen?' vraagt ze met ernst in haar stem.

'Nee, maar je bent onze eerste keus,' zegt Verner resoluut.

'Wie is tweede keus?'

'Niemand,' antwoordt Carlos.

'Hoe denken jullie het puur praktisch te regelen?' vraagt ze toonloos.

'De bureaucratische papierwinkel draait al op volle toeren,' zegt Verner. 'Het ene besluit resulteert in het volgende, en als je de opdracht accepteert hoef je alleen maar op de rijdende trein te springen...'

'Aanlokkelijk,' mompelt ze.

'We regelen het zo dat je een vonnis van het gerechtshof krijgt: gesloten forensisch psychiatrische verpleging en directe plaatsing in het Karsuddens-ziekenhuis.'

Verner loopt naar de kraan om zijn bekertje te vullen.

'We kwamen erachter – en dat was best listig van ons – dat we gebruik konden maken van een formulering in de oude ziekenhuisverordening... die nog stamt uit de tijd dat de beveiligde eenheid in het Löwenströmska-ziekenhuis in gebruik werd genomen.'

'Want daar staat klip-en-klaar dat de afdeling plaats biedt aan drie patiënten,' vult Carlos aan. 'Maar de afgelopen dertien jaar zat Jurek Walter er alleen.'

Verner neemt een paar luidruchtige slokken, verfrommelt zijn bekertje en gooit het in de gootsteen.

'De ziekenhuisdirectie heeft het al die tijd afgehouden om er meerdere patiënten op te nemen,' gaat Carlos verder. 'Maar ze weten natuurlijk dat ze er niet onderuit kunnen als er een rechtstreeks verzoek komt.'

'En dat is nu het geval... De Dienst Gevangeniswezen zal een extra vergadering beleggen en besluiten om een patiënt van het gesloten paviljoen in het Säters-ziekenhuis over te plaatsen naar het Löwenströmska-ziekenhuis én een patiënt uit het Karsuddens-ziekenhuis.'

'Jij bent in dat geval de patiënt uit het Karsuddens-ziekenhuis,' zegt Carlos.

'Als ik hiermee instem, dan word ik dus opgenomen als een gevaarlijke patiënt?' vraagt ze.

'Ja.'

'Gaan jullie mijn strafblad aanpassen?'

'Het justitieel register is waarschijnlijk voldoende,' antwoordt Verner. 'Maar we creëren een complete identiteit met veroordelingen van de rechtbank en een forensisch psychiatrisch rapport.'

59

Saga staat samen met de twee chefs in het lege appartement. Haar hart bonst zwaar en elke vezel in haar lichaam schreeuwt dat ze moet weigeren.

'Is het onwettig?' vraagt ze, en ze merkt dat ze een droge mond heeft.

'Ja, zonder twijfel... en het is ook uiterst geheim,' antwoordt Carlos ernstig.

'Uiterst?' herhaalt ze en ze vertrekt haar mond.

'Bij de rijksrecherche zetten we er een vet stempel geheim op, zodat de veiligheidsdienst de documenten niet kan inzien.'

'En ik zal ervoor zorgen dat ook de veiligheidsdienst alles geheim verklaart, zodat de rijksrecherche niets kan inzien,' vult Verner aan.

'Zonder rechtstreeks regeringsbesluit komt niemand iets te weten,' zegt Carlos.

De zon schijnt door het vuile raam naar binnen en Saga kijkt naar het opgelapte plaatijzeren dak van het naastgelegen pand. Een schoorsteenkap blikkert haar tegemoet en ze keert zich weer om naar de mannen.

'Waarom doen jullie dit?' vraagt ze.

'Om het meisje te redden,' zegt Carlos met een glimlach die zijn ogen niet bereikt.

'Moet ik geloven dat de chef rijksrecherche en de chef veiligheidsdienst de handen ineenslaan om...'

'Ik heb Roseanna Kohler gekend,' valt Carlos haar in de rede.

'De moeder?'

'We hebben op de lagere school bij elkaar in de klas gezeten en we waren heel goed bevriend... we hebben... het was verschrikkelijk moeilijk, het was een...'

'Dus dit is persoonlijk?' vraagt Saga en ze doet een stap achteruit.

'Nee, het is... dit is het enige juiste om te doen, dat begrijp je zelf ook,' antwoordt hij met een vaag gebaar naar het dossier.

Als Saga geen spier vertrekt, gaat hij verder: 'Maar als je wilt dat ik eerlijk ben... Het is natuurlijk hypothetisch, maar ik weet niet zeker of we deze bijeenkomst ook gehad zouden hebben als het niet persoonlijk was geweest.'

Hij frunnikt aan de mengkraan boven de gootsteen. Saga neemt hem op en ze heeft sterk het gevoel dat hij haar niet de hele waarheid vertelt.

'Op welke manier is het persoonlijk?' vraagt ze.

'Dat doet er niet toe,' antwoordt hij snel.

'Weet je het zeker?'

'Het belangrijkste is... dat we dit gewoon doen, dit is het juiste, het enige juiste... omdat we denken dat we het meisje kunnen redden.'

'We sturen dus zo snel mogelijk een agent naar binnen – dat is alles, geen grote operatie,' zegt Verner.

'We weten uiteraard niet of Jurek Walter iets zal vertellen, maar de kans bestaat... en alles wijst erop dat het onze enige mogelijkheid is.'

Saga staat een hele poos doodstil met haar ogen gesloten.

'Wat gebeurt er als ik de opdracht afwijs?' vraagt ze. 'Laten jullie het meisje dan creperen in die vreselijke capsule?'

'Dan zoeken we een andere agent,' zegt Verner eenvoudig.

'Doe dat dan nu meteen maar,' antwoordt Saga en ze loopt richting hal.

'Wil je er niet een nachtje over slapen?' roept Carlos haar na.

Ze stopt met haar rug naar beide mannen toe en schudt haar hoofd. Het licht glijdt door het dikke haar met de ingevlochten zijden linten.

'Nee,' antwoordt ze, en ze verlaat het appartement.

60

Saga neemt de metro naar station Slussen en loopt het kleine stukje naar Stefans studio in de Sankt Paulsgatan. Op het Södermalmstorg koopt ze een boeket rode rozen en bedenkt dat Stefan misschien ook rozen voor haar heeft gekocht.

Ze is opgelucht dat ze de moeilijke opdracht om te infiltreren bij Jurek Walter op de forensisch psychiatrische afdeling heeft afgewezen.

Met grote passen stormt ze de trap op, doet de deur van het slot, hoort pianomuziek en glimlacht bij zichzelf. Ze loopt naar binnen, ziet Stefan achter de piano zitten en blijft staan. Het blauwe overhemd hangt open. Er staat een flesje bier naast hem en de kamer ruikt naar sigarettenrook.

'Schat,' zegt ze na een poosje. 'Het spijt me... ik wil dat je weet dat het me spijt wat er gisteren gebeurd is...'

Hij speelt door, vloeiend en fonkelend.

'Het spijt me,' zegt ze ernstig.

Stefans gezicht is afgewend, maar ze hoort toch wat hij zegt.

'Ik wil nu niet met je praten.'

Saga steekt hem het boeket toe en probeert te glimlachen.

'Het spijt me,' herhaalt ze. 'Ik weet dat ik ontzettend lastig was, maar ik...'

'Ik ben aan het spelen,' kapt hij haar af.

'Maar we moeten het hebben over wat er is gebeurd.'

'Ga weg,' zegt hij met luide stem.

'Sorry dat...'

'En doe die deur goddomme achter je dicht.'

Hij staat op en wijst naar de hal. Saga laat de bloemen op de grond vallen, loopt naar hem toe en geeft een duw tegen zijn borst. Die is zo hard dat hij een stap naar achter doet, de pianokruk omverstoot en de bladmuziek van de standaard gooit. Ze loopt achter hem aan, klaar om te slaan als hij in de tegenaanval gaat, maar Stefan blijft met hangende armen staan en kijkt haar aan.

'Het werkt niet,' zegt hij alleen maar.

'Ik ben een beetje uit balans,' zegt ze.

Hij zet de pianokruk overeind en raapt de bladmuziek bij elkaar. Angst borrelt in haar op en ze doet een pas achteruit.

'Ik wil je geen verdriet doen,' zegt hij met een holle stem die haar angst doet omslaan in paniek.

'Wat is er?' vraagt ze en ze voelt zich misselijk.

'Het werkt niet, we kunnen geen relatie hebben, we...'

Hij zwijgt en ze probeert te glimlachen, probeert te functioneren, maar haar voorhoofd is nat van koud zweet en ze voelt zich duizelig.

'Omdat ik gisteravond lastig was?' weet ze uit te brengen.

Stefan kijkt haar bedeesd aan.

'Je bent de mooiste vrouw die ik ooit heb gezien, de mooiste die er bestaat... en je bent slim en grappig en ik zou de gelukkigste man van de wereld moeten zijn... Ik zal er vast mijn hele leven spijt van hebben, maar volgens mij moet ik het uitmaken.'

'Ik begrijp het nog steeds niet,' fluistert ze. 'Omdat ik kwaad werd... omdat ik stoorde terwijl jij zat te spelen?'

'Nee, het...'

Hij gaat weer zitten en schudt zijn hoofd.

'Ik kan veranderen,' zegt ze, en ze kijkt hem even aan voordat ze doorgaat. 'Maar het is zeker al te laat?'

Als hij knikt, draait ze zich om en verlaat de kamer. Ze loopt naar de hal, tilt het oude krukje uit Dalarna op en knalt het tegen de spiegel. De scherven donderen als een grote ijsschots naar beneden en versplinteren op de plavuizen. Ze stoot de voordeur open, rent de trap af en stormt recht het stralend blauwe winterlicht in.

61

Saga rent over de stoep met aan de ene kant de gevels en aan de andere kant de sneeuwwal. Ze inhaleert de ijzige lucht zo diep dat haar longen er rauw van aanvoelen. Ze steekt over, rent door het parkje Mariatorget, blijft aan de overkant van de Hornsgatan staan en pakt sneeuw van het dak van een auto, drukt het tegen haar hete, brandende ogen en draaft dan de rest van de weg naar huis.

Haar handen beven als ze de deur openmaakt. Als ze de hal binnenstapt en de deur achter zich dichttrekt, ontglipt haar een eenzame jammerende kreet.

Saga laat de sleutels op de grond vallen, schopt haar schoenen uit en loopt rechtstreeks naar haar slaapkamer.

Ze pakt de telefoon, toetst het nummer in en blijft roerloos staan wachten. Na zes keer overgaan wordt ze doorverbonden met zijn voicemail. Ze luistert zijn mededeling niet af, maar knalt het toestel zo hard ze kan tegen de muur.

Ze wankelt, leunt naar voren en zoekt steun bij de ladekast.

Met al haar kleren aan gaat ze op het tweepersoonsbed liggen en kruipt als een foetus in elkaar. Ze weet heel goed wanneer ze zich voor het laatst zo heeft gevoeld. Toen ze als klein meisje wakker werd in de armen van haar dode moeder.

Saga Bauer weet niet meer precies hoe oud ze was toen haar moeder ziek werd. Maar ze was vijf toen ze begreep dat haar moeder een ernstige hersentumor had. De ziekte veranderde haar moeder op een vreselijke manier. Door de chemo werd ze afwezig en steeds humeuriger.

Haar vader was bijna nooit thuis. Zijn trouweloosheid is nog steeds onverteerbaar voor haar. Als volwassen vrouw heeft ze zich geprobeerd voor te houden dat het zwak maar menselijk was. Ze probeert het voor zichzelf te herhalen, maar de woede die ze jegens hem voelt, wil niet wijken. Het is volstrekt onbegrijpelijk dat hij zijn snor drukte en zo'n zware last overliet aan zijn dochtertje. Ze wil er niet aan denken en heeft het er nooit over, dan wordt ze alleen maar kwaad.

De nacht dat de ziekte haar uiteindelijk nekte, was haar moeder zo moe dat ze hulp nodig had om haar medicijnen in te nemen. Saga gaf haar de ene tablet na de andere en rende weg om het glas met water te vullen.

'Ik kan niet meer,' fluisterde haar moeder.

'Je moet volhouden, mama.'

'Bel papa en zeg dat ik hem nodig heb.'

Saga deed wat haar moeder vroeg en zei tegen haar vader dat hij naar huis moest komen.

'Mama weet dat ik dat niet kan,' antwoordde hij.

'Maar je moet komen, ze kan niet meer...'

Later die avond was haar moeder heel zwak, ze at niet meer en slikte alleen nog medicijnen en schold Saga de huid vol toen ze de pot op de grond liet vallen. Haar moeder had vreselijke pijn en Saga probeerde haar te troosten.

Ze vroeg Saga papa te bellen om te zeggen dat ze voor de ochtend dood zou zijn.

Saga huilde en zei dat ze niet dood mocht gaan, dat ze niet wilde leven als haar moeder doodging. De tranen liepen in haar mond toen ze haar vader nog een keer belde. Ze zat op de grond en hoorde haar eigen gehuil en de welkomstboodschap op het antwoordapparaat van haar vader.

'Bel... bel papa,' fluisterde haar moeder.

'Dat probeer ik,' huilde Saga.

Toen haar moeder eindelijk sliep, knipte Saga het schemerlampje uit en bleef even bij het bed staan. Haar moeders lippen glansden en ze ademde zwaar. Saga kroop in haar warme armen en viel uitgeput in slaap. Ze sliep dicht tegen haar moeder aan tot ze de volgende ochtend wakker werd omdat ze het koud had.

Saga staat op van het bed, kijkt naar de brokstukken van de kapotte telefoon, trekt haar jas uit en laat hem op de grond vallen, loopt naar de

keuken, pakt een schaar en gaat naar de badkamer. Ze kijkt naar zichzelf in de spiegel, ziet John Bauers lieftallige prinses en bedenkt dat ze
een eenzaam meisje zou kunnen redden. Misschien ben ik de enige die
Felicia kan redden, denkt ze, en ze kijkt ernstig naar haar eigen spiegel-
beeld.

62

Slechts twee uur nadat Saga Bauer haar chef had meegedeeld dat ze van gedachten was veranderd en de opdracht aannam, was er een vergadering belegd.

Nu zitten Carlos Eliasson, Verner Zandén, Nathan Pollock en Joona Linna te wachten in een topappartement aan Tantogatan 71 met uitzicht over het besneeuwde ijs van de Årstaviken en het regenboogvormige vakwerk van de spoorbrug.

Het appartement is modern ingericht, met strakke witte meubels en ingebouwde spotjes. Op de grote eetkamertafel in de woonkamer liggen sandwiches van de Non Solo Bar. Carlos verstijft en staart Saga alleen maar aan als ze binnenkomt. Verner stokt midden in een zin en kijkt bijna angstig, en Nathan zakt met een verdrietige blik aan de tafel in elkaar.

Saga heeft haar lange haar afgeschoren. Op meerdere plekken zijn snijwonden zichtbaar.

Haar ogen zijn opgezet van het huilen.

Het bleke, mooie hoofd komt in alle gratie naar voren, de kleine oren en de lange, ranke hals.

Joona Linna loopt meteen naar haar toe en omhelst haar. Ze houdt hem even stevig vast, drukt haar wang tegen zijn borstkas en hoort zijn hart kloppen.

'Je hoeft dit niet te doen,' zegt hij met zijn mond tegen haar hoofd.

'Ik wil het meisje redden,' antwoordt ze.

Ze houdt hem nog even vast en loopt dan de keuken in.

'Je kent iedereen,' zegt Verner en hij trekt een stoel onder de tafel vandaan.

'Ja,' knikt Saga.

Ze gooit haar donkergroene parka op de grond en gaat zitten. Ze heeft haar gebruikelijke outfit aan, een zwarte spijkerbroek en een trainingsjack van de boksclub.

'Als je echt bereid bent om undercover te gaan op de afdeling waar Jurek Walter zit, dan zullen we onmiddellijk tot actie overgaan,' zegt Carlos, niet in staat zijn enthousiasme onder stoelen of banken te steken.

'Ik heb je arbeidsovereenkomst doorgekeken, en er zijn dingen die beter kunnen,' zegt Verner snel.

'Mooi,' mompelt ze.

'Misschien hebben we ruimte voor loonsverhoging en...'

'Dat interesseert me nu even geen reet,' valt ze hem in de rede.

'Je bent je ervan bewust dat er risico's aan de opdracht kleven?' vraagt Carlos voorzichtig.

'Ik wil dit doen,' antwoordt ze stellig.

Verner pakt een grijze mobiele telefoon uit zijn tas, legt hem op tafel naast zijn gebruikelijke mobieltje, schrijft een kort sms'je en kijkt haar aan.

'Zal ik het proces in gang zetten?' vraagt hij.

Als ze knikt, verstuurt hij het bericht met een kort, suizend geluid.

'We hebben een paar uur om je voor te bereiden op wat je te wachten staat,' zegt Joona.

'Begin maar,' zegt ze kalm.

De mannen halen snel mappen tevoorschijn, openen hun laptops en spreiden materiaal uit. Saga krijgt kippenvel op haar armen als ze beseft hoeveel er al is voorbereid.

De tafel wordt bedekt met kaarten van het terrein rondom het Löwenströmska-ziekenhuis, het tunnelsysteem en detailtekeningen van de forensisch psychiatrische afdeling en de beveiligde eenheid.

'Het gerechtshof in Uppsala zal een vonnis uitspreken en morgenochtend vroeg word je overgebracht naar de vrouwenafdeling van het huis van bewaring,' legt Verner uit. ''s Ochtends word je naar het Karsuddens-ziekenhuis in Katrineholm gebracht. Dat duurt ongeveer een uur. Dan ligt het besluit van de Dienst Gevangeniswezen tot overplaatsing naar het Löwenströmska-ziekenhuis al klaar.'

'Ik heb een voorstel voor een diagnose waar je naar moet kijken,' zegt

Nathan, en hij glimlacht voorzichtig naar Saga. 'Je hebt een geloof-
waardige ziektegeschiedenis nodig, met Kinder- en Jeugdpsychiatrie
en noodmaatregelen, plaatsingen, behandelingen en verschillende
soorten medicatie tot op de dag van vandaag.'

'Ik begrijp het,' antwoordt ze.

'Heb je ziektes of allergieën waar we van op de hoogte moeten zijn?'

'Nee.'

'Geen problemen met je lever of hart?'

63

Buiten het geleende appartement in de Tantogatan valt natte sneeuw. Er klinkt snel getik als de vlokken het glas raken. In de lichte boeken-kast staat een ingelijste foto van een gezin in een zwembad. De neus van de vader is roodverbrand en de twee kinderen houden lachend twee grote, opblaasbare krokodillen omhoog.

'Het uitgangspunt is dat we echt ontzettend veel haast hebben,' zegt Nathan.

'We weten zelfs niet of Felicia nog leeft,' zegt Carlos terwijl hij met zijn pen op tafel trommelt. 'Maar als ze nog leeft, dan is de kans groot dat ze de veteranenziekte heeft.'

'Dan hebben we mogelijk een week,' zegt Nathan.

'In het ergste geval is ze aan haar lot overgelaten,' zegt hij zonder de stress in zijn stem te kunnen verbergen.

'Hoe bedoel je?' vraagt Saga. 'Ze heeft het meer dan tien jaar volge-houden en...'

'Ja, maar een mogelijke verklaring,' valt Verner haar in de rede, 'een mogelijke verklaring voor het feit dat Mikael heeft kunnen ontsnap-pen, is dat de medeplichtige van Walter ziek is geworden of...'

'Hij kan ook overleden zijn, of misschien is hij er gewoon vandoor gegaan,' zegt Carlos.

'We gaan het niet halen,' fluistert Saga.

'We móéten het halen,' zegt Carlos vlug.

'Als Felicia zonder water zit, kunnen we niets doen, dan sterft ze vandaag of morgen,' zegt Nathan. 'Als ze net zo ziek is als Mikael, dan leeft ze vermoedelijk nog een week, maar dan maken we in elk geval een kans... dan is er een hypothetische mogelijkheid, ook al zijn de ver-wachtingen slecht.'

'Als ze wel water maar geen eten heeft, dan hebben we misschien drie, vier weken,' zegt Verner.

'We weten haast niets,' zegt Joona. 'We weten niet of de medeplichtige er nog gewoon is, of dat hij Felicia heeft ingegraven.'

'Misschien is hij van plan haar nog twintig jaar in de capsule te houden,' zegt Carlos met onvaste stem.

'Het enige wat we weten is dat ze in leven was toen Mikael ontsnapte,' gaat Joona verder.

'Ik kan er niet meer tegen,' zegt Carlos en hij staat op. 'Ik zou het liefst in mijn bed gaan liggen janken als ik denk aan...'

'Daar hebben we nu geen tijd voor,' kapt Verner hem af.

'Ik probeer alleen te zeggen dat...'

'Ik weet het, ik ben het met je eens,' zegt Verner met stemverheffing. 'Maar over iets meer dan een uur heeft de Dienst Gevangeniswezen een spoedvergadering om het formele besluit te nemen patiënten over te plaatsen naar de beveiligde eenheid in het Löwenströmska-ziekenhuis en dan...'

'Ik begrijp nog niet eens wat de opdracht is,' zegt Saga.

'En dan moeten we haar nieuwe identiteit af hebben,' gaat Verner door, en hij steekt kalmerend zijn hand op naar Saga. 'We moeten je ziektegeschiedenis en het forensisch psychiatrisch rapport af hebben. Het vonnis van de rechtbank moet worden ingeschreven in het justitieel register en de tijdelijke plaatsing in het Karsuddens-ziekenhuis moet geregeld zijn.'

'We moeten opschieten,' zegt Nathan.

'Maar Saga vraagt wat haar opdracht is,' zegt Joona.

'Het is gewoon verdomd lastig voor me... ik bedoel, om in te schatten wat jullie precies bedoelen, en ik weet niet wat er van me verwacht wordt... concreet,' zegt Saga.

Nathan houdt haar een plastic hoesje voor.

'Op de eerste dag moet je een microfoontje in het dagverblijf plaatsen, een fiberoptische ontvanger en zender,' zegt Verner.

Nathan geeft haar het hoesje met de microfoon.

'Moet ik die anaal naar binnen smokkelen?' vraagt ze.

'Nee, je krijgt gegarandeerd een volledige visitatie,' antwoordt Verner.

'Je moet hem inslikken en weer uitbraken voordat hij in je twaalfvingerige darm terechtkomt... en weer inslikken,' legt Nathan uit.

'Wacht nooit langer dan vier uur,' zegt Verner.

'En dat moet ik volhouden tot ik de microfoon in het dagverblijf heb geplaatst,' zegt Saga.

'We zetten een busje bij het ziekenhuis met agenten die alles realtime volgen,' vertelt Nathan.

'Oké, tot zover begrijp ik het,' zegt Saga. 'Geef me een vonnis van de rechtbank, geef me een hele zooi forensisch psychiatrische verpleging enzovoort enzovoort...'

'Dat is nodig omdat...'

'Laat me even uitpraten,' kapt ze hem af. 'Ik begrijp... ik krijg de juiste achtergrond, beland op de juiste afdeling en slaag erin de microfoon te plaatsen, maar...'

Haar blik is hard en haar lippen zijn bleek als ze hen een voor een aankijkt: 'Maar waarom... waarom zou Jurek Walter mij in godsnaam iets vertellen?'

64

Nathan is opgestaan, Carlos houdt beide handen voor zijn gezicht en Verner klooit met zijn mobiel.

'Ik begrijp niet waarom Jurek Walter met mij zou praten,' herhaalt Saga.

'Het is inderdaad een gok,' zegt Joona.

'Deze afdeling bestaat uit drie aparte, beveiligde kamers en een gemeenschappelijk dagverblijf met een loopband en tv achter gepantserd glas,' legt Verner uit. 'Jurek Walter zit al dertien jaar alleen op deze eenheid, en ik weet niet hoe vaak hij gebruikmaakt van het dagverblijf.'

Nathan Pollock schuift de tekening van de beveiligde eenheid naar voren en wijst Walters kamer met het belendende dagverblijf aan.

'Als we heel veel pech hebben, dan laat het personeel de patiënten niet met elkaar in contact komen... daar hebben we geen enkele invloed op,' erkent Carlos.

'Dat begrijp ik,' zegt Saga beheerst. 'Maar wat me vooral bezighoudt, is dat ik geen idee... echt geen fucking idee heb hoe ik Jurek Walter zou kunnen benaderen.'

'We denken dat je moet vragen of je een advocaat van het gerechtshof mag spreken om een verzoek in te dienen voor een nieuwe risicoanalyse,' zegt Carlos.

'Aan wie moet ik dat vragen?' vraagt ze.

'Chef-arts Roland Brolin,' antwoordt Verner, en hij legt een foto voor haar neer.

'Walter heeft beperkingen opgelegd gekregen,' zegt Nathan. 'Dus hij zal je goed in de gaten houden en je waarschijnlijk vragen stellen, want het bezoek dat jij krijgt is voor hem een venster op de buitenwereld.'

'Wat kan ik van hem verwachten? Wat wil hij?' vraagt Saga.

'Hij wil ontsnappen,' antwoordt Joona hard.

'Ontsnappen?' herhaalt Carlos ongelovig, en hij tikt op een stapel rapporten. 'Hij heeft al die tijd geen enkele vluchtpoging gedaan...'

'Hij probeert het niet omdat hij weet dat het niet zal lukken,' valt Joona hem in de rede.

'En jullie denken dat hij in deze situatie iets zal zeggen wat naar de capsule kan leiden?' vraagt Saga zonder haar scepsis te kunnen verbergen.

'We weten inmiddels dat Walter een medeplichtige heeft... wat betekent dat hij in staat is om andere mensen te vertrouwen,' zegt Joona.

'Hij is dus niet paranoïde,' zegt Nathan.

'Dat verbetert de zaak,' zegt Saga glimlachend.

'Niemand van ons denkt dat Walter iets rechtstreeks zal bekennen,' zegt Joona. 'Maar als je hem aan het praten weet te krijgen, dan zal hij vroeg of laat iets zeggen wat ons dichter bij Felicia brengt.'

'Jij hebt hem toch gesproken,' zegt Saga tegen Joona.

'Ja, hij heeft met mij gepraat omdat hij hoopte dat ik mijn getuigenis zou veranderen... maar al die tijd heeft hij zich geen enkele keer iets persoonlijks laten ontvallen.'

'Dus waarom zou hij dat tegenover mij dan wel doen?'

'Omdat jij uitzonderlijk bent,' antwoordt Joona en hij kijkt haar in de ogen.

65

Saga staat op, slaat haar armen om zichzelf heen en staart roerloos naar de natte sneeuw buiten.

'Het lastige is dat we een overplaatsing naar de beveiligde eenheid in het Löwenströmska-ziekenhuis moeten motiveren, en tegelijkertijd een misdrijf en een diagnose moeten zien te vinden die tot niet al te zware medicatie leidt,' zegt Verner.

'De opdracht is gedoemd te mislukken als je wordt vastgebonden of elektroshocks krijgt,' zegt Nathan zakelijk.

'Shit,' fluistert ze en ze draait zich weer om.

'Jurek Walter is intelligent,' zegt Joona. 'Hij is niet makkelijk te manipuleren en het is heel gevaarlijk om tegen hem te liegen.'

'We moeten een perfecte identiteit creëren,' zegt Verner en hij laat zijn blik op Saga rusten.

'Ik heb er grondig over nagedacht en ik denk dat ik je in principe een schizoïde persoonlijkheidsstoornis wil geven,' zegt Nathan, en hij tuurt naar haar met zijn ogen tot zwarte spleetjes geknepen.

'Is dat afdoende?' vraagt Carlos.

'Als we er terugkerende psychoses aan toevoegen en een gewelddadige inslag...'

'Oké,' knikt Saga terwijl er rode vlekken op haar wangen verschijnen.

'Op acht milligram Trilafon drie keer per dag hou je je rustig,' zegt hij.

'Hoe gevaarlijk is deze opdracht eigenlijk?' vraagt Verner uiteindelijk, omdat Saga de vraag zelf niet stelt.

'Walter is heel gevaarlijk, de andere gevangene die tegelijk met Saga arriveert is ook gevaarlijk, en als ze daar eenmaal zit kunnen we de behandeling niet beïnvloeden,' antwoordt Nathan eerlijk.

'Dus we kunnen de veiligheid van mijn agent überhaupt niet garanderen?' zegt Verner.

'Nee,' antwoordt Carlos.

'Ben je je daarvan bewust, Saga?' vraagt Verner.

'Ja.'

'Slechts een kleine, selecte groep is van de opdracht op de hoogte en we hebben geen enkel zicht op de beveiligde eenheid,' zegt Nathan. 'Dus als we je om de een of andere reden niet via de microfoon horen, dan breken we de opdracht na zevenentwintig uur af – alleen moet je je in die periode zelf zien te redden.'

Joona legt een detailplattegrond van de beveiligde eenheid voor Saga neer en wijst met een pen op het dagverblijf.

'Zoals je ziet zijn hier sluizen... en drie automatische deuren,' zegt Joona. 'Het is niet makkelijk, maar bij een absolute noodsituatie moet je proberen je hier te verschansen, en misschien ook hier en hier... En als je buiten deze sluis bent, zijn de operatorruimte en deze voorraadkamer de beste opties.'

'Is het mogelijk voorbij deze doorgang te komen?' wijst ze.

'Ja, maar niet langs deze,' zegt hij en hij zet kruisen boven de deuren die zonder toegangspasje en cijfercode onmogelijk te forceren zijn.

'Je sluit jezelf in en wacht op hulp...'

Carlos begint in zijn papieren op tafel te bladeren.

'Maar als er iets misgaat in een later stadium, dan wil ik je erop wijzen...'

'Wacht even,' valt Joona hem in de rede. 'Heb je de plattegrond in je hoofd?'

'Ja,' antwoordt Saga.

Carlos haalt de grote kaart van het terrein rondom het ziekenhuis tevoorschijn.

'In eerste instantie komen we hier met een reddingswagen,' zegt hij, en hij wijst naar de weg achter het ziekenhuis. 'We parkeren naast de grote luchtplaats... Maar als je die niet kunt bereiken, dan loop je het bos in tot dit punt.'

'Oké,' zegt ze.

'Het arrestatieteam gaat waarschijnlijk hier naar binnen... en door deze tunnel, een beetje afhankelijk van hoe het alarm werkt.'

'Zolang je de opdracht geheim weet te houden, kunnen we je eruit krijgen en de werkelijkheid herstellen,' zegt Verner. 'Het is allemaal nooit gebeurd, we wijzigen het justitieel register weer, je hebt geen vonnis en je bent nooit ergens opgenomen geweest.'

Er valt een stilte in de kamer. Plotseling lijkt het onwaarschijnlijke van deze opdracht gruwelijk duidelijk te worden.

'Wie van jullie gelooft er eigenlijk in mijn opdracht?' vraagt Saga zacht.

Carlos knikt onzeker en mompelt iets.

Joona schudt alleen zijn hoofd.

'Misschien,' zegt Nathan. 'Maar het is een moeilijke en gevaarlijke opdracht.'

'Doe je best,' zegt Verner en hij legt zijn grote hand even op haar schouder.

66

Saga neemt Nathans uitvoerige profiel mee naar een roze slaapkamer met foto's van Bella Thorne en Zendaya aan de muren. Een kwartier later keert ze terug naar de keuken. Ze loopt langzaam en blijft midden in de ruimte staan. De schaduwen van haar lange wimpers trillen op haar wangen. De mannen vallen stil en richten hun blik op de tengere gestalte met het kaalgeschoren hoofd.

'Ik heet Natalie Andersson en heb een schizoïde persoonlijkheids-stoornis, waardoor ik nogal introvert ben,' zegt ze en ze gaat op een stoel zitten. 'Maar ik heb ook terugkerende psychoses, met een enorm gewelddadige inslag. Daarom krijg ik Trilafon. Op dit moment volstaat acht milligram, drie keer per dag. De tabletten zijn klein en wit... en ze bezorgen me zulke pijnlijke borsten dat ik niet op mijn buik kan slapen. Ik krijg ook Cipramil, dertig milligram... of Seroxat, twintig milligram.'

Terwijl ze praat heeft ze ongemerkt de minuscule microfoon tevoorschijn gehaald die ze in de tailleband van haar broek had verstopt.

'Toen ik op mijn slechtst was kreeg ik ook injecties Risperdal... en Oxascand tegen de bijwerkingen...'

Onder dekking van het tafelblad haalt ze het beschermplastic van de plakstrip en ze drukt de microfoon snel onder de tafel vast.

'Voor het Karsuddens-ziekenhuis en het vonnis van de rechtbank in Uppsala ben ik weggelopen uit de open psychiatrische inrichting in Bålsta en heb ik in Knivsta een man gedood bij de speelplaats achter de Gredelby-school, en tien minuten later een andere man op de oprit van zijn huis aan de Daggvägen...'

Het microfoontje laat los van de tafel en valt op de grond.

'Na mijn arrestatie ben ik opgenomen op de afdeling Acute Psychiatrie van het academisch ziekenhuis, ik kreeg twintig milligram Stesolid

en honderd milligram Cisordinol in mijn bil en werd elf uur vastgebonden in bed, en daarna kreeg ik ijskoude Chlomethiazole te drinken... en ik werd snotterig en kreeg ontzettende koppijn.'

Nathan Pollock klapt in zijn handen. Joona bukt zich en raapt de microfoon op.

'De lijm heeft vier seconden nodig om te harden,' zegt hij glimlachend.

Saga pakt de microfoon aan, kijkt ernaar en draait hem rond in haar
hand.

'Zijn we het eens over deze identiteit?' vraagt Verner. 'Over zeven
minuten moet ik je inschrijven in het justitieel register.'

'Ik vind het goed klinken,' zegt Nathan. 'Maar vanavond moet je
zorgen dat je de regels leert die gelden in Bålsta en dat je de namen en
het uiterlijk van het personeel en de andere patiënten weet.'

Verner knikt instemmend naar Nathan en staat op. Met zijn diepe
stem vertelt hij dat een infiltrant elk detail van zijn achtergrond vlek-
keloos moet kennen om niet te worden ontmaskerd.

'Je moet één worden met je nieuwe identiteit en zonder na te denken
telefoonnummers kunnen oplepelen en verzonnen familieleden, ver-
jaardagen, adressen waar je hebt gewoond, huisdieren die je hebt gehad, persoonsnummer, scholen, leraren, werkgevers, collega's en hun
eigenaardigheden en...'

'Maar ik denk dat dit de verkeerde manier is,' kapt Joona af.

Verner zwijgt met open mond en richt zijn blik op Joona. Carlos
wordt nerveus en met zijn hand veegt hij de kruimels op tafel bij elkaar.
Nathan Pollock leunt achterover en glimlacht verwachtingsvol.

'Dat kan ik allemaal uit mijn hoofd leren,' zegt Saga.

Joona knikt rustig en kijkt haar aan. Zijn blik is donker als lood geworden.

'Omdat Samuel Mendel niet meer leeft,' zegt Joona, 'kan ik jullie wel
vertellen dat hij bijzonder veel kennis had over infiltratie voor langere
tijd... of zogeheten undercoveroperaties.'

'Samuel?' vraagt Carlos sceptisch.

'Ik kan niet vertellen hoe en wat, maar hij wist waar hij het over had,'
zegt Joona.

'Zat hij bij de Mossad?' vraagt Verner.

'Ik kan alleen zeggen dat... toen hij over zijn methode vertelde, begreep ik dat hij gelijk had en daardoor heb ik het altijd onthouden,' antwoordt Joona.

'Alle methodes zijn ons bekend,' zegt Verner gestrest.

'Als je undercover werkt, dan moet je zo weinig mogelijk praten en altijd in korte zinnen,' gaat Joona van start.

'Waarom korte zinnen?'

'Wees authentiek,' richt Joona zich tot Saga. 'Veins geen gevoelens, veins geen woede of vreugde en meen altijd wat je zegt.'

'Oké,' antwoordt Saga afwachtend.

'En het allerbelangrijkste,' gaat Joona door. 'Zeg nooit iets anders dan de waarheid.'

'De waarheid,' herhaalt Saga.

'Wij zorgen ervoor dat je je diagnoses krijgt,' legt Joona uit. 'Maar jij moet beweren dat je gezond bent.'

'Omdat dat waar is,' fluistert Verner.

'Je hoeft zelfs niet op de hoogte te zijn van je eigen misdrijven – je beweert gewoon dat het pure leugens zijn.'

'Want dan lieg ik niet,' zegt Saga.

'Potverdikkeme,' zegt Verner. 'Potverdikkeme.'

Saga's gezicht wordt helemaal warm als ze begrijpt wat Joona bedoelt. Ze slikt en zegt langzaam: 'Dus als Jurek Walter vraagt waar ik woon, dan zeg ik gewoon dat ik in de Tavastgatan in Södermalm woon?'

'Zo herinner je je antwoorden als hij er vaker naar vraagt.'

'Als hij naar Stefan vraagt, dan vertel ik de waarheid?'

'Dat is de enige manier om authentiek te zijn én je te herinneren wat je hebt gezegd.'

'Stel dat hij vraagt wat voor werk ik doe,' lacht ze. 'Moet ik dan zeggen dat ik inspecteur bij de veiligheidsdienst ben?'

'In de forensische psychiatrie werkt dat absoluut,' zegt Joona met een glimlach. 'Maar in andere gevallen... als je een vraag krijgt die je zou kunnen ontmaskeren, dan kun je beter geen antwoord geven... omdat dat een volstrekt eerlijke reactie is – je wilt immers echt niet antwoorden.'

Verner krabt glimlachend aan zijn hoofd. De stemming in de keuken is plotseling opgewekt.

'Nu begin ik erin te geloven,' zegt Nathan tegen Saga. 'We maken een forensisch psychiatrisch rapport en schrijven een vonnis in, maar je antwoordt gewoon zoals het is.'

Saga staat op van tafel en haar gezicht is volkomen kalm als ze zegt: 'Ik heet Saga Bauer en ik ben gezond en onschuldig.'

67

Nathan Pollock gaat naast Verner Zandén zitten, die met de twaalfcijferige code inlogt in het justitieel register. Samen voeren ze de datum in van de vervolging, de schriftelijke aanklacht en de rechtszitting. Ze formuleren de categorie van het misdrijf, de conclusie van het forensisch psychiatrisch rapport en dat de rechtbank in Uppsala de beklaagde schuldig heeft bevonden aan twee buitengewoon gewelddadige gevallen van doodslag.

Tegelijkertijd schrijft Carlos haar misdrijf, het vonnis en de strafrechtelijke gevolgen in in het strafregister van de rijksrecherche.

Verner gaat door naar het register forensische geneeskunde, voegt het forensisch psychiatrisch rapport toe, en glimlacht breed bij zichzelf.

'Hoe zitten we met de tijd?' vraagt Saga.

'Behoorlijk goed, volgens mij,' zegt Verner en hij kijkt op zijn horloge. 'Over twee minuten gaat de Dienst Gevangeniswezen aan tafel voor een spoedvergadering... en dan kijken ze naar wat er in het justitieel register staat... en nemen het besluit om twee patiënten over te plaatsen naar de beveiligde eenheid van het Löwenströmska-ziekenhuis.'

'Jullie hebben nooit uitgelegd waarom er twéé nieuwe patiënten zijn,' zegt Saga.

'Omdat dan niet alle aandacht op jou gericht is,' antwoordt Nathan.

'We denken dat Jurek Walter misschien achterdochtig wordt als er na al die jaren plotseling een nieuwe patiënt opduikt,' legt Carlos uit, 'maar als er eerst een patiënt uit het gesloten paviljoen van het Sätersziekenhuis komt... en een dag later eentje uit het Karsuddens-ziekenhuis, dan ontkom je hopelijk aan een deel van zijn belangstelling.'

'Je wordt overgeplaatst omdat je gewelddadig en vluchtgevaarlijk bent... en de andere patiënt heeft zelf om overplaatsing gevraagd,' legt Nathan uit.

'Nu laten we Saga gaan,' zegt Verner.

'Morgenavond slaap je in het Karsuddens-ziekenhuis,' zegt Nathan.

'Tegen je verwanten moet je zeggen dat je op een geheime missie naar het buitenland gaat,' begint Verner. 'Iemand moet voor je post, huisdieren, planten...'

'Dat regel ik,' kapt ze hem af.

Joona pakt haar parka van de grond en houdt hem voor haar op, zodat ze haar armen erin kan steken.

'Weet je de regels nog?' vraagt hij zacht.

'Praat weinig en in korte zinnen, meen wat je zegt en hou je aan de waarheid.'

'Ik heb er nog een,' zegt Joona. 'Hij is nogal persoonlijk, maar Samuel zei dat je moet vermijden om over je ouders te praten.'

Ze haalt haar schouders op.

'Oké.'

'Ik heb geen idee waarom hij dat zo belangrijk vond.'

'Het lijkt me verstandig om naar de raadgevingen van Samuel te luisteren,' zegt Verner instemmend.

'Ja, mij ook.'

Carlos stopt twee sandwiches in een zakje en geeft ze aan Saga.

'Ik moet je er nog op wijzen dat je daarbinnen patiënt bent, enkel en alleen dat... je hebt dus geen politionele taken of bevoegdheden,' zegt hij ernstig.

Saga kijkt hem vastberaden aan.

'Dat weet ik.'

'Het is belangrijk dat je dat begrijpt, zodat we je na afloop zo nodig kunnen beschermen,' zegt Verner.

'Ik ga naar huis om een beetje te rusten,' zegt Saga zacht, en ze loopt naar de hal.

Terwijl ze op een krukje haar veters strikt, komt Joona de hal in. Hij gaat op zijn hurken naast haar zitten.

'Binnenkort is het te laat om van gedachten te veranderen,' fluistert hij.

'Ik wil dit doen,' zegt ze glimlachend terwijl ze hem aankijkt.

'Dat weet ik,' zegt Joona. 'Het gaat goed, als je maar niet vergeet hoe gevaarlijk Walter is. Hij manipuleert mensen, verandert ze, rukt hun ziel uit...'

'Ik laat Walter niet toe in mijn hoofd,' zegt ze zelfverzekerd. Ze staat op en doet haar jas dicht.

'Hij is als...'

'Maar ik ben een sterke vrouw,' valt ze hem in de rede.

'Dat weet ik.'

Joona houdt de deur voor haar open en loopt met haar mee het trappenhuis in. Hij aarzelt en Saga leunt tegen de muur.

'Wat wil je zeggen?' vraagt ze vriendelijk.

Het blijft even stil. De lift staat roerloos te wachten op de verdieping. Buiten raast een auto met loeiende sirene voorbij.

'Walter zal er alles voor overhebben om te ontsnappen,' zegt Joona met zijn zware stem. 'Dat mag je nooit laten gebeuren. Je bent als een zuster voor me, Saga, maar het is beter dat je sterft dan dat je dat laat gebeuren.'

68

Anders Rönn zit aan de grote vergadertafel te wachten. Het is al half zes. In de grote, onpersoonlijke ruimte bevinden zich de gebruikelijke vertegenwoordigers van de ziekenhuisdirectie, twee afgevaardigden van Algemene Psychiatrie, chef-arts Roland Brolin en hoofd bewaking Sven Hoffman.

Directeur Rikard Nagler zit nog aan de telefoon en krijgt een glas ijsthee van zijn secretaresse.

De sneeuw valt langzaam uit de laaghangende lucht.

De gesprekken in de kamer verstommen als de directeur zijn lege glas op tafel zet, zijn mond afveegt en de vergadering voor geopend verklaart.

'Mooi dat iedereen kon komen,' zegt hij. 'Een uur geleden kreeg ik een telefoontje van de Dienst Gevangeniswezen.'

Het laatste geroezemoes ebt weg en het wordt stil in de kamer.

'Ze hebben besloten dat er op korte termijn nog twee patiënten op de beveiligde eenheid zullen worden opgenomen,' gaat hij verder. 'We zijn verwend met maar één patiënt... die oud en bedaard is.'

'Omdat hij wacht,' zegt Brolin ernstig.

'Ik heb jullie hier bij elkaar geroepen om jullie mening te horen over wat dit betekent voor de veiligheid en de algemene zorgsituatie,' vervolgt de directeur zonder acht te slaan op de opmerking van Brolin.

'Wat zijn het voor patiënten die ze hier willen laten opnemen?' vraagt Anders.

'Beiden hebben uiteraard het hoogste beveiligingsniveau,' antwoordt de directeur. 'De ene heeft in het gesloten paviljoen van het Säters-ziekenhuis gezeten en de andere op de forensisch psychiatrische afdeling van het Karsuddens-ziekenhuis na een...'

'Het gaat niet werken,' valt Brolin hem in de rede.

'Onze beveiligde eenheid is in principe gebouwd voor drie patiënten,' zegt de directeur geduldig. 'Het zijn andere tijden nu, er moet be-
zuinigd worden, we kunnen niet...'

'Ja, maar Jurek Walter is...'

Brolin zwijgt.

'Wat wilde je zeggen?'

'Het is onmogelijk voor ons om voor meerdere patiënten te zorgen,'
zegt Brolin.

'Maar wij hebben een wettelijke plicht om ze op te nemen.'

'Verzin een uitvlucht.'

De directeur lacht vermoeid en schudt zijn hoofd.

'Jij hebt hem altijd als een monster gezien, maar hij...'

'Ik ben niet bang voor monsters,' kapt Brolin hem af. 'Maar ik ben
verstandig genoeg om bang te zijn voor Jurek Walter.'

De directeur kijkt glimlachend naar de chef-arts en fluistert dan iets
tegen zijn secretaresse.

'Ik ben hier tamelijk nieuw,' zegt Anders. 'Maar heeft Jurek Walter
ooit voor problemen gezorgd?'

'Hij heeft Susanne Hjälm laten verdwijnen,' antwoordt Brolin.

Het wordt doodstil in de kamer. Een arts van Algemene Psychiatrie
doet nerveus zijn bril af en zet hem meteen weer op.

'Ik heb gehoord dat ze verlof heeft... voor een onderzoeksproject of
zo,' zegt Anders langzaam.

'We noemen het verlof,' zegt Brolin.

'Ik wil graag weten wat er gebeurd is,' zegt Anders, en hij voelt een
doffe angst in zich opkomen.

'Susanne heeft een brief van Jurek Walter naar buiten gesmokkeld, maar ze kreeg spijt,' verklaart Brolin met neergeslagen ogen. 'Ze
belde me en heeft me alles verteld. Ze was helemaal, ik weet het niet...
ze huilde alleen maar en verzekerde me dat ze de brief had verbrand...
En ik denk dat ze dat inderdaad had gedaan, want ze was bang en herhaalde dat ze nooit meer bij hem naar binnen wilde.'

'Ze heeft verlof genomen,' zegt de directeur, en hij bladert een beetje
in zijn papieren.

Sommige aanwezigen lachen en andere kijken opgelaten. Hoofd

bewaking Sven Hoffman projecteert een afbeelding van de beveiligde eenheid op het witte scherm.

'Met het oog op de beveiliging is het geen probleem om meerdere patiënten op te nemen,' zegt hij stijfjes. 'Maar in de beginperiode zal er een verhoogde staat van paraatheid nodig zijn.'

'Jurek Walter mag geen andere mensen ontmoeten,' houdt Brolin koppig vol.

'Maar nu zal hij wel moeten... Wat de veiligheid betreft moeten jullie het maar zien op te lossen,' zegt de directeur en hij kijkt naar de andere aanwezigen.

'Het kan niet... en ik wil dat er in de notulen komt te staan dat ik alle verantwoordelijkheid voor de beveiligde eenheid afwijs, die moet dan maar onder Algemene Psychiatrie vallen of een eigen...'

'Overdrijf je nu niet een beetje?'

'Dit is nu precies waar Jurek Walter al die jaren op heeft zitten wachten,' antwoordt Brolin met een stem die schor klinkt van verontwaardiging.

Hij staat op en verlaat de kamer zonder verder iets te zeggen. De schaduwen van de sneeuwvlokken vallen langzaam over de muur met het whiteboard.

'Ik ben ervan overtuigd dat ik drie patiënten in de gaten kan houden, ongeacht hun diagnose,' zegt Anders langzaam, en hij leunt achterover in zijn stoel.

De andere aanwezigen kijken hem bevreemd aan, de directeur legt zijn pen neer en glimlacht vriendelijk.

'Ik begrijp niet wat het probleem is,' zegt hij en hij kijkt naar de deur waardoor Brolin is verdwenen.

'Ga door,' knikt de directeur.

'Het is gewoon een kwestie van medicatie,' zegt Anders.

'Je kunt ze toch niet platspuiten,' zegt Hoffman lachend.

'Tuurlijk kan dat wel, als het echt nodig is,' antwoordt Anders met zijn jongensachtige glimlach. 'In het Sankt Sigfrids-ziekenhuis bijvoorbeeld... daar waren we zo overbelast dat er gewoon geen ruimte was voor heel veel incidenten.'

Hij ziet de aandachtige blik van de directeur, trekt zorgeloos zijn wenkbrauwen op, spreidt zijn armen en zegt luchtig: 'We weten dat echt zware medicatie... het is misschien niet prettig voor de patiënt, maar als ik zorgverantwoordelijke op de beveiligde eenheid zou zijn, dan zou ik geen enkel risico nemen.'

69

Agnes zit op de grond in haar blauwe pyjama met hommels. Ze houdt de kleine, witte haarborstel in haar hand en voelt met haar vingertoppen aan elke stekel, een voor een, alsof ze ze telt. Anders zit voor haar met de barbiepop en wacht.

'Borstel het haar van de pop,' zegt hij.

Agnes kijkt niet naar hem, maar gaat door met elke stekel te betasten, langzaam en geconcentreerd.

Hij weet dat ze niet net zo spontaan speelt als andere kinderen, maar ze speelt op haar eigen manier. Ze begrijpt niet goed wat anderen zien en denken. Ze heeft haar barbies nooit bezield, enkel hun mechanische kanten onderzocht, hun armen en benen gebogen en hun hoofd ronddraaid.

Maar door de cursussen die de Autisme- en Aspergervereniging organiseert heeft hij geleerd dat je het spelen kan trainen door het op te delen in kleine stukjes.

'Agnes? Borstel het haar van de pop,' herhaalt hij.

Ze stopt met friemelen, steekt de borstel uit en haalt hem door het blonde haar van de barbie en herhaalt die beweging twee keer.

'Wat heeft ze mooi haar gekregen,' zegt Anders.

Agnes begint weer aan te borstel te friemelen.

'Heb je gezien hoe mooi de pop is geworden?' vraagt hij.

'Ja,' antwoordt ze zonder te kijken.

Anders pakt de cindypop, maar hij krijgt geen kans iets te zeggen want Agnes buigt zich al naar voren en begint glimlachend het haar van de pop te borstelen.

Als Agnes drie uur later slaapt, gaat Anders op de bank voor de tv zitten en kijkt naar *Sex and the City*. Aan de voorkant van het huis vallen zware sneeuwvlokken in het gele schijnsel van de buitenverlichting.

Petra is naar een personeelsfeest. Victoria kwam haar om vijf uur ophalen. Ze zou het niet laat maken, maar nu is het al bijna elf uur.

Anders drinkt een slok koude thee en stuurt een sms'je naar Petra
dat Agnes het haar van haar poppen heeft geborsteld.

Hij is moe, maar beseft dat hij wil vertellen over de vergadering in
het ziekenhuis, dat hij de verantwoordelijkheid voor de beveiligde eenheid heeft overgenomen en dat hem een vaste aanstelling is toegezegd.

Tijdens de reclame gaat Anders het licht in Agnes' krappe kamertje
uitdoen. Het nachtlampje heeft de vorm van een haas op ware grootte.
De haas straalt een mooi roze licht uit en het zachte schijnsel valt op het
laken en op Agnes' kalme gezicht.

De vloer is bedekt met lego, poppen, poppenmeubeltjes, plastic eten,
pennen, diademen en een heel aardewerken serviesje.

Anders begrijpt niet hoe het zo'n rommel heeft kunnen worden.

Hij moet uitkijken waar hij loopt om nergens op te trappen. Zwak
geratel van speelgoed dat over de houten vloer glijdt. Voorzichtig reikt
hij naar de snoerschakelaar als hij een mes onder het bed denkt te zien
liggen.

Het grote barbiehuis staat in de weg, maar toch ziet hij door de kleine
deuropening het stalen lemmet.

Anders loopt er voorzichtig heen, bukt en zijn hart begint sneller te
slaan als hij ziet dat het mes lijkt op dat wat hij in de isoleercel heeft gevonden.

Hij begrijpt het niet, hij heeft het mes immers aan Brolin gegeven?

Agnes begint onrustig te kreunen en brabbelen in haar slaap.

Anders kruipt over de vloer en steekt zijn hand in de benedenverdieping van het poppenhuis, duwt het deurtje wagenwijd open en reikt
naar het mes.

De vloer kraakt zacht en Agnes ademt onregelmatig.

Er glanst iets in het donker onder haar bed. Misschien de glazen ogen
van haar beer. Dat valt niet uit te maken door de kleine spijltjesramen
van het poppenhuis.

'Ai,' fluistert Agnes in haar slaap, 'Ai, ai...'

Anders kan net met zijn vingertoppen bij het mes als hij twee glanzende ogen in een gerimpeld gezicht onder het bed ziet.

Het is Jurek Walter – en hij beweegt zich bliksemsnel, grijpt zijn hand en trekt.

Anders wordt wakker doordat hij zijn arm met een ruk naar zich toe haalt. Hijgend beseft hij dat hij op de bank voor de tv in slaap is gevallen. Hij zet hem uit, maar blijft met bonzend hart zitten.

Koplampen schijnen door het raam naar binnen. Een taxi draait op de keerlus en verdwijnt. Dan gaat de voordeur voorzichtig open.

Het is Petra.

Hij hoort haar naar de badkamer gaan om te plassen en de make-up van haar gezicht te halen. Langzaam komt hij dichterbij, ziet het licht van de badkamer in de gang.

70

Anders staat in het donker en bekijkt Petra via de spiegel boven de wasbak. Ze poetst haar tanden, spuugt, brengt in het kommetje van haar hand water naar haar mond en spuugt nog een keer.

Als ze hem ontdekt, ziet ze er enkele seconden lang angstig uit.

'Ben je wakker?'

'Ik heb op je gewacht,' zegt Anders met een vreemde stem.

'Wat lief.'

Ze doet het licht uit en hij loopt met haar naar de slaapkamer. Ze gaat op de rand van het bed zitten en smeert haar handen en ellebogen in met crème.

'Was het leuk?'

'Best wel... Lena heeft een nieuwe baan.'

Anders pakt haar linkerhand en houdt haar pols stevig vast. Ze kijkt hem aan.

'Je weet dat we morgen vroeg op moeten.'

'Kop dicht,' zegt hij.

Ze probeert los te komen, maar hij pakt haar andere hand en duwt haar tegen het matras.

'Au...'

'Hou je kop!'

Hij drukt een knie tussen haar dijen en Petra probeert weg te draaien, maar dan wordt ze volkomen kalm en ze kijkt hem aan.

'Maar ik ben echt serieus: rood licht... ik moet slapen,' zegt ze rustig.

'Ik heb op je gewacht.'

Ze kijkt hem even aan en knikt: 'Doe de deur op slot.'

Hij stapt van het bed, luistert in de gang, alles is stil, hij doet de deur dicht en draait hem op slot. Petra heeft haar nachthemd uitgetrokken en doet net de doos open. Glimlachend haalt ze de zachte touwen tevoorschijn en de plastic tas met de zweep, de massagestaaf en de grote dildo als hij haar tegen het matras duwt.

Ze zegt hem dat niet te doen, maar hij rukt het slipje van haar lijf, waardoor ze rode striemen op haar heupen krijgt.

'Anders, ik...'

'Kijk me niet aan,' kapt hij haar af.

'Sorry...'

Ze verzet zich niet als hij haar stevig vastbindt, iets te stevig. Misschien dat de drank haar ongevoeliger maakt dan anders. Hij spant het touw om een spijl van het bed en dwingt haar dijen verder uit elkaar.

'Au,' jammert ze.

Hij pakt de blinddoek en ze schudt haar hoofd terwijl hij hem over haar gezicht trekt. Ze probeert los te komen en trekt aan de touwen, waardoor haar grote borsten schudden.

'Je bent zo mooi,' fluistert hij.

Het is al vier uur als ze ophouden en hij de touwen losmaakt. Petra is stil, haar lichaam trilt en ze masseert haar pijnlijke polsen. Haar haar is nat van het zweet, haar wangen zijn streperig van de tranen en de blinddoek is naar haar hals gegleden. Hij had het gescheurde slipje in haar mond gepropt toen ze niet meer wilde, niet meer kon.

71

Om vijf uur geeft Saga haar pogingen om te slapen op. Nog negentig minuten. Dan komen ze haar ophalen. Met een zwaar lichaam trekt ze haar sportkleren aan en verlaat het appartement.

Ze jogt langs een paar huizenblokken en maakt vaart richting het Söder Mälarstrand.

Zo vroeg is er nog geen verkeer.

Ze rent door de stille straten. De verse sneeuw is zo luchtig dat ze die amper voelt onder haar voeten.

Ze weet dat ze zich nog steeds kan bedenken, maar vandaag is het de bedoeling dat ze haar vrijheid opgeeft.

Södermalm is nog in diepe rust. De hemel is zwart boven het schijnsel van de straatlantaarns.

Saga rent snel en denkt eraan dat ze geen gefingeerde identiteit heeft gekregen, ze wordt ingeschreven onder haar eigen naam en het enige wat ze moet onthouden is haar medicatie. Intraveneuze injecties Risperdal, herhaalt ze stil voor zichzelf. Oxascand tegen de bijwerkingen, Stesolid en Chlomethiazole.

Nathan had uitgelegd dat haar diagnose niet uitmaakte: 'Als je maar een ijzeren greep op je medicatie houdt,' zei hij. 'Die bepaalt jouw leven; de medicijnen zorgen ervoor dat je overleeft.'

Een lege bus draait de verlichte, verlaten terminal van de veerboten naar Finland in.

'Trilafon, acht milligram drie keer per dag,' fluistert ze terwijl ze rent. Cipramil dertig milligram, Seroxat twintig milligram...'

Vlak voor het Fotografiska-museum verandert Saga van richting en gaat bij de Stadsgårdsleden de steile trap omhoog. Ze stopt op het hoogste punt van de Katarinavägen, kijkt uit over Stockholm en herhaalt al Joona's regels nog een keer.

Ik moet me afzijdig houden, weinig praten en in korte zinnen. Ik moet menen wat ik zeg en alleen de waarheid spreken.

Dat is alles, denkt ze, en ze rent verder richting Hornsgatan.

De laatste kilometer verhoogt ze haar snelheid en in de Tavastgatan probeert ze op sprintsnelheid te komen, tot aan haar voordeur.

Saga rent de trappen op, trapt haar schoenen uit op de mat en loopt meteen naar de badkamer om te douchen.

Het is opmerkelijk hoe makkelijk het is je af te drogen zonder dat lange haar. Ze hoeft maar één keer met de handdoek over haar hoofd te wrijven.

Ze trekt het eenvoudigste ondergoed aan dat ze heeft. Een witte sportbeha en een slipje dat ze anders alleen draagt als ze ongesteld is. Een spijkerbroek, een zwart T-shirt en een verwassen trainingsjack.

Ze is zelden nerveus, maar plotseling voelt ze kriebels in haar buik.

Het is bijna twintig over zes. Over elf minuten komen ze haar ophalen. Ze legt haar horloge op het nachtkastje, naast het waterglas. Waar ze naartoe gaat is de tijd dood.

Eerst gaat ze naar het huis van bewaring in Stockholm, daar blijft ze enkele uren en dan zal ze door de penitentiaire transportdienst naar Katrineholm worden overgebracht. Vervolgens blijft ze een dag of wat in het Karsuddens-ziekenhuis, in afwachting van het besluit tot overplaatsing naar de beveiligde eenheid van het Löwenströmska-ziekenhuis.

Ze loopt langzaam door haar appartement, doet lampen uit en trekt wat snoeren uit het stopcontact, gaat dan naar de hal en wurmt zich in haar groene parka.

Het is in feite geen moeilijke opdracht, denkt ze weer.

Jurek Walter is een oude man, waarschijnlijk zwaar onder de medicijnen en afgestompt.

Ze weet dat hij zich schuldig heeft gemaakt aan afgrijselijke dingen, maar het enige wat ze moet doen is zich gedeisd houden, wachten tot hij toenadering zoekt, wachten tot hij iets zegt dat eventueel bruikbaar is.

Het werkt of het werkt niet.

Nu is het tijd om te gaan.

Saga doet het licht in de hal uit en loopt het trappenhuis in.

Ze heeft al het verse voedsel dat in de koelkast lag weggegooid, maar niet aan iemand gevraagd om een oogje in het zeil te houden, de planten water te geven en voor de post te zorgen.

72

Saga draait allebei de sloten op slot en loopt de trap af naar de buitendeur. Een onrust zingt in haar als ze de auto van de penitentiaire transportdienst in de donkere straat ziet staan wachten.

Ze opent het portier en gaat naast Nathan Pollock zitten.

'Het is gevaarlijk om lifters op te pikken,' zegt ze en ze probeert te glimlachen.

'Heb je nog kunnen slapen?'

'Een beetje,' antwoordt ze en ze doet haar gordel vast.

'Ik hoef je niks te vertellen,' zegt Nathan en hij werpt haar een zijdelingse blik toe. 'Maar ik wil je toch op het hart drukken dat je niet probeert om informatie los te peuteren.'

Hij schakelt en de auto komt in de stille straat in beweging.

'Dat is bijna nog het moeilijkste,' zegt Saga. 'Stel dat hij alleen maar over voetbal praat, stel dat hij helemaal niet praat.'

'Dan is dat zo, daar is niets aan te doen.'

'Maar Felicia heeft misschien nog maar een paar dagen...'

'Dat is niet jouw verantwoordelijkheid,' antwoordt Nathan. 'Deze infiltratie is een gok, dat weet iedereen, daar zijn we het over eens... speculeren over het eindresultaat heeft geen zin. Wat je doet staat helemaal los van het lopende vooronderzoek. De gesprekken met Mikael Kohler-Frost gaan door en we trekken alle oude sporen na en we...'

'Maar niemand gelooft... niemand gelooft dat we Felicia kunnen redden als Walter niet tegen mij begint te praten.'

'Zo moet je er niet tegenaan kijken,' zegt Nathan.

'Dan stop ik nu meteen,' zegt ze glimlachend.

'Goed.'

Ze begint met haar voeten te roffelen en niest opeens in haar arm. Haar lichtblauwe ogen staan glazig, alsof een deel van haar een stap achteruit heeft gedaan om de situatie van een afstandje te bekijken.

Donkere gebouwen schieten voorbij onder het rijden.

Saga legt haar sleutels, portemonnee en andere losse voorwerpen in de bewaarzak voor persoonlijke eigendommen van de Dienst Gevangeniswezen.

Voordat ze bij het huis van bewaring zijn, overhandigt Nathan haar de fiberoptische microfoon en een capsule van silicone, samen met een kleine verpakking boter.

'Lediging van de maag wordt vertraagd door vet voedsel,' zegt hij. 'Maar ik vind dat je hoe dan ook niet langer dan vier uur moet wachten.'

Ze opent het pakje boter, slikt het vet door en kijkt naar het microfoontje in de zachte capsule. Het ligt daar als een insect in barnsteen. Ze recht haar rug, stopt de capsule in haar mond, legt haar hoofd in haar nek en slikt. Het doet pijn in haar slokdarm en ze begint over haar hele lichaam te zweten als de capsule langzaam naar beneden glijdt.

73

De ochtend is nog steeds nachtzwart en alle lichten op de vrouwenafdeling van het huis van bewaring zijn aan.

Saga doet twee passen naar voren en blijft staan als er tegen haar gezegd wordt dat ze moet blijven staan. Ze probeert zich af te sluiten voor de buitenwereld en niemand aan te kijken.

De hitte tikt in de verwarmingselementen.

Nathan Pollock legt het bewaarzakje op de balie en overhandigt de papieren met betrekking tot Saga, krijgt een schriftelijk ontvangstbewijs en verdwijnt dan.

Vanaf nu moet ze zichzelf zien te redden, ongeacht wat er gebeurt.

De automatische hekken zoemen langdurig en vallen dan abrupt stil.

Niemand kijkt naar haar, maar ze merkt dat de sfeer ernstig wordt als ook de gevangenbewaarders begrijpen dat ze de hoogst mogelijke veiligheidscode heeft.

Ze moet strikt geïsoleerd worden opgesloten in afwachting van het transport.

Saga staat roerloos met haar blik op het gele zeil gericht en antwoordt sowieso niet op vragen die haar gesteld worden.

Ze wordt gefouilleerd, waarna ze door een gang naar een ruimte voor volledige visitatie wordt gebracht.

Twee potige vrouwen praten met elkaar over een nieuwe tv-serie terwijl ze haar meenemen door een deur zonder glas. De kamer ziet eruit als een kleine onderzoekskamer, met een smalle brits waar rafelig afgescheurd papier overheen ligt en gesloten kasten tegen een muur.

'Trek al je kleren uit,' zegt de ene vrouw neutraal en ze doet een paar latex handschoenen aan.

Saga doet wat haar wordt opgedragen en gooit haar kleren op een hoop op de grond. Als ze naakt is, staat ze met hangende armen in het koude tl-licht.

Haar lichte lichaam is meisjesachtig tenger, volmaakt en atletisch.

De gevangenbewaarder met de handschoenen zwijgt midden in een zin en staart naar Saga.

'Oké,' zucht een van hen na een poosje.

'Wat?'

'We proberen te doen wat we moeten doen.'

Voorzichtig onderzoeken ze Saga's mond, neus en oren met een zaklantaarn. Elk onderdeel vinken ze af in een protocol en ze verzoeken haar op de onderzoekstafel te gaan liggen.

'Ga op je zij liggen en trek je bovenste knie zo ver mogelijk op,' zegt de vrouw met de handschoenen.

Saga gehoorzaamt zonder haast en de vrouw gaat achter haar rug, tussen de muur en de onderzoekstafel, staan. Ze huivert en voelt over haar hele lichaam kippenvel ontstaan.

Het droge papier op de onderzoekstafel knispert onder haar wang als ze haar gezicht wegdraait. Ze knijpt haar ogen stijf dicht als er glijmiddel uit een flesje wordt geknepen.

'Het voelt een beetje koud aan,' zegt de vrouw en ze brengt twee vingers zo diep mogelijk in Saga's vagina in.

Het doet geen pijn, maar het is heel onaangenaam. Saga probeert langzaam te ademen, maar ze kan een zucht niet onderdrukken als de vrouw een vinger in haar endeldarm duwt.

Het onderzoek is in een paar seconden voorbij en de vrouw trekt snel haar handschoenen uit en gooit ze weg.

Ze geeft Saga wat papier om zich schoon te maken en legt uit dat ze haar andere kleren geven voor in de gevangenis.

Gekleed in vormeloze groene kleren en met een paar witte sportschoenen aan haar voeten wordt ze naar haar cel op afdeling 8:4 gebracht.

Voordat ze deur achter haar sluiten en op slot draaien vragen ze vriendelijk of ze een broodje kaas en een kop koffie wil.

Saga schudt haar hoofd.

Als de vrouwen verdwenen zijn, blijft Saga even roerloos in haar cel staan.

Het is lastig om te bepalen hoe laat het is, maar voor het te laat is vult ze haar handen met water, drinkt en steekt dan haar vingers in haar keel. Ze hoest en haar maag trekt zich samen. Na een paar harde, pijnlijke krampen komt de capsule met de microfoon omhoog.

Tranen van het overgeven stromen tegen wil en dank uit haar ogen als ze de capsule schoonwast en vervolgens haar gezicht afspoelt.

Ze gaat op bed liggen en wacht met de microfoon verstopt in haar handen.

Het is stil in de gang.

Ze blijft roerloos liggen, ruikt de lucht van de wc en het afvoerputje, kijkt naar het plafond en leest de woorden en namen die in de loop der jaren in de muren gekrast zijn.

Rechthoeken van zonlicht hebben zich naar links verplaatst en zijn de vloer genaderd als er voetstappen klinken. Saga stopt snel de capsule in haar mond, gaat staan en slikt terwijl het slot ratelt en de deur opengaat.

Het is tijd om naar het Karsuddens-ziekenhuis gebracht te worden.

De geüniformeerde transportleider tekent voor ontvangst van Saga, haar persoonlijke bezittingen en de documenten die mee moeten met het gedetineerdentransport. Saga staat stil terwijl de man haar hand- en voetboeien omdoet en het transport optekent in het ritprotocol.

74

De onderzoeksgroep van de politie bestaat uit in totaal tweeëndertig personen, zowel civiele medewerkers als agenten van de rijksrecherche, de recherche en de landelijke afdeling Moordzaken.

In een van de grote werkruimtes op de vijfde verdieping zijn de wanden bedekt met kaarten waarop de vindplaatsen en verdwijningen in de zaak-Jurek Walter gemarkeerd zijn. Op kleurenprints met foto's zijn constellaties weergegeven van familieverhoudingen, collega's en vrienden van de vermisten.

Oude verhoren met verwanten van degenen die gevonden zijn, worden opnieuw bestudeerd en nieuwe verhoren worden afgenomen. Forensisch psychiatrische rapporten en uitslagen van het gerechtelijk laboratorium worden doorgenomen en er wordt opnieuw gesproken met iedereen in de omgeving van het slachtoffer, van naaste verwant tot vage kennis.

Joona Linna en zijn groep staan in het winterlicht voor het raam de uitdraai van het laatste gesprek met Mikael Kohler-Frost te lezen. Na lezing verspreidt zich een sombere stemming over de groep. Er is niets in Mikaels verhaal dat het vooronderzoek verder kan brengen.

Als de analisten de rechtstreekse uitdrukkingen van angst en vertwijfeling uit zijn verklaring hebben verwijderd, blijft er nagenoeg niets over.

'Niks,' mompelt Petter Näslund en hij rolt de papieren op.

'Hij zegt dat hij de bewegingen van zijn zus voelt, dat ze telkens als ze wakker wordt in het donker naar hem op zoek gaat,' zegt Benny met een triest gezicht. 'Hij voelt dat ze hoopt dat hij terug is...'

'Daar geloof ik geen zak van,' valt Petter hem in de rede.

'We moeten ervan uitgaan dat wat Mikael vertelt de waarheid is, in een of andere vorm,' zegt Joona.

'Maar dat met die Zandman,' grijnst Petter. 'Ik bedoel...'

'Dat geldt ook voor de Zandman,' antwoordt Joona.

'Hij heeft het over een sprookjesfiguur,' zegt Petter. 'Moeten we iedereen verhoren die barometers verkoopt of...'

'Ik heb al een lijst opgesteld van vervaardigers en vertegenwoordigers,' antwoordt Joona glimlachend.

'Godallemachtig...'

'Ik ben me ervan bewust dat de barometerverkoper voorkomt in het boek van E.T.A. Hoffmann over de Zandman,' gaat Joona door. 'En ik weet dat de moeder van Mikael het sprookje als verhaaltje voor het slapengaan voorlas, maar dat sluit niet uit dat hij ook in werkelijkheid bestaat.'

'We hebben geen ene zak, laten we dat gewoon toegeven,' zegt Petter, en hij gooit het opgerolde verhoor op het bureau.

'Bijna niets,' corrigeert Joona hem vriendelijk.

'Mikael was verdoofd toen hij naar de capsule werd gebracht en hij was verdoofd toen hij uit de capsule werd gehaald,' zucht Benny, en hij haalt zijn hand over zijn glimmende schedel. 'Het is onmogelijk om zelfs maar een plek af te bakenen. Hoogstwaarschijnlijk bevindt Felicia zich in Zweden, maar zelfs dat is niet zeker.'

Magdalena loopt naar het whiteboard en somt op wat ze weten over de capsule: beton, elektriciteit, water, legionellabacteriën.

Omdat Mikael de medeplichtige nooit heeft gezien of horen praten, weten ze niet veel meer dan dat hij een man is. Dat is alles. Mikael wist zeker dat het hoesten dat hij gehoord heeft van een man was.

Alle andere signalementen zijn gekoppeld aan kinderfantasieën over de Zandman.

Joona verlaat de kamer, neemt de lift naar beneden, gaat het politiebureau uit en loopt door de Fleminggatan, over de brug Sankt Eriksbron naar de wijk Birkastan.

In het zolderappartement op Rörstrandsgatan 19 zit Athena Promachos.

Als de godin Pallas Athena afgebeeld wordt als een wonderschoon meisje met lans en schild, dan wordt ze Athena Promachos genoemd en is ze de godin van de strijd.

Athena Promachos is ook de naam van de geheime onderzoeksgroep die is opgericht om het materiaal te analyseren dat vermoedelijk boven water zal komen tijdens Saga's infiltratie. De groep komt in geen enkel besluit en op geen enkele begroting voor, noch bij de rijksrecherche noch bij de veiligheidsdienst.

Athena Promachos bestaat uit Joona Linna van de rijksrecherche, Nathan Pollock van Moordzaken, Corinne Meilleroux van de veiligheidsdienst en dataspecialist Johan Jönson.

Zodra Saga is overgeplaatst naar de beveiligde eenheid in het Löwenströmska-ziekenhuis zullen ze hier dag en nacht zijn om het afgeluisterde materiaal te bewerken en analyseren.

Er zijn nog drie agenten van de onderzoeksgroep verbonden aan Athena Promachos. Deze drie zullen de opnames van de fiberoptische microfoon gaan verwerken in een minibusje van parkbeheer op het ziekenhuisterrein. Al het materiaal wordt op harde schijven opgeslagen, versleuteld en doorgestuurd naar de computers van Athena Promachos met een totale vertraging van een tiende seconde.

75

Anders Rönn kijkt weer op zijn horloge. De nieuwe patiënt uit het gesloten paviljoen van het Säters-ziekenhuis is onderweg naar de isoleercel in de beveiligde eenheid van het Löwenströmska-ziekenhuis. De penitentiaire transportdienst belde om te waarschuwen dat de man onrustig en agressief was. Ze hebben hem tien milligram Stesolid gegeven en Anders Rönn heeft een spuit met nog eens tien milligram klaarliggen. Een oudere bewaarder, Leif Rajama, gooit de verpakking van de injectienaald in de prullenbak en stelt zich dan wijdbeens op, klaar om in actie te komen.

'Ik denk niet dat hij meer nodig heeft,' zegt Anders, en hij slaagt er niet helemaal in zijn zorgeloze glimlach op te zetten.

'Het ligt eraan hoe onrustig ze worden van de visitatie,' zegt Leif. 'Ik probeer me voor te houden dat het mijn taak is om mensen te helpen die het moeilijk hebben... ook al willen ze dat zelf niet.'

De bewaarder aan de andere kant van het pantserglas krijgt de mededeling dat het transport onderweg is naar beneden. Een metalig gedreun plant zich voort door de muren en dan klinkt er een gedempt geschreeuw.

'Dit is nog maar de tweede patiënt,' zegt Anders. 'We weten pas hoe het hier zal gaan als ze alle drie gearriveerd zijn.'

'Dat gaat prima,' zegt Leif glimlachend.

Anders kijkt op een monitor en ziet de trap in groothoek. Twee bewaarders voeren een patiënt met zich mee die niet in staat is zelf te lopen. Een forse man met een lichte snor en een bril die is afgezakt op zijn smalle neus. Hij heeft zijn ogen gesloten en transpireert zo erg dat het zweet over zijn wangen gutst. Zijn benen hebben het begeven, maar de bewaarders houden hem overeind.

Anders kijkt Leif kort aan. Ze horen de blonde patiënt verward praten. Iets over dode slaven en dat hij in zijn broek gezeken heeft.

'Ik sta tot mijn knieën in de zeik en moet...'

'Hou je koest,' commanderen ze en ze leggen hem op de grond.

'Au, dat doet pijn,' kermt hij.

De bewaarder achter het pantserglas is opgestaan om de papieren van de transportleider in ontvangst te nemen.

De patiënt ligt met gesloten ogen hijgend op de grond. Anders zegt geruststellend tegen Leif dat ze niet meer Stesolid nodig zullen hebben en haalt dan zijn toegangspasje door de lezer.

76

Jurek Walter loopt met monotone passen op de loopband. Zijn gezicht is afgewend, maar zijn rug beweegt met strakke doelbewustheid.

Anders Rönn en het hoofd bewaking Sven Hoffman staan samen in de bewakingscentrale en kijken op de monitor met het dagverblijf.

'Je weet hoe je alarm slaat en op alarm moet reageren,' zegt Hoffman. 'Je weet dat iemand met een toegangspasje het verplegend personeel moet vergezellen als ze contact met de patiënten hebben.'

'Ja,' antwoordt Anders met een spoortje ongeduld in zijn stem. 'En de veiligheidsdeur achter je moet dicht zijn voor je de volgende opent.'

Sven Hoffman knikt.

'In geval van alarm is de bewaking in vijf minuten hier.'

'Er komt geen alarm,' zegt Anders, en hij ziet op de monitor dat de nieuwe patiënt het dagverblijf betreedt.

Ze slaan de patiënt gade, die op de bruine bank gaat zitten en een hand voor zijn mond houdt alsof hij probeert niet over te geven. Anders denkt aan het handgeschreven verslag van het Säters-ziekenhuis over agressiviteit, terugkerende psychoses, narcistische en antisociale persoonlijkheidsstoornis.

'We moeten onze eigen inschatting maken,' antwoordt Anders. 'En ik verhoog zijn medicatie als daar ook maar de geringste aanleiding voor is...'

Het grote computerscherm voor hem is verdeeld in negen vensters voor de negen camera's van de afdeling. Sluizen, veiligheidsdeuren, gangen, dagverblijf en patiëntenkamers worden gefilmd. Er is niet voldoende personeel om het scherm onafgebroken in de gaten te kunnen houden, maar er moet altijd iemand op de afdeling aanwezig zijn die verantwoordelijk is voor het monitoren.

'Je zult wel veel op kantoor zitten, maar het is goed als iedereen weet hoe die dingen functioneren,' zegt Sven Hoffman met een gebaar naar de monitoren.

'We moeten onze krachten bundelen nu we hier meer patiënten krijgen.'

'Het uitgangspunt is dat het personeel altijd weet waar iedere patiënt zich ophoudt.'

Sven klikt op een van de vensters, het beeld vult onmiddellijk het scherm van de monitor ernaast en plotseling ziet Anders dat psychiatrisch verpleegkundige My een nat, gewatteerd jack ophangt.

Onverwacht scherp wordt de kleedkamer in beeld gebracht met de lage bank, vijf gele lockers van plaatstaal, een douchecabine, de deur naar het toilet en de gang.

De contouren van My's grote borsten zijn zichtbaar onder een zwart T-shirt met een afbeelding van een doodsengel. Ze heeft zich gehaast en haar wangen zien rood. In haar haar glinstert gesmolten sneeuw. Ze haalt haar werkkleren tevoorschijn, legt ze op de bank en zet een paar witte Birkenstock-slippers op de grond.

Sven klikt het beeld weg en vergroot het beeld van het dagverblijf weer. Anders dwingt zichzelf weg te kijken van het kleine venster op het moment dat My haar zwarte spijkerbroek openknoopt.

Hij gaat zitten en probeert zo ongedwongen mogelijk te klinken als hij vraagt of de opnames bewaard worden.

'Daar hebben we geen toestemming voor... zelfs niet in uitzonderingsgevallen,' zegt Hoffman glimlachend en hij knipoogt.

'Jammer,' antwoordt Anders en hij strijkt met zijn hand door zijn korte, bruine haar.

Sven Hoffman zapt langs alle camera's in de patiëntenkamers. Anders klikt zich op de monitor door gangen en sluizen.

'We dekken elk hoekje dat...'

Verderop gaat een deur open, het koffieapparaat zoemt en dan komt My de bewakingscentrale binnen.

'Waarom zitten jullie hier op elkaars lip?' vraagt ze met lachkuiltjes in haar wangen.

'Sven legt me het bewakingssysteem uit,' antwoordt Anders.

'En ik dacht nog wel dat jullie naar mijn striptease zaten te kijken,' verzucht ze plagend.

77

Ze zwijgen en kijken naar het scherm van het dagverblijf. Jurek Walter loopt met gelijkmatige passen op de loopband en Bernie Larsson glijdt langzaam in de bank omlaag tot hij met zijn nek op de lage rugleuning rust. Zijn overhemd schuift omhoog en zijn dikke buik beweegt mee met zijn ademhaling. Zijn gezicht is bezweet, gestrest laat hij zijn ene been stuiteren en hij praat tegen het plafond.

'Waar is hij mee bezig?' vraagt My en ze kijkt naar de anderen. 'Wat zegt hij de hele tijd?'

'Geen idee,' mompelt Anders.

Het enige geluid dat in de bewakingscentrale te horen is, is het getik van een Chinese gouden kat op zonne-energie die met zijn poot zwaait.

Anders keert in gedachten terug naar het dossier van Bernie Larsson uit het Säters-ziekenhuis. Eenentwintig jaar geleden is hij veroordeeld tot gesloten forensisch psychiatrische behandeling voor wat wordt beschreven als bestiale serieverkrachtingen.

Nu zit hij in elkaar gezakt op een bank in het wilde weg te schreeuwen. Speeksel spettert uit zijn mond. Hij maakt agressieve, hakkende gebaren met zijn handen en smijt het kussen naast zich op de grond.

Jurek Walter doet wat hij altijd doet. Met lange passen loopt hij tien kilometer op de loopband, zet hem uit, stapt eraf en gaat naar zijn kamer.

Bernie roept hem iets na. Walter blijft in de deuropening staan en draait zich om naar het dagverblijf.

'Wat gebeurt er nu?' vraagt Anders gespannen.

Sven pakt snel de portofoon, roept twee collega's op en haast zich dan de kamer uit. Anders leunt naar voren en ziet Sven op een van de monitoren verschijnen. Hij loopt door de gang, praat met de andere bewaarders, stopt buiten voor de sluis en wacht de situatie af.

Er gebeurt niets.

Jurek staat nog in de deuropening, tussen de twee ruimtes in, precies waar zijn gezicht in de schaduw is. Hij beweegt zich niet, maar zowel Anders als My ziet dat hij praat. Bernie zit in elkaar gezakt op de bank en sluit zijn ogen terwijl hij luistert. Na een poosje begint zijn onderlip te trillen. De hele scène duurt iets meer dan een minuut, waarna Jurek zich omdraait en weer in zijn kamer verdwijnt.

'Je hok in,' mompelt My.

Op de andere monitor wordt Jurek vanaf het plafond gefilmd. Rustig loopt hij zijn kamer in, gaat op de plastic stoel recht onder de bewakingscamera zitten en staart naar de muur.

Na een poosje staat Bernie Larsson op van de bank in het dagverblijf. Hij veegt een paar keer over zijn mond en sloft dan naar zijn kamer.

Op de andere monitor is te zien dat Bernie Larsson naar de wasbak loopt, zich vooroverbuigt en zijn gezicht wast. Hij staat stil terwijl het water over zijn wangen stroomt, dan loopt hij weer naar de deur van het dagverblijf, plaatst zijn duim tegen de binnenkant van de stijl en knalt de deur met volle kracht dicht. De deur stuitert terug, Bernie zakt op zijn knieën en brult het uit.

78

Het is tien uur 's ochtends en er schijnt een sterk winterlicht op Magdalena Ronander als ze na haar yoga terugkomt bij de rijksrecherche. Petter Näslund staat voor een detailkaart van de villawijk waar de kinderen Kohler-Frost zijn verdwenen. Met gefronst voorhoofd prikt hij foto's van het oude vooronderzoek aan de wand. Magdalena groet kort, gooit haar tas op de stoel en loopt naar het whiteboard. Snel strijkt ze met haar vingers over de sporen die ze gisteren hebben weten na te trekken. Benny Rubin, Johnny Isaksson en Fredrik Weyler zitten rond de vergadertafel op het politiebureau en maken aantekeningen.

'We moeten iedereen checken die in dezelfde periode als Jurek Walter werkzaam was bij Menges werkplaats,' zegt ze.

'Ik heb de gesprekken van gisteren met Rikard von Horn uitgewerkt,' zegt Johnny, een tengere blonde agent met hetzelfde kapsel als Rod Stewart in de jaren tachtig.

'Wie belt Reidar Frost vandaag?' vraagt Petter terwijl hij de pen tussen zijn vingers laat draaien.

'Ik kan doorgaan met dat contact,' antwoordt Magdalena kalm.

'Vraag of ze nog steeds willen dat we op zoek gaan naar Klaas Vaak,' zegt Benny.

'Joona wil dat we alles over de Zandman serieus nemen,' zegt Petter.

'Ik heb zo'n supergrappig filmpje op YouTube gevonden,' zegt Benny, en hij gaat op zoek op zijn mobieltje.

'Kunnen we dat overslaan?' zegt Magdalena en ze legt een zware map op tafel.

'Maar hebben jullie die clown gezien die zich verstopt voor onnozele smerissen?' vraagt Benny terwijl hij zijn mobiel weglegt.

'Nee,' antwoordt Petter.

'Nee, want ik ben waarschijnlijk de enige hier die hem kan zien,' zegt Benny lachend.

Magdalena kan een glimlach niet onderdrukken terwijl ze het dossier opent.

'Wie helpt mij de laatste personen rond Agneta Magnusson na te trekken? Dat is de vrouw die levend in het graf in het Lill-Jansskogen is gevonden toen Jurek Walter werd opgepakt. Haar broer en zijn zoontje lagen dood in de plastic ton die daar in de buurt begraven was.'

'Haar moeder verdween jaren eerder en haar vader verdween vlak voordat ze gevonden werd.'

'Is niet iedereen verdwenen?' vraagt Fredrik Weyler.

'Nee, haar man niet,' zegt Magdalena met een blik in het dossier.

'Zo ziek allemaal,' fluistert Fredrik.

'Maar de echtgenoot leeft nog steeds en...'

'Word je lenig van yoga?' vraagt Benny en met een knal laat hij beide handpalmen op tafel neerkomen.

'Waarom doe je dat in vredesnaam?' vraagt Magdalena oprecht verwonderd.

79

Magdalena Ronander begroet de stevige vrouw die de deur opent. Ze heeft fijne lachrimpeltjes in haar ooghoeken en op haar schouder staat de naam Sonja getatoeëerd.

Alle mensen in de omgeving van Agneta Magnusson zijn dertien jaar geleden door de politie ondervraagd. Alle huizen en appartementen zijn door de technische recherche onderzocht, evenals alle zomerhuisjes, schuren, opslagplaatsen, speelhuisjes, caravans, boten en auto's.

'Ik heb gebeld,' zegt Magdalena en ze laat haar politielegitimatie zien.

'Klopt,' knikt de vrouw. 'Bror zit in de woonkamer te wachten.'

Magdalena loopt achter de vrouw aan door de kleine woning uit de jaren vijftig. Vanuit de keuken komt een sterke geur van uien en tartaartjes. In een woonkamer met donkere gordijnen zit een man in een rolstoel.

'Is dat de politie?' zegt hij schor.

'Ja, ik ben van de politie,' knikt Magdalena, ze trekt de pianokruk bij en gaat tegenover de man zitten.

'Hebben we nog niet genoeg gepraat?'

Het was dertien jaar geleden dat iemand Bror Engström had verhoord over de gebeurtenissen in het Lill-Jansskogen en in de tussentijd is hij oud geworden, vindt ze.

'Ik wil graag meer weten,' zegt Magdalena vriendelijk.

Bror Engström schudt zijn hoofd.

'Er valt niets meer te zeggen. Iedereen is gewoon verdwenen. Binnen een paar jaar was iedereen verdwenen. Mijn Agneta en... haar broer en zijn zoontje... en ten slotte Jeremy, mijn schoonvader... Hij hield op met praten... toen ze verdwenen, zijn kinderen en kleinkind.'

'Jeremy Magnusson,' zegt Magdalena.

'Ik mocht hem heel graag... Maar hij miste zijn kinderen zo vreselijk.'

'Ja,' antwoordt Magdalena zacht.

Bror Engströms troebele ogen trekken zich samen bij de herinnering.

'Op een dag was ook hij zomaar verdwenen. Daarna kreeg ik mijn Agneta terug. Maar ze is nooit meer de oude geworden.'

'Nee,' antwoordt Magdalena.

'Nee,' fluistert hij.

Ze weet dat Joona de vrouw ontelbare keren heeft bezocht op de verpleegafdeling waar ze werd verzorgd. Ze heeft haar spraakvermogen nooit teruggekregen en is vier jaar later gestorven. Haar hersenbeschadigingen waren te omvangrijk om ooit nog contact met haar te krijgen.

'Eigenlijk zou ik Jeremy's bossen moeten verkopen. Maar ik kan het niet over mijn hart verkrijgen. Voor hem waren ze het zout des levens. Hij wilde altijd dat ik een keer mee zou gaan naar zijn jachthut, maar het is er nooit van gekomen... en nu is het te laat.'

'Waar ligt de jachthut?' vraagt ze en ze pakt haar telefoon.

'Helemaal in de provincie Dalarna, voorbij de Tranuberg... ik moet de topografische kaarten nog ergens hebben, als Sonja ze kan vinden.'

De jachthut staat niet op de lijst van de plekken die de technische recherche heeft onderzocht. Het is misschien niets, maar Joona heeft gezegd dat ze geen enkel detail mogen overslaan.

80

Een agent en een technisch rechercheur rijden met sneeuwscooters tussen de donkere stammen van de dennenbomen over het dikke sneeuwdek. Soms kunnen ze een houttransportweg of scheidingsweg nemen en een lang stuk met grotere snelheid afleggen, zodat een wolk van rook en sneeuw achter hen omhoog wervelt.

Stockholm wilde dat ze naar een jachthut achter de Tranuberg zouden gaan. Deze was klaarblijkelijk van Jeremy Magnusson geweest, die dertien jaar geleden verdwenen was. De rijksrecherche heeft hun verzocht een uitvoerig TR-onderzoek te doen, met filmopnames en foto's. Al het materiaal moet worden verzameld en verpakt, alle sporen en al het biologisch materiaal veiliggesteld.

De beide mannen op de scooters weten dat de Stockholmse politie iets hoopt te vinden wat licht kan werpen op de verdwijning van Jeremy en zijn verwanten. Dit had dertien jaar geleden uiteraard al gedaan moeten worden, maar toen was de politie niet op de hoogte geweest van het bestaan van deze jachthut.

Roger Hysén en Gunnar Ehn rijden naast elkaar een helling af in het flikkerende licht van de bosrand en komen in de zon uit op het bevroren moeras. Alles is verblindend en maagdelijk wit. Ze rijden met hoge snelheid verder over het ijs en slaan dan af naar het noorden, het dichte bos weer in.

De bomen op de zuidzijde van de Tranuberg zijn zo verwilderd dat ze het huis bijna missen. De lage blokhut is volledig ondergesneeuwd. De sneeuw reikt tot boven de ramen en ligt een meter dik op het dak.

Het enige wat er van het huis te zien is is zijn enkele liggende rijen op elkaar gestapelde balken, zilvergrijs van kleur.

Ze stappen van hun scooters en graven een pad naar het huis.

Verbleekte gordijnen bedekken de ruitjes aan de binnenkant.

De zon daalt en strijkt over de boomtoppen die grenzen aan het grote moeras.

Als ze de deur eindelijk hebben blootgelegd, staat het zweet op hun rug en technisch rechercheur Gunnar Ehn voelt het jeuken onder zijn muts.

Met een desolaat, knarsend geluid schuren twee bomen tegen elkaar in de wind.

Zwijgend rollen de mannen plastic uit voor de deur, zetten dozen klaar, leggen staptegels uit en trekken beschermende kleding en handschoenen aan.

De deur zit op slot en er hangt geen sleutel aan de spijker onder de dakgoot.

'Zijn dochter hebben ze levend begraven gevonden in Stockholm,' zegt Roger Hysén, en hij kijkt zijn collega even kort aan.

'Ik ken de verhalen,' antwoordt Gunnar. 'Maar daar hou ik me niet mee bezig.'

Roger zet een breekijzer in de kier naast het slot en wrikt. Het kraakt in het deurkozijn. Hij zet het breekijzer dieper naar binnen en duwt nog een keer. Het kozijn springt in lange spaanders kapot en Roger trekt onderzoekend aan de deur en rukt dan uit alle macht. De deur zwaait open en slaat terug.

'Jezus,' fluistert Roger achter zijn mondkapje.

Door de tocht van de onverwachte beweging waait alle stof die zich in het huis verzameld heeft op. Gunnar mompelt dat het niets te betekenen heeft. Hij reikt de donkere ruimte in en legt twee staptegels op de vloer.

Roger heeft de filmcamera gepakt en overhandigt deze aan Gunnar. Die bukt onder de lage deurpost door, stapt de kamer in en blijft op de eerste staptegel staan.

Het is zo donker in de kamer dat hij aanvankelijk niets ziet. De lucht is droog van al het ronddwarrelende stof.

Gunnar zet de camera op opnemen, maar slaagt er niet in het cameralicht aan te krijgen.

Hij probeert de kamer toch te filmen, maar het enige wat je ziet zijn donkere formaties.

De hele ruimte lijkt op een schemerig, troebel aquarium. Midden in de kamer lijkt een grote, vreemde schaduw te hangen, als een enorme klok uit Mora.

'Wat gebeurt er?' roept Roger buiten.

'Geef me de andere camera.'

Gunnar steekt de filmcamera naar buiten en krijgt een fotocamera in zijn hand gedrukt. Hij kijkt in de zoeker, maar die is alleen maar zwart, dus neemt hij op goed geluk een foto. De flits van de camera vult de ruimte met zijn witte schijnsel.

Gunnar slaakt een kreet als hij de lange, dunne menselijke figuur voor zich ziet. Hij doet een stap naar achter, struikelt, laat de camera vallen, spreidt zijn armen om zijn evenwicht te bewaren en gooit een klerenhanger op de grond.

'Wat is dit, verdomme...'

Hij loopt achteruit, stoot zijn achterhoofd tegen de deurpost en bezeert zich aan de uitstekende splinters van het kozijn.

'Wat is er, wat is er...?' vraagt Roger.

'Binnen staat iemand,' zegt Gunnar en hij grijnst van de zenuwen.

Roger doet het licht van de filmcamera aan, bukt en loopt langzaam naar binnen. De vloer onder de staptegels kraakt. Het schijnsel van de camera zoekt zich een weg door het stof en langs de meubels. Er schraapt een tak langs het raam. Het klinkt als een onrustige klop.

'All right,' hijgt hij.

In het fletse schijnsel van de lamp van de filmcamera ziet hij dat een man zich heeft opgehangen aan de dakbalk. Het is heel lang geleden dat hij zichzelf van het leven heeft beroofd. Zijn lichaam is mager en de huid is gerimpeld en zit strak over zijn gezicht. Zijn mond staat wijd open en is zwart. Op de grond liggen twee leren laarzen.

De deur achter de agent kraakt een beetje en Gunnar komt weer binnen.

De zon is ondergegaan achter de boomtoppen en de ramen zijn zwart. Voorzichtig spreiden ze een lijkzak van plastic onder het lichaam uit.

De tak slaat weer tegen het metalen raamkozijn en glijdt schrapend over de ruit.

Roger reikt naar voren om het lichaam vast te houden terwijl Gunnar het touw doorsnijdt, maar op het moment dat hij het lichaam aanraakt, laat het hoofd los van de romp. Het lichaam klettert voor hun voeten op de grond. Het hoofd bonkt tegen de houten vloer, stof dwarrelt weer op in de kamer en de oude strop bungelt geruisloos heen en weer.

81

Saga zit roerloos in het busje en kijkt naar buiten. De kettingen van de handboeien rinkelen mee met de bewegingen van de wagen.

Ze heeft niet aan Jurek Walter willen denken. Ze was er zelfs in geslaagd om haar kennis over de moorden die hij heeft gepleegd op afstand te houden sinds ze de opdracht had aangenomen.

Maar nu lukt dat niet meer. Na drie dagen monotonie in het Karsuddens-ziekenhuis wordt het besluit tot overplaatsing ten uitvoer gebracht. Ze is onderweg naar de beveiligde eenheid in het Löwenströmska-ziekenhuis.

De ontmoeting met Jurek Walter komt steeds dichterbij.

Voor haar geestesoog ziet ze duidelijk de foto die bovenop in het dossier lag: zijn gerimpelde gezicht en de lichte, heldere ogen.

Walter werkte als monteur en leidde een teruggetrokken en kalm bestaan tot hij werd opgepakt. Niets in zijn appartement kon in verband worden gebracht met de moorden, en toch werd hij op heterdaad betrapt.

Saga was doornat geworden van het zweet toen ze de verslagen las en de prints van de foto's van de vindplaats bekeek. Op een grote kleurenfoto zag je de genummerde bordjes op de open plek met vochtige aarde rond een graf en een geopende kist.

Nils 'de Naald' Åhlén had een nauwkeurig forensisch geneeskundig rapport opgesteld van al het letsel dat de vrouw had opgelopen die twee jaar levend begraven was geweest.

Saga voelt zich wagenziek en kijkt naar de weg en de bomen die voorbijflitsen. Ze denkt aan de ondervoeding van de vrouw, haar doorligwonden, koudeletsel en loszittende tanden. Joona had getuigd dat de magere en verzwakte vrouw keer op keer uit de kist probeerde te komen, maar dat Jurek haar telkens weer had teruggeduwd.

Saga weet dat ze er niet aan zou moeten denken.

Een donkere bloem van angst ontvouwt zich langzaam in haar maag.

Ze mag onder geen beding bang worden, houdt ze zichzelf voor. Ze heeft de situatie onder controle.

De auto remt af en de handboeien rinkelen.

Zowel de ton van plastic als de kist was uitgerust met luchtpijpen die boven de grond uit kwamen.

Waarom doodt hij ze niet meteen?

Het is onbegrijpelijk.

Saga neemt in gedachten de getuigenis van Mikael Kohler-Frost over de gevangenschap in de capsule door en haar hart begint sneller te kloppen als ze eraan denkt dat Felicia daar nu alleen is, het meisje met de warrige vlecht en de paardrijhelm.

Het sneeuwt niet meer, maar de zon laat zich niet zien. De hemel is ondoordringbaar en blind. Het busje verlaat de oude provinciale weg, slaat behoedzaam rechts af en rijdt het ziekenhuisterrein op.

In een bushokje zit een vrouw van een jaar of veertig met twee plastic tassen in haar handen gretig te inhaleren.

Een gesloten afdeling kan na een regeringsbesluit worden ingericht als een beveiligde afdeling, maar Saga weet dat de letter van de wet in de praktijk aan de instellingen alle ruimte geeft om naar eigen goeddunken te handelen.

Achter de gesloten deuren houden gewone wetten en rechten op. Echt toezicht op de patiënt is er niet en van follow-up is geen sprake. Zolang er niemand ontsnapt is het personeel koning over een eigen Hades.

82

Saga is nog steeds aan handen en voeten geboeid als ze door twee be-
wapende bewaarders door een lege gang geleid wordt. Ze lopen snel en
houden haar bovenarmen stevig vast.

Nu is het te laat om zich te bedenken – ze is onderweg naar Jurek
Walter.

Er zitten krassen in het textielbehang en de plinten zijn kaal. Op
de ivoorkleurige vloerbedekking staat een kartonnen doos met oude
schoenhoezen. De gesloten deuren die ze passeren hebben plastic
bordjes met cijfers.

Saga heeft pijn in haar maag gekregen en probeert te blijven staan,
maar ze wordt voortgeduwd.

'Doorlopen,' zegt een van de bewaarders.

De isoleerafdeling in het Löwenströmska-ziekenhuis heeft een zeer
hoge beveiligingsgraad, ver boven niveau één. Dat betekent dat het in
principe onmogelijk is er in of uit te breken. De isoleerkamers hebben
brandwerende, stalen deuren, ondoordringbare plafonds en muren
die zijn versterkt met 3,5 mm dikke stalen platen.

Een zwaar hek ratelt als het achter hen in het slot valt, waarna ze de
trap af lopen naar verdieping nul.

De bewaarder bij de veiligheidssluis neemt het bewaarzakje in ontvangst, kijkt in de papieren en voert Saga's gegevens in de computer in.
Aan de andere kant van de sluis staat een oudere man met een wapenstok aan zijn riem. Hij heeft grote brillenglazen en golvend haar. Saga
kijkt naar hem door het gekraste pantserglas.

De man met de wapenstok pakt Saga's papieren aan, neemt haar
even op en bladert dan verder.

Saga heeft zo'n maagpijn dat ze even zou moeten gaan liggen. Ze probeert rustig te ademen, maar krijgt zo'n pijnscheut dat ze dubbel klapt.

'Sta stil,' zegt de bewaarder neutraal.

Een jongere man in een doktersjas doemt op. Hij haalt een toegangs- pasje door de lezer, toetst een code in en komt naar buiten.

'Nou, mijn naam is Anders Rönn, ik ben hier de waarnemend chef- arts,' zegt hij zakelijk.

Na een fouillering volgt Saga de arts en de bewaarder met het gol- vende haar door de eerste deur van de sluis. Ze ruikt hun zweetlucht in de krappe ruimte. Dan wordt de tweede deur geopend.

Saga herkent elk detail op de afdeling van de plattegronden die ze zich heeft ingeprent.

Zwijgend gaan ze een hoek om naar de krappe bewakingsruimte met monitoren. Een vrouw met piercings in haar wangen zit achter de mo- nitoren van het alarmsysteem. Ze bloost als ze Saga ziet, maar begroet haar vriendelijk voordat ze haar blik neerslaat en iets in het dagrapport schrijft.

'My, wil je de voetboeien afdoen bij de patiënt?' vraagt de jonge arts.

De vrouw knikt, gaat op haar knieën zitten en ontsluit de boeien. Het haar op haar hoofd gaat overeind staan van de statische elektriciteit van Saga's kleren.

De jonge arts en de bewaarder vergezellen haar door de deur, wach- ten op het piepje en lopen dan door naar een van de drie deuren in de gang.

'Doe de deur open,' zegt hij tegen de man met de wapenstok.

De bewaarder haalt een sleutel tevoorschijn, doet de deur van het slot en verzoekt haar naar binnen te gaan en met haar rug naar de deur op het rode kruis op de vloer te gaan staan.

Ze doet wat hij zegt en hoort het mechanisme van het slot nogmaals reageren op de sleutel.

Recht voor haar zit nog een stalen deur, en ze weet dat die op slot zit en uitkomt in het dagverblijf.

De kamer is ingericht met uitsluitend oog voor beveiliging en func- tionaliteit. Het enige wat er staat is een bed dat bevestigd is aan de muur, een plastic stoel, een plastic tafel en een wc-pot zonder bril of deksel.

'Draai je om, maar blijf op het kruis staan.'

Ze doet wat haar gezegd wordt en ziet dat het luikje in de deur open is.

'Kom langzaam hierheen en steek je handen uit.'

Saga loopt naar de deur, brengt haar handen naar elkaar toe en steekt ze door de krappe opening. De boeien worden verwijderd en ze loopt achteruit bij de deur vandaan.

Ze gaat op het bed zitten terwijl de bewaarder haar informeert over de regels en procedures op de afdeling.

'Tussen één en vier uur is er gelegenheid om tv te kijken en met de andere patiënten om te gaan in het dagverblijf,' eindigt hij, en hij kijkt even naar haar voor hij het luikje sluit en vergrendelt.

Saga blijft zitten en bedenkt dat ze nu ter plaatse is, dat haar opdracht van start is gegaan. De ernst van het moment vibreert in haar maag-streek en verspreidt zich als een prikkelend gevoel in haar armen en be-nen. Ze weet dat ze een zwaarbewaakte patiënt in de beveiligde eenheid van het Löwenströmska-ziekenhuis is en ze weet dat seriemoordenaar Jurek Walter heel dichtbij is.

Ze kruipt in elkaar op haar zij, rolt dan op haar rug en kijkt recht in de bewakingscamera in het plafond. Hij heeft de vorm van een halve bol en is zwart en glanzend als het oog van een koe.

Het is lang geleden dat ze het microfoontje heeft ingeslikt en ze durft niet langer te wachten. Ze mag het niet in haar twaalfvingerige darm laten verdwijnen. Als ze naar de kraan loopt en water drinkt, komt de heftige maagpijn terug.

Saga ademt langzaam, zakt bij het afvoerputje op haar knieën, draait haar rug naar de camera en steekt twee vingers in haar keel. Ze braakt het water uit, duwt haar vingers verder naar binnen, kotst uiteindelijk de kleine capsule met de microfoon uit en verbergt deze snel in haar hand.

83

Nadat Saga Bauer in het Löwenströmska-ziekenhuis was gearriveerd, heeft de geheime onderzoeksgroep Athena Promachos twee uur lang naar haar maaggeluiden zitten luisteren.

'Als er nu toevallig iemand binnenkomt, dan denkt ie vast dat we een of andere spirituele sekte zijn,' zegt Corinne met een glimlachje.

'Het is best mooi,' vindt Johan Jönson.

'Ontspannend,' zegt Nathan glimlachend.

De hele groep zit met halfgesloten ogen naar de zacht borrelende, sissende geluiden te luisteren.

Plotseling klinkt er een gebrul waardoor de luidsprekers bijna opgeblazen worden. Dat is als Saga de microfoon uitbraakt. Johan Jönson stoot zijn colablikje om en Nathan Pollock begint te beven.

'Nu zijn we in elk geval wakker,' zegt Corinne lachend, en haar jaden armband rinkelt gezellig als ze met een wijsvinger over haar wenkbrauw strijkt.

'Ik bel Joona,' zegt Nathan.

'Goed.'

Corinne Meilleroux opent haar laptop en schrijft het tijdstip in het journaal. Corinne is vierenvijftig en van Frans-Caribische afkomst. Ze is slank en draagt altijd een op maat gemaakt tweedelig pakje met een zijden topje onder het jasje. Haar gezicht is ernstig, met geprononceerde jukbeenderen en smalle slapen. Het zwarte haar met grijze strengen draagt ze altijd opgestoken met een haarklem in de nek.

Corinne Meilleroux heeft twintig jaar bij Europol gewerkt en zeven jaar voor de Zweedse veiligheidsdienst in Stockholm.

*

Joona staat in de ziekenhuiskamer voor Mikael Kohler-Frost. Reidar zit op een stoel en houdt de hand van zijn zoon vast. Vier uur lang hebben de drie met elkaar gesproken en geprobeerd nieuwe details te vinden die informatie geven over de plaats waar Mikael samen met zijn zus gevangen werd gehouden.

Er is niets nieuws boven water gekomen en Mikael ziet er vermoeid uit.

'Je moet slapen,' zegt Joona.

'Nee,' antwoordt Mikael.

'Al is het maar even,' zegt de commissaris glimlachend, en hij zet de opname stop.

Mikaels ademhaling klinkt al zwaar en gelijkmatig als Joona de krant uit zijn jaszak haalt en hem voor Reidar op tafel legt.

'Ik weet dat je me gevraagd hebt het niet te doen,' zegt Reidar en hij kijkt Joona vastberaden aan. 'Maar hoe kan ik leven met mezelf als ik niet echt alles heb gedaan wat in mijn vermogen ligt?'

'Ik begrijp je wel,' knikt Joona. 'Maar het kan tot problemen leiden en daar moet je op voorbereid zijn.'

De door een computer bewerkte foto van hoe Felicia er nu waarschijnlijk uitziet, beslaat een hele pagina van de krant.

Een jonge vrouw die op Mikael lijkt, met hoge jukbeenderen en donkere ogen. Haar zwarte haar hangt verward langs haar bleke, ernstige gezicht.

Met grote letters staat er dat Reidar een beloning van twintig miljoen kronen uitlooft voor de tip die naar Felicia's verblijfplaats leidt.

'Er komen nu al bergen mails en telefoontjes binnen,' zegt Joona. 'We proberen alles na te trekken, maar... De meeste mensen bedoelen het vast goed, ze menen iets gezien te hebben, maar er zijn er ook een heleboel die gewoon rijk hopen te worden.'

Reidar vouwt de krant langzaam dicht, fluistert iets in zichzelf en kijkt dan op.

'Joona, ik doe alles, wat dan ook, ik... Mijn dochter heeft zo lang opgesloten gezeten en misschien sterft ze zonder dat...'

Zijn stem breekt en hij moet zijn gezicht een poosje afwenden.

'Heb jij kinderen?' vraagt hij bijna zonder stem.

Voordat Joona een leugen op kan dissen, gaat de telefoon in zijn jasje. Hij verontschuldigt zich, neemt op en hoort Nathans vriendelijke stem meedelen dat Athena Promachos verbonden is met de beveiligde eenheid.

84

Saga gaat op bed liggen met haar rug naar de camera in het plafond en pulkt behoedzaam het siliconen omhulsel van de fiberoptische microfoon. Met kleine bewegingen verbergt ze hem in haar broekband.

Plotseling zoemt de elektrische deur naar het dagverblijf – en dan klikt het slot. De deur is open. Saga gaat met bonzend hart overeind zitten.

De microfoon moet nu al op een goede plek worden geplaatst. Misschien krijgt ze maar één kans. Het is zaak die niet te missen. Bij een visitatie zal ze worden ontmaskerd.

Ze weet niet hoe het dagverblijf eruitziet, of de andere patiënten er zijn, of er camera's of bewaarders aanwezig zijn.

Misschien is de kamer alleen maar een val waar Jurek Walter haar opwacht.

Nee, hij kan niet op de hoogte zijn van haar opdracht.

Saga gooit de verpakkingsresten in de wc en trekt door, dan loopt ze naar de deur, trekt hem een stukje open en hoort een ritmisch bonzen, vrolijke stemmen van een tv en een zoevend, suizend geluid.

Ze herinnert zich het advies dat Joona haar gaf en dwingt zichzelf terug te keren naar het bed en te gaan zitten.

Niet te enthousiast, denkt ze. Doe niets als je geen concreet plan, geen echt doel hebt.

Door de kier van de deur hoort ze muziek van de tv, het gezoef van de loopband en de zware voetstappen.

Een man met een scherpe, gestreste stem zegt af en toe iets, maar hij krijgt geen antwoord.

Beide patiënten zijn in het dagverblijf.

Saga weet dat ze naar binnen moet om de microfoon te plaatsen.

Ze staat op, loopt naar de deur, blijft even staan en probeert langzaam te ademen.

De geur van aftershave slaat haar tegemoet.

Ze legt haar hand op de deurkruk, ademt in, opent de deur helemaal, hoort het ritmische bonzen nu duidelijker en zet met gebogen hoofd een paar passen in het dagverblijf. Ze weet niet of ze geobserveerd wordt, maar zo geeft ze hun de gelegenheid aan haar te wennen voordat ze haar ogen opslaat.

Een persoon met een verband om zijn hand zit op de bank voor de tv en een ander loopt met grote passen op de loopband. De man op de loopband staat van haar afgewend, en hoewel ze alleen zijn rug en nek ziet weet ze zeker dat het Jurek Walter is.

Hij loopt met zware stappen en het geluid van het ritmische gebons vult de hele ruimte.

De man op de bank boert en slikt een paar keer, veegt het zweet van zijn wangen en begint gestrest met zijn ene been te stuiteren. Hij is dik, in de veertig, kalend, heeft een blonde snor en een bril.

'Obrahiim,' mompelt hij met zijn blik op de tv.

Hij stuitert met zijn been en wijst opeens naar het beeld.

'Daar is hij,' zegt hij in het wilde weg. 'Ik zou hem tot mijn slaaf maken, mijn skeletslaaf. Godallemachtig... moet je die lippen zien... ik zou...'

Hij zwijgt abrupt als Saga dwars door de kamer loopt, in een hoek gaat staan en naar de tv kijkt. Het is een herhaling van het EK kunstrijden in Sheffield. Geluid en beeld zijn slecht vanwege het pantserglas. Ze merkt dat de man op de bank haar zit op te nemen, maar ze kijkt niet terug.

'Ik zou hem eerst afranselen,' gaat hij door tegen Saga. 'Hem echt bang maken, als een hoer... godallemachtig...'

Hij hoest, leunt achterover, sluit zijn ogen alsof hij pijn laat wegtrekken, tast met zijn hand over zijn hals en blijft dan hijgend liggen.

Jurek Walter blijft met grote passen op de loopband lopen. Hij ziet er groter en sterker uit dan ze had verwacht. In een pot naast de loopband staat een kunstpalm en de stoffige bladeren dansen mee met het gebons.

Saga kijkt om zich heen om een plek voor de microfoon te vinden, liefst zo ver mogelijk bij de tv vandaan, zodat het afluisteren niet bemoeilijkt wordt door andere stemmen. Achter de bank zou logisch zijn, maar ze kan zich moeilijk voorstellen dat Jurek Walter vaak tv kijkt.

De man op de bank probeert op te staan, maar moet bijna overgeven van inspanning, hij kromt zijn handen voor zijn mond en slikt meerdere malen, waarna hij zijn blik weer op de tv richt.

'Begin met de benen,' zegt hij. 'Snij alles af, vil hem, spieren, pezen... zijn voeten kunnen blijven zitten zodat hij geruisloos kan lopen...'

85

Jurek Walter stopt de loopband en verlaat de ruimte zonder ook maar één keer in hun richting te hebben gekeken. De andere patiënt staat langzaam op.

'Je voelt je klote van de Zyprexa... en Stemetil, werkt niet bij mij, ik word helemaal rot vanbinnen...'

Saga blijft even staan, haar blik gericht op de tv, ze ziet de kunstrijder vaart maken en hoort de scherpe ijzers over het ijs. Ze voelt de starende ogen van de andere patiënt als hij langzaam dichterbij komt.

'Ik heet Bernie Larsson,' zegt hij op intieme toon. 'Ze denken dat ik niet kan neuken met al die rottige Suprefact in mijn lijf, maar ze hebben geen flauw benul...'

Hij drukt zijn wijsvinger hard in haar gezicht, maar ze blijft met bonzend hart staan.

'Ze hebben geen flauw benul,' zegt hij weer. 'Het zijn zulke achterlijke idioten...'

Hij zwijgt, wankelt opzij en krijgt luidruchtige oprispingen. Saga bedenkt dat ze de microfoon misschien in de plastic palm naast de loopband kan plakken.

'Hoe heet je?' fluistert Bernie hijgend.

Ze geeft geen antwoord, staat met neergeslagen ogen naast de tv en beseft dat ze niet veel tijd meer heeft. Bernie verdwijnt achter haar rug en is dan snel terug met zijn hand en knijpt hard in haar tepel. Ze duwt zijn hand weg en voelt woede opborrelen.

'Sneeuwwitje,' zegt hij glimlachend, met bezweet gezicht. 'Wat is er met je? Mag ik aan je hoofd voelen? Het ziet er zo verrekte glad uit. Als een geschoren kut...'

Voor zover ze iets van Jurek Walter heeft gezien, interesseert hij zich voor de loopband in het dagverblijf. Hij heeft er minstens een uur op gelopen en keerde daarna rechtstreeks terug naar zijn kamer.

Saga loopt zonder haast naar de loopband en stapt erop. Bernie volgt haar, bijt op een nagel en krijgt een scherp stuk los. Druppels zweet vallen van zijn gezicht op het vuile zeil.

'Scheer je je kut? Dat moet wel, hoor.'

Saga heft haar gezicht op en kijkt hem scherp aan. Zijn oogleden zijn zwaar, zijn blik lijkt gedrogeerd, onder de blonde snor gaat het litteken van een hazenlip schuil.

'Je raakt me nooit meer aan,' antwoordt ze.

'Ik kan je doodslaan,' zegt hij en hij krast met de scherpe nagel in haar hals.

Ze voelt aan de schrijnende wond als een felle stem uit de luidspreker klinkt: 'Bernie Larsson achteruit.'

Hij probeert haar tussen de benen te grijpen als de deur geopend wordt en een bewaarder met een wapenstok binnenkomt. Bernie doet een paar passen bij Saga vandaan en steekt zijn handen met een berustend gebaar in de lucht.

'Handen thuis,' zegt de bewaarder streng.

'Jezus, oké, weet ik toch.'

Bernie tast vermoeid met zijn hand over de leuning van de bank, gaat zwaar zitten, doet zijn ogen dicht en boert.

Saga stapt van de loopband en richt zich tot de bewaarder.

'Ik wil een advocaat spreken,' zegt ze.

'Jij blijft staan,' zegt de bewaarder met een korte blik op Saga.

'Kan je dat doorgeven?'

Zonder te antwoorden loopt de bewaarder naar de deursluis en wordt uit het dagverblijf gelaten. Het leek alsof ze niets had gezegd, alsof haar woorden in de lucht bleven hangen en nooit aankwamen.

Saga draait weg en nadert langzaam de plastic palmboom. Ze gaat er vlakbij op de rand van de loopband zitten en bekijkt een van de onderste bladeren. De onderkant is nauwelijks stoffig en de plakzijde van de microfoon hecht in vier seconden.

Bernie staart naar het plafond, likt zijn lippen en sluit zijn ogen weer. Saga houdt hem in de gaten en laat tegelijkertijd een vinger in haar broekband glijden, pakt de microfoon en verbergt hem in haar hand.

Ze wurmt haar ene schoen uit, leunt naar voren om het lipje goed te doen en slaagt er zo in het zicht van de camera te belemmeren. Ze gaat een beetje verzitten, en reikt naar het blad om de microfoon te bevestigen als de bank kraakt.

'Ik kijk naar je, Sneeuwwitje,' zegt Bernie met vermoeide stem.

Rustig trekt ze haar hand terug, steekt haar voet in de schoen en ziet dat Bernie haar zit op te nemen terwijl ze de klittenbandsluiting weer dichtdoet.

86

Saga loopt op de loopband, beseft dat ze moet wachten tot hij naar zijn kamer gaat voor ze de microfoon kan bevestigen. Bernie staat op van de bank, doet een paar passen in haar richting en steunt met zijn hand tegen de muur.

'Ik kom uit Säter,' fluistert hij glimlachend.

Ze kijkt niet naar hem, maar merkt dat hij dichterbij komt. Zweet drupt van zijn gezicht op de vloer.

'Waar zat jij voor je hierheen kwam?' vraagt hij.

Hij wacht even en slaat dan meerdere keren hard met zijn vuist tegen de muur, waarna hij haar weer aankijkt.

'In Karsudden,' antwoordt hij zelf met een piepstemmetje. 'Ik zat in Karsudden, maar ben hierheen verhuisd omdat ik samen met Bernie wil zijn...'

Saga draait weg en ziet nog net een donkere glimp achter de derde deur. Een schaduw die zich terugtrok. Ze begrijpt dat Jurek Walter naar hen staat te luisteren.

'Dan moet je Jekaterina Ståhl daar tegengekomen zijn,' zegt Bernie met zijn gewone stem.

Ze schudt haar hoofd, herinnert zich niemand met die naam, weet niet eens of hij het over een patiënt of een bewaarder heeft.

'Nee,' antwoordt ze eerlijk.

'Want ze zat in Sankt Sigfrids,' zegt hij glimlachend en hij spuugt op de grond. 'Wie ben je dan tegengekomen?'

'Niemand.'

Hij mompelt iets over skeletslaven, gaat voor de lopende band staan en kijkt naar haar.

'Ik mag aan je kut voelen als je liegt,' zegt hij en hij krabt in zijn blonde snor. 'Wil je dat?'

Ze zet de band uit, staat even stil en bedenkt dat ze zich aan de waarheid moet houden, ze is in Karsudden geweest.

'En Micke Lund dan. Je moet Micke Lund hebben gezien als je daar zat,' zegt hij met een plotse glimlach. 'Een lange gozer, een meter negentig... met een litteken op zijn voorhoofd.'

Ze knikt, weet niet wat ze moet zeggen, bedenkt dat ze hem moet laten kletsen, maar geeft toch antwoord.

'Nee.'

'Jezus, wat raar.'

'Ik zat tv te kijken op mijn kamer.'

'Daar heb je geen tv op je kamer – jezus, wat sta jij te liegen, je bent een vuile...'

'In de isoleer wel,' kapt ze hem af.

Hij ademt hijgend en blijft haar glimlachend aanstaren. Ze weet niet of hij dat wist, want hij likt aan zijn lippen en komt dichterbij.

'Jij bent mijn slaaf,' gaat hij langzaam verder. 'Jezus, wat een lol... je ligt mijn tenen te likken...'

Saga stapt van de loopband af en loopt terug naar haar cel. Ze gaat op bed liggen en hoort dat Bernie even bij haar deur blijft staan en haar roept voor hij weer op de bank gaat zitten.

'Godsamme,' fluistert ze.

Morgen moet ze maken dat ze snel uit haar cel komt, op de rand van de loopband gaan zitten, haar schoen goed doen en de microfoon bevestigen. Ze zal met grote passen op de loopband lopen, iedereen negeren en als Jurek Walter komt, dan stapt ze gewoon van de band af en verlaat ze het dagverblijf.

Saga denkt aan de bank en het uitspringende gedeelte van de muur bij het pantserglas voor de tv. De camera heeft waarschijnlijk geen zicht in lijn met dat gedeelte. Ze moet goed uitkijken voor die blinde hoek. Daar stond ze toen Bernie in haar tepel kneep. Daarom reageerde het personeel niet.

Ze is pas vijf uur op de beveiligde eenheid in het Löwenströmskaziekenhuis en nu al compleet uitgeput.

De kamer met de metalen wanden voelt krapper. Ze sluit haar ogen en denkt aan de reden waarom ze hier is. Ze ziet het meisje op de foto voor zich. Het is allemaal voor haar, voor Felicia.

87

De Athena-groep zat doodstil de opname vanuit het dagverblijf in real-time te beluisteren. Het geluid was slecht, werd gedempt en gestoord door een luid geschraap.

'Blijft het de hele tijd zo?' vraagt Nathan.

'Ze heeft de microfoon nog niet geplaatst. Misschien heeft ze hem in haar zak,' antwoordt Johan Jönson.

'Als ze maar geen visitatie krijgt.'

Ze luisteren opnieuw naar de opname. Het geschraap van Saga's broekband, haar lichte ademhaling klinkt samen met het gebons van loopband en het geklets van de tv. Net als blinden wordt de Athena-groep uitsluitend met behulp van hun gehoor de wereld van de gesloten afdeling binnengeleid.

'Obrahiim,' horen ze een slappe stem plotseling zeggen.

De hele groep is ineens heel erg geconcentreerd. Johan Jönson zet het volume iets hoger en voegt een filter toe om de ruis te verminderen.

'Daar is hij,' gaat de man door. 'Ik zou hem tot mijn slaaf maken, mijn skeletslaaf.'

'Ik dacht eerst dat het Walter was,' zegt Corinne glimlachend.

'Godallemachtig,' gaat de stem verder. 'Moet je die lippen zien... ik zou...'

Zwijgend luisteren ze naar de agressieve woordenstroom van de andere patiënt en ze horen iemand van het personeel uiteindelijk naar binnen gaan om in te breken in de situatie. Na het ingrijpen is het even stil. Dan begint de patiënt Saga uit te horen over Karsudden, op een indringende en wantrouwige manier.

'Ze redt zich prima,' zegt Nathan verbeten.

Ze horen Saga het dagverblijf ten slotte verlaten zonder dat ze erin geslaagd is de microfoon te plaatsen.

Ze vloekt zachtjes in zichzelf.

Het is volkomen stil om haar heen, tot het elektrische slot van de deur begint te zoemen.

'We kunnen in elk geval constateren dat de techniek werkt,' zegt Nathan.

'Arme Saga,' fluistert Corinne.

'Ze had die microfoon moeten plaatsen,' foetert Johan Jönson.

'Het was vast onmogelijk.'

'Maar als ze wordt ontmaskerd, dan is het...'

'Dat wordt ze niet,' valt Corinne hem in de rede.

Ze glimlacht en slaat haar armen uit, zodat de aangename geur van haar parfum zich door de kamer verspreidt.

'Geen Walter tot nu toe,' zegt Nathan en hij kijkt Joona kort aan.

'Stel dat ze hem volledig geïsoleerd houden, dan is alles voor niets,' zucht Johan Jönson.

Joona zegt niets, maar hij heeft het idee dat er iets werd overgebracht via de geluidsopname. Gedurende enkele minuten was het alsof hij een bijna fysieke aanwezigheid van Walter gewaarwerd. Alsof Walter in het dagverblijf was, al zei hij niets.

'We luisteren nog een keer,' zegt hij en hij kijkt op zijn horloge.

'Moet je ergens heen?' vraagt Corinne, en ze trekt haar dichte, zwarte wenkbrauwen op.

'Ik heb een afspraak,' zegt Joona terwijl hij haar glimlach beantwoordt.

'Eindelijk een beetje romantiek...'

88

Joona loopt een witgekalkte zaal in met een brede wasbak aan de muur. Het water stroomt uit een oranje slang de afvoerput in de vloer in. Op een lange sectietafel met plastic hoes ligt het lijk uit de jachthut in Dalarna. De bruine, ingevallen borstkas is opengezaagd en gele vloeistof stroomt langzaam in de roestvrijstalen goot.

'Tra la la la laa – we'd catch the rainbow,' zingt de Naald in zichzelf. 'Tra la la la laa – to the sun...'

Hij trekt een stel latex handschoenen tevoorschijn en blaast erin, als hij Joona in de deuropening ziet staan.

'Jullie kunnen wel een band beginnen hier,' zegt Joona glimlachend.

'Frippe is een geweldig goeie bassist,' antwoordt de Naald.

Het licht van de felle lampen in het plafond weerkaatst in zijn pilotenbril. Hij draagt een wit poloshirt onder zijn doktersjas.

In de gang klinken ritselende voetstappen en even later komt Carlos Eliasson binnen met lichtblauwe schoenhoezen aan zijn voeten.

'Hebben jullie de dode al weten te identificeren?' vraagt hij, en hij blijft abrupt staan als hij het lijk op de tafel ziet.

Door de verhoogde randen van de sectietafel ziet deze eruit als een aanrechtblad waar een gedroogd stuk vlees of een zwarte, vreemdsoortige wortel op ligt. Het lijk is ingedroogd en vervormd en het afgevallen hoofd is boven de hals geplaatst.

'Dit is zonder twijfel Jeremy Magnusson,' antwoordt de Naald. 'Onze forensisch odontoloog – die trouwens gitaar speelt – heeft de orale karakteristieken vergeleken met de tandkaart.'

De Naald buigt naar voren, neemt het hoofd in zijn handen en opent het zwarte, rimpelige gat dat de mond van Jeremy Magnusson is.

'Hij had een niet doorgekomen verstandskies en...'

'Alsjeblieft,' zegt Carlos met het zweet op zijn voorhoofd. 'Ik ben ervan overtuigd dat jullie gitarist gelijk heeft...'

'Het gehemelte is verdwenen,' zegt de Naald, en hij dwingt de kaak van de schedel nog een stukje verder open. 'Maar als je met je vinger voelt, dan...'

'Heel spannend allemaal,' valt Carlos hem in de rede en hij kijkt op zijn horloge. 'Hebben jullie enig idee hoe lang hij daar heeft gehangen?'

'Het indrogen is enigszins vertraagd door de lage temperaturen,' antwoordt de Naald. 'Maar als je hier naar de ogen kijkt, dan is het bindvlies snel ingedroogd, behalve vlak onder de oogleden. De perkamentachtige consistentie van de huid is overal dezelfde, behalve rond de hals waar de strop zat.'

'Maar ongeveer,' zegt Carlos.

'De postmortale verandering is immers een kalender, een soort leven van de dode, een proces in het lichaam na de dood... En ik zou erop inzetten dat Jeremy Magnusson zich zo'n...'

'Dertien jaar, één maand en vijf dagen geleden heeft verhangen,' zegt Joona.

'Goeie gok,' knikt de Naald.

'Ik heb net een scan van de afscheidsbrief ontvangen van de TR,' zegt Joona en hij haalt zijn telefoon tevoorschijn.

'Zelfmoord,' weet Carlos eruit te persen.

'Alles wijst in die richting, ook al is het qua tijdstip heel goed mogelijk dat Jurek Walter daar geweest is,' antwoordt de Naald.

'Jeremy Magnusson stond op de lijst van Walters meest waarschijnlijke slachtoffers,' zegt Carlos langzaam. 'En nu kunnen we zijn dood afschrijven als zelfmoord...'

Iets ongrijpbaars fladdert door Joona's gedachten. Alsof er een associatie in het gesprek huist waar hij de vinger niet op weet te leggen.

'Wat schreef hij in de brief?' vraagt Carlos.

'Hij heeft zich slechts drie weken voor Samuel en ik zijn dochter Agneta in het Lill-Jansskogen hebben gevonden verhangen,' zegt Joona en hij zoekt naar de scan met de gedateerde afscheidsbrief.

Ik weet niet waarom ik alles kwijt ben geraakt, mijn kinderen, mijn kleinkind en mijn vrouw.
Ik ben als Job, maar voor mij was er geen genade.
Ik heb gewacht en aan dat wachten moet een einde komen.

Hij heeft zich van het leven beroofd in de overtuiging dat iedereen van wie hij ooit had gehouden hem ontnomen was. Als hij de eenzaamheid nog iets langer had weten te verdragen dan had hij zijn dochter terug-gekregen. Agneta Magnusson heeft nog jaren geleefd voor haar hart er uiteindelijk mee ophield. Ze lag onder permanent toezicht op een ver-pleegafdeling in het Huddinge-ziekenhuis.

89

Reidar Frost heeft eten besteld bij het Noodle House en het laten bezorgen in de hal van het Söder-ziekenhuis. De damp slaat af van de dumplings met gehakt en koriander, naar gember geurende loempia's, rijstnoedels met gehakte groente en chili, gefrituurde varkenshaaspuntjes en kippensoep.

Omdat hij niet meer weet wat Mikael lekker vindt, heeft hij acht verschillende gerechten genomen.

Op het moment dat hij uit de lift stapt en de gang in loopt, gaat zijn telefoon.

Reidar zet de tassen neer, ziet dat het een geheim nummer is en neemt snel op: 'Reidar Frost.'

Het blijft stil in zijn mobiel en dan hoort hij een krakend geluid.

'Met wie spreek ik?' vraagt hij.

Iemand kreunt op de achtergrond.

'Hallo?'

Hij staat op het punt de verbinding te verbreken als er iemand fluistert: 'Papa?'

'Hallo,' herhaalt hij. 'Met wie spreek ik?'

'Papa, met mij,' fluistert een vreemde, lichte stem. 'Met Felicia.'

De grond draait onder Reidars voeten.

'Felicia?'

De stem is amper nog te horen.

'Papa... ik ben zo bang, papa...'

'Waar ben je? Alsjeblieft, meisje...'

Plotseling klinkt er gegiechel en hij begint over zijn hele lichaam te rillen.

'Papaatje, geef me twintig miljoen...'

Nu is het duidelijk dat het een man is die zijn stem verdraait en probeert hem hoog te laten klinken.

'Geef me twintig miljoen kronen, dan kruip ik bij je op schoot en...'

'Weet je iets over mijn dochter?' vraagt Reidar.

'Je bent zo'n ongelofelijk slechte schrijver, om te kotsen gewoon.'

'Ja, dat is zo... maar als je iets weet over...'

De verbinding wordt verbroken en Reidars handen beven zo dat het hem niet lukt het nummer van de politie te vinden. Hij probeert zich te herpakken, beseft dat hij moet bellen om het gesprek te melden, ook al zal het nergens toe leiden, en ook al zullen ze vinden dat hij het aan zichzelf te wijten heeft.

90

Anders Rönn blijft in het ziekenhuis, ook al is het inmiddels avond. Hij wil de derde patiënt, de jonge vrouw, observeren.

Ze komt rechtstreeks uit het Karsuddens-ziekenhuis en er zijn geen tekenen dat ze met het personeel wil communiceren. Haar medicatie is aan de voorzichtige kant, gezien het forensisch psychiatrisch rapport.

Leif is na zijn dagdienst naar huis gegaan en een stevige vrouw, die Pia Madsen heet, heeft avonddienst. Ze zegt niet veel, zit vooral thrillers te lezen en te gapen.

Anders betrapt zichzelf erop dat zijn blik op het scherm weer bij de nieuwe patiënt is blijven hangen.

Ze is ontstellend mooi. Eerder die dag had hij zo naar haar zitten staren dat hij er droge ogen van gekregen had.

Ze wordt als gewelddadig en vluchtgevaarlijk aangemerkt, en de misdrijven waarvoor ze is veroordeeld zijn gruwelijk.

Nu Anders haar zit op te nemen kan hij niet geloven dat het waar is wat er geschreven staat, maar hij beseft dat het toch zo is.

Ze is tenger als een balletdanseres en de kaalgeschoren schedel geeft haar een kwetsbare uitstraling.

Misschien kwam het door haar schoonheid dat ze haar in het Karsuddens-ziekenhuis alleen maar Trilafon en Stesolid gaven.

Na de vergadering met de ziekenhuisleiding heeft Anders min of meer de bevoegdheden van de chef-arts overgenomen in de beveiligde eenheid.

Voorlopig beslist hij over de patiënten.

Hij heeft overlegd met dokter Maria Gomez van afdeling 30. Normaal gesproken wacht men af tijdens de observatieperiode, maar hij zou nu al naar binnen kunnen gaan om haar intramusculair Haldol toe te dienen. Die gedachte bezorgt hem de kriebels, hij raakt vervuld van een intense en vreemde verwachting.

Pia Madsen komt terug van de wc. Haar oogleden zijn halfgesloten. Een lang stuk wc-papier is onder haar schoen blijven kleven en kronkelt achter haar aan. Sloffend en met een futloos gezicht komt ze door de gang dichterbij.

'Ik ben helemaal niet moe, hoor,' lacht ze en ze kijkt hem even aan.

Ze trekt het wc-papier van haar schoen, gooit het in de prullenbak, en gaat naast hem op haar plaats achter de monitor zitten en kijkt op haar horloge.

'Wil je een slaapliedje voor ze zingen?' vraagt ze voordat ze via de computer het licht in de kamers van de patiënten uitdoet.

Het beeld van de drie patiënten blijft nog even op Anders' netvlies hangen. Vlak voordat alles donker werd lag Jurek al op zijn rug in bed, Bernie zat op de grond met zijn verbonden hand tegen zijn borst gedrukt en Saga zat op de rand van het bed en zag er even meedogenloos als kwetsbaar uit.

'Het is al bijna familie,' gaapt Pia en ze slaat haar boek open.

91

Om negen uur doet het personeel de plafondlamp uit. Saga zit op de rand van het bed. De microfoon zit weer in haar broekband. Het is het veiligst om hem bij zich te hebben tot ze hem heeft geplaatst. Zonder microfoon is de hele opdracht zinloos. Ze wacht en na een tijdje ziet ze een zwevende grijze rechthoek in de duisternis. Dat is de dikke glazen ruit in de deur. Weer even later zijn de vormen van de kamer zichtbaar als in een mistig landschap. Saga staat op en loopt naar de donkerste hoek, gaat op de koude vloer liggen en begint sit-ups te doen. Na drie-honderd rolt ze op haar buik, strekt haar buikspieren voorzichtig en begint zich op te drukken.

Plotseling bekruipt haar het gevoel dat ze bekeken wordt. Er is iets veranderd. Ze stopt en kijkt omhoog. De ruit in de deur is donkerder, afgeschermd. Snel steekt ze haar vingers in haar broekband, haalt de microfoon eruit, maar laat hem per ongeluk vallen.

Ze hoort stappen, bewegingen en een metalig schrapen langs de deur.

Vlug veegt ze met haar handen over de grond, vindt de microfoon en stopt hem in haar mond op het moment dat de plafondlamp aangaat.

'Naar het kruis,' zegt een vrouw streng.

Saga zit nog steeds op handen en knieën met de microfoon in haar mond. Langzaam staat ze op terwijl ze speeksel in haar mond probeert te verzamelen.

'Opschieten nu.'

Talmend loopt ze naar het kruis, kijkt op naar het plafond en weer naar de grond. Op het kruis blijft ze staan, nonchalant draait ze haar rug naar de deur, heft haar blik naar het plafond en slikt. Haar keel schrijnt enorm als de microfoon langzaam omlaag glijdt.

'We hebben elkaar eerder ontmoet,' zegt een man met een lijzige stem. 'Ik ben de chef-arts hier en ben verantwoordelijk voor je medicatie.'

'Ik wil een advocaat spreken,' zegt Saga.

'Trek je bovenkleding uit en kom langzaam naar de deur,' zegt de eerste stem.

Ze trekt haar bloes uit, laat hem op de grond vallen, draait zich om en loopt in haar verwassen beha naar de deur.

'Blijf staan en laat je beide handen zien, draai je armen om en doe je mond wijd open.'

Het metalen luik gaat open en ze steekt haar hand uit om het bekertje met tabletten aan te pakken.

'Ik heb je medicatie trouwens aangepast,' zegt de chef-arts met slappe stem.

Als ze ziet dat de arts een injectiespuit met een melkwitte emulsie klaarmaakt, beseft Saga plotseling wat het betekent om in de macht van deze mensen te zijn.

'Steek je linkerarm door het luik,' zegt de vrouw.

Ze begrijpt dat ze niet kan weigeren, maar haar hartslag loopt op als ze gehoorzaamt. Een hand grijpt haar arm beet en de arts tast met zijn duim over de spier. Het paniekerige gevoel zich vrij te willen worstelen borrelt in haar op.

'Je hebt tot nu toe Trilafon gekregen, heb ik begrepen,' zegt de arts en hij werpt een blik op haar die ze niet kan plaatsen. 'Acht milligram, drie keer per dag, maar ik ben van plan te proberen...'

'Ik wil niet,' zegt ze.

Ze probeert haar arm terug te trekken, maar de bewaarder houdt hem stevig vast, ze zou hem kunnen breken. De bewaarder is zwaar en buigt haar arm naar de grond, waardoor Saga op haar tenen moet gaan staan.

Saga probeert rustig te ademen. Wat willen ze haar geven? Er hangt een troebele druppel aan de punt van de naald. Ze probeert haar arm weer naar zich toe te trekken. Een vinger streelt de dunne huid over de spier. Ze voelt een prik en de naald glijdt naar binnen. Ze kan haar arm niet bewegen. Er verspreidt zich een koud gevoel door haar lichaam. Ze ziet de hand van de arts de naald terugtrekken en een gaasje stopt het bloeden. Dan laten ze haar los. Ze trekt haar arm terug, loopt achterwaarts bij de deur weg en ziet vaag de gestalten door het glas.

'Ga nu op je bed zitten,' zegt de bewaarder met harde stem.

De prik schrijnt alsof ze zich aan de naald heeft gebrand. Een vermoeidheid vult haar lichaam. Ze heeft de puf niet om haar bloes op te rapen, wankelt en doet een stap in de richting van het bed.

'Je hebt Stesolid gekregen om te ontspannen,' vertelt de arts.

De kamer schommelt, ze zoekt naar steun, maar komt niet met haar hand bij de muur.

'Verdomme,' hijgt Sara.

De vermoeidheid golft door haar heen en op het moment dat ze bedenkt dat ze snel op het bed moet gaan liggen, zakken haar benen onder haar weg. Ze valt ongecontroleerd en klapt tegen de grond, de stoot gaat door haar lichaam heen en ze verrekt haar nek.

'Zo dadelijk kom ik binnen,' gaat de arts verder. 'Het lijkt me een goed idee als we een antipsychoticum proberen dat soms heel goed werkt. Het heet Haldol Depot.'

'Ik wil niet,' zegt ze zacht en ze probeert op haar zij te rollen.

Ze opent haar ogen en vecht om de duizeligheid de baas te worden. Haar heup doet pijn van de val. Vanaf haar voeten stijgt er een prikkende golf omhoog die haar steeds verder verdooft. Ze probeert op te staan, maar het lukt niet. Haar gedachten worden trager. Ze probeert het weer, maar heeft geen enkele kracht.

92

Haar oogleden zijn zwaar, maar ze dwingt zichzelf te kijken. Het licht van de plafondlamp is wonderlijk mistig. De stalen deur gaat open en er komt een man in witte jas binnen. Het is de jonge arts. Hij houdt iets in zijn slanke handen. De deur gaat ratelend achter hem dicht. Ze knippert met haar droge ogen en ziet dat de arts twee ampullen met gele olie op tafel zet. Voorzichtig maakt hij de plastic verpakking van een injectienaald open. Saga probeert onder het bed te kruipen, maar het gaat te langzaam. De arts krijgt haar enkel te pakken en trekt haar eronder vandaan. Ze probeert zich vast te houden en rolt op haar rug. Haar beha schuift omhoog en ontbloot haar borsten als hij haar de kamer in trekt.

'Je ziet eruit als een prinses,' hoort ze hem fluisteren.

'Wat?'

Ze kijkt op en ziet zijn kleffe blik, probeert haar borsten te bedekken, maar haar handen zijn te zwak.

Ze sluit haar ogen weer, ligt stil en wacht.

Plotseling rolt de arts haar op haar buik. Hij trekt haar broek en slipje omlaag. Ze zakt weg en wordt wakker van een prik boven in haar rechterbil, gevolgd door een prik wat verder omlaag.

Saga wordt in het donker wakker op de koude vloer en merkt dat er een deken over haar heen ligt. Haar hoofd doet pijn en ze heeft nauwelijks gevoel in haar handen. Ze gaat rechtop zitten, trekt haar beha goed en herinnert zich dan de microfoon in haar maag.

Er is haast bij.

Misschien heeft ze al uren geslapen.

Ze kruipt naar het afvoerputje, duwt twee vingers in haar keel en braakt zure maagsappen op. Ze slikt hard en probeert het weer, haar maag trekt samen, maar er komt niets omhoog.

'God...'

Ze moet de microfoon morgen hebben om hem in het dagverblijf te plaatsen. Hij mag niet in haar twaalfvingerige darm verdwijnen. Ze komt op trillende benen overeind en drinkt water uit het kraantje boven de wastafel, gaat dan weer op haar knieën zitten, leunt voorover en stopt twee vingers in haar keel. Het water golft omhoog, maar ze houdt haar vingers in haar keel. De dunne maaginhoud loopt langs haar onderarm. Ze ademt hijgend, drukt haar vingers dieper naar binnen, en wekt de braakreflex weer op. Er komt gal omhoog en haar mond raakt vervuld van de bittere smaak. Ze hoest en drukt haar vingers naar binnen en dan voelt ze eindelijk de microfoon omhoog gestoten worden haar keel in en haar mond uit. Ze vangt hem op in haar hand en verbergt hem, hoewel het donker is in de kamer, staat op, spoelt hem af onder de kraan en verstopt hem opnieuw in haar broekband. Ze spuugt gal en slijm uit, spoelt haar mond en haar gezicht, spuugt weer, drinkt wat water en gaat terug naar het bed.

Haar voeten en vingertoppen zijn ijskoud en verdoofd. Haar tenen tintelen. Als Saga in het bed gaat liggen en haar broek goed trekt, merkt ze dat haar slipje binnenstebuiten zit. Ze weet niet of ze het zelf verkeerdom heeft aangetrokken, of dat er iets anders is gebeurd. Ze kruipt onder de deken, laat haar hand voorzichtig omlaaggaan en voelt tussen haar benen. Haar geslacht is niet pijnlijk of verwond, maar voelt wonderlijk verdoofd.

93

Mikael Kohler-Frost zit aan een tafeltje in de eetzaal op de afdeling. Hij houdt een hand om de warme theekop en praat met Magdalena Ronander van de rijksrecherche. Reidar heeft de rust niet om te gaan zitten, maar hij blijft even bij de deur naar zijn zoon staan kijken voordat hij naar de centrale hal beneden gaat om Veronica Klimt op te halen.

Magdalena glimlacht naar Mikael en legt dan het uitvoerige verslag van de verhoren op tafel. Het bestaat uit vier ingebonden stapels papier. Ze bladert naar het gemarkeerde gedeelte en vraagt of hij klaar is om verder te gaan.

'Ik heb toch alleen de binnenkant van de capsule maar gezien,' zegt Mikael voor de zoveelste keer.

'Kun je de deur nog eens beschrijven?' vraagt ze.

'Die is van metaal en helemaal glad... in het begin kon je er schilfertjes verf af pulken met je nagels... hij heeft geen sleutelgat, geen klink...'

'Wat voor kleur?'

'Grijs...'

'Er is ook een luik dat...'

Ze breekt haar zin af als ze ziet dat hij vlug tranen van zijn wangen veegt en zijn gezicht afwendt.

'Ik kan het niet tegen papa zeggen,' zegt hij met trillende lippen. 'Maar als Felicia niet terugkomt...'

Magdalena staat op, loopt om de tafel heen en houdt hem vast terwijl ze herhaalt dat het goed zal komen.

'Ik weet het zeker,' fluistert hij. 'Dan maak ik mezelf dood.'

*

Reidar Frost is het ziekenhuis nauwelijks uit geweest sinds Mikael terug is. Hij heeft een kamer op dezelfde etage van het ziekenhuis gehuurd om continu bij zijn zoon te kunnen zijn.

Hoewel Reidar weet dat het geen zin heeft, moet hij zichzelf dwingen niet weg te rennen om naar Felicia te zoeken. Hij laat elke dag een advertentie in alle grote kranten zetten waarin hij smeekt om tips en beloningen uitlooft. Hij heeft een team van de beste privédetectives ingeschakeld om haar te zoeken, maar het gemis vreet aan hem, bezorgt hem slapeloze nachten, dwingt hem om uur na uur door de gangen te ijsberen.

Het enige wat hem heeft gekalmeerd is dat hij Mikael van dag tot dag gezonder en sterker ziet worden. Commissaris Joona Linna zegt dat hij van onschatbare hulp is door bij zijn zoon te blijven, hem in zijn eigen tempo te laten vertellen, te luisteren en elke herinnering, elk detail op te schrijven.

Als Reidar de centrale hal in komt, staat Veronica al binnen de glazen deuren naar de besneeuwde parkeerplaats op hem te wachten.

'Is het niet te vroeg om Micke naar huis te sturen?' vraagt ze terwijl ze hem de tassen geeft.

'Ze zeggen dat het goed gaat,' glimlacht Reidar.

'Ik heb een spijkerbroek en wat soepeler broeken gekocht, overhemden, T-shirts, een dikke trui en nog wat dingen...'

'Hoe ziet het er thuis uit?' vraagt Reidar.

'Veel sneeuw,' lacht Veronica, waarna ze vertelt dat de laatste gasten het landhuis hebben verlaten.

'Mijn kompanen ook?' vraagt Reidar.

'Nee, die zijn er nog, maar... je zult het allemaal wel zien.'

'Wat?'

Veronica schudt glimlachend haar hoofd.

'Ik heb tegen Berzelius gezegd dat ze hier niet naartoe mogen komen, maar ze willen Mikael heel graag ontmoeten,' antwoordt ze.

'Ga je mee?' vraagt Reidar. Hij glimlacht en trekt haar kraag recht.

'Een andere keer,' antwoordt Veronica en ze kijkt hem in de ogen.

94

Terwijl Reidar rijdt zit Mikael met zijn nieuwe kleren aan zenders op de radio te zoeken. Plotseling houdt de jongen op met zappen. Balletmuziek van Satie valt als een warme zomerregen in de auto.

'Papa, is het niet overdreven om in een landhuis te wonen?' glimlacht Mikael.

'Jawel.'

Eigenlijk heeft hij het nogal vervallen landhuis gekocht omdat hij de buren op Tyresö niet meer verdroeg.

Besneeuwde akkers strekken zich uit en als ze de lange oprijlaan inslaan, hebben de drie vrienden langs de hele oprit fakkels ontstoken. Als ze parkeren en uitstappen, komen Wille Strandberg, Berzelius en David Sylwan het bordes op.

Berzelius doet een stap naar voren en ziet er een moment lang uit alsof hij niet weet of hij de jongen moet omhelzen of hem de hand moet drukken. Dan mompelt hij iets en omarmt Mikael stevig.

Wille veegt een paar tranen achter zijn brillenglazen weg.

'Je bent zo groot geworden, Micke,' zegt hij. 'Ik ben...'

'We gaan naar binnen,' zegt Reidar om zijn zoon te redden. 'We moeten wat eten.'

David bloost en haalt verontschuldigend zijn schouders op: 'We hebben een omgekeerd diner georganiseerd.'

'Wat is dat?' vraagt Reidar.

'Je begint met het toetje en eindigt met het voorgerecht,' glimlacht Sylwan gegeneerd.

Mikael gaat als eerste door de grote voordeur naar binnen. De brede eikenhouten vloerplanken in de entree geuren naar groene zeep.

Er hangen ballonnen aan het plafond van de eetzaal en op tafel staat een grote taart die is versierd met een Spiderman van gekleurd marsepein.

'We weten dat je groot geworden bent,' zegt Berzelius, 'maar je hield zo van Spiderman, dat we dachten...'

'We hebben verkeerd gedacht,' rondt Wille af.

'Ik wil graag een stukje taart proeven,' zegt Mikael vriendelijk.

'Zo mogen we het horen,' lacht David.

'Daarna is er pizza en ten slotte alfabetsoep,' vertelt Berzelius.

Ze gaan aan de enorme ovale tafel zitten.

'Ik weet nog dat je in de keuken een taart moest bewaken tot de gasten kwamen,' zegt Berzelius, en hij snijdt een groot stuk voor Mikael af. 'Toen we de kaarsjes aan wilden steken was die helemaal uitgehold.'

Reidar verontschuldigt zich, staat op en loopt van tafel weg. Hij probeert naar het gezelschap te glimlachen, maar zijn hard bonkt van angst. Hij mist zijn dochter zo hevig dat het pijn doet, dat hij het wil uitschreeuwen. Mikael daar bij die kinderachtige taart te zien zitten. Als herrezen uit de dood. Hij ademt zwaar, loopt de hal in en denkt eraan terug hoe hij de lege urnen van zijn kinderen naast de as van Roseanna begroef. Daarna ging hij naar huis. Nodigde vrienden uit voor een feest en sindsdien is hij eigenlijk nooit meer nuchter geweest.

Hij staat vanuit de hal de eetzaal in te kijken, waar Mikael taart eet terwijl zijn vrienden proberen een gesprek te voeren en hem aan het lachen te maken. Reidar weet dat hij het niet steeds moet doen, maar hij haalt toch zijn telefoon tevoorschijn en belt Joona Linna.

'Met Reidar Frost,' zegt Reidar, en hij voelt een lichte druk op zijn borst.

'Ik hoorde dat Mikael is ontslagen,' zegt de commissaris.

'Maar Felicia, ik moet weten... ze is, ze is zo...'

'Ik weet het, Reidar,' zegt Joona Linna mild.

'Jullie doen wat jullie kunnen,' fluistert hij en hij voelt dat hij moet gaan zitten.

Hij hoort de commissaris iets vragen, maar hij drukt het gesprek midden in een zin weg.

95

Reidar slikt een paar keer hard, zoekt steun bij de muur, voelt het behang ritselen onder zijn hand en ziet een paar dode vliegen op de stoffige voet van de staande lamp liggen.

Mikael zei dat Felicia niet geloofde dat hij naar haar zou zoeken, dat ze zeker wist dat het hem niks kon schelen dat ze verdwenen was.

Hij was een onrechtvaardige vader, hij wist het, maar hij kon toen niet anders.

Het kwam niet doordat hij van het ene kind meer hield dan van het andere, maar dat...

De druk op zijn borst neemt toe.

Reidar blikt de gang naar de hal in waar hij zijn jas met de nitroglycerinespray heeft neergekwakt.

Hij probeert rustig te ademen, zet een paar stappen, blijft staan en bedenkt dat hij zichzelf moet dwingen terug te keren naar zijn herinnering en zich door schuldgevoel te laten overspoelen.

Felicia was in januari acht geworden. In maart had het gedooid, maar het zou binnenkort weer kouder worden.

Mikael was altijd zo scherp en oplettend, keek je met alerte ogen aan en deed wat er van hem werd verwacht.

Felicia was anders.

Reidar had het erg druk in die tijd, hij schreef de hele dag, beantwoordde brieven van lezers, werd geïnterviewd, gefotografeerd, bracht auteursbezoeken aan andere landen. Zijn tijd was niet toereikend en hij had er een hekel aan als iemand hem liet wachten.

Felicia was altijd laat.

En die dag, toen de verschrikking plaatsvond, de dag waarop de sterren in een gruwelijke constellatie stonden, de dag waarop God Reidar de rug toekeerde, die ochtend was uiteraard een gewone ochtend met een stralende zon.

Mikael en Felicia begonnen allebei vroeg op school. Omdat Felicia langzaam en slordig was, had Roseanna al kleren voor haar klaargelegd, maar het was Reidars taak ervoor te zorgen dat de kinderen op tijd naar school vertrokken. Roseanna was al vroeg van huis gegaan, ze pakte de auto naar Stockholm voordat de spits haar reistijd zou vervijfvoudigen.

Mikael was al klaar toen Felicia aan de keukentafel ging zitten. Reidar roosterde en smeerde brood voor haar, zette cornflakes, cacaopoeder, een glas en melk voor haar neer. Ze zat de achterkant van het pak cornflakes te lezen, scheurde een hoekje van de boterham af en rolde er een vettig balletje van.

'Je hebt niet veel tijd meer,' zei Reidar beheerst.

Met neergeslagen blik pakte ze het cacaopoeder zonder het glas dichter bij het pak te zetten en morste bijna alles op de tafel. Ze leunde op haar ellebogen en begon met haar vingers in het gemorste poeder te tekenen. Reidar zei tegen haar de tafel schoon te maken, maar ze gaf geen antwoord en zoog op de vinger die ze in het cacaopoeder doopte.

'Je weet dat jullie om tien over acht buiten moeten staan om op tijd te komen?'

'Zeur niet zo,' mompelde ze en ze stond op van tafel.

'Ga je tanden poetsen,' zei Reidar. 'Mama heeft je kleren klaargelegd op je kamer.'

Hij besloot haar niet te berispen omdat ze haar glas niet had opgeruimd en de tafel niet had schoongemaakt.

Reidar wankelt en de staande lamp valt om en dooft. De druk op zijn borst is nu verschrikkelijk. De pijn straalt uit in zijn arm en hij kan amper ademen. Mikael en David Sylwan staan plotseling bij hem. Hij probeert tegen ze te zeggen dat ze hem met rust moeten laten. Berzelius komt aangerend met zijn jas en ze zoeken in de zakken naar het medicijn.

Hij pakt het flesje aan, sprayt onder zijn tong en laat het op de grond vallen als de druk op zijn borst wegebt. Vanuit de verte hoort hij hen vragen of ze een ambulance moeten bellen. Reidar schudt zijn hoofd en merkt dat de nitroglycerine een toenemende hoofdpijn heeft veroorzaakt.

'Ga maar eten,' zegt hij. 'Er is niks ernstigs met me, maar ik... ik wil even alleen zijn.'

96

Reidar gaat op de grond zitten, met zijn rug tegen de muur, haalt trillend zijn hand langs zijn lippen en dwingt zichzelf terug naar de herinnering. Het was acht uur toen hij naar Felicia's kamer ging. Ze zat op de grond te lezen. Haar haar zat in de war en ze had chocolademelk om haar mond en op haar wang. Om lekkerder te zitten had ze haar pas gestreken bloes en rok als een kussentje onder zich gerold. Ze had één been in de maillot gestoken en zoog nog steeds op haar kleverige vingers.

'Over negen minuten moeten jullie op de fiets zitten,' zei hij ernstig. 'Je meester heeft gezegd dat je niet meer te laat mag komen.'

'Weet ik,' zei ze monotoon zonder op te kijken uit haar boek.

'Was je gezicht, je hele gezicht zit onder de smurrie.'

'Zeur niet zo,' mompelde ze.

'Ik zeur niet,' probeerde hij te zeggen. 'Ik wil niet dat je te laat komt. Begrijp je dat?'

'Je zeurt zo dat ik er bijna van moet kotsen,' zei ze zonder op te kijken van haar boek.

Hij moet gestrest zijn geweest door het schrijven en de journalisten die hem niet met rust lieten, want plotseling explodeerde hij. Hij was het zat. Hij greep haar stevig bij haar arm en sleurde haar mee naar de badkamer, zette de kraan aan en schrobde hardhandig haar gezicht.

'Wat is er met je aan de hand, Felicia? Waarom kun je niks netjes doen?' foeterde hij. 'Je broer is klaar, hij wacht op je, door jou komt hij te laat. Maar jij begrijpt het niet, jij bent net een vieze aap, jou kun je er niet bij hebben in een schoon en opgeruimd huis...'

Ze begon te huilen en dat maakte hem alleen maar kwader.

'Wat is er mis met je?' ging hij door en hij kreeg een borstel te pakken. 'Je bent volstrekt waardeloos.'

'Hou op,' huilde ze. 'Je bent stom, papa!'

'Ben ík stom? Jíj gedraagt je als een idioot! Ben je soms idioot?'

Hij begon haar haar te ontwarren, hardhandig van woede. Ze gilde en schold en hij stokte.

'Wat zei je?' vroeg hij.

'Niks,' mompelde ze.

'Het klonk wel zo.'

'Misschien zijn je oren niet goed,' fluisterde ze.

Hij sleurde haar de badkamer uit, trok de buitendeur open en duwde haar zo hard naar buiten dat ze op de tegels viel.

Mikael stond met de fietsen te wachten bij de garage. Reidar begreep dat hij zonder zijn zus weigerde te vertrekken.

Reidar zit met zijn handen voor zijn gezicht op de vloer van de hal. Felicia was immers maar een kind en zo gedroeg ze zich ook. Op tijd komen en verward haar betekenden niet echt iets voor haar. Hij herinnert zich hoe Felicia in haar ondergoed op de oprit stond. Haar rechterknie bloedde, haar ogen waren rood en nat van het huilen en ze had nog steeds wat cacaopoeder in haar hals zitten. Reidar trilde van woede. Hij ging naar binnen, haalde haar bloes, rok en jas en gooide de kleren voor haar op de grond.

'Wat heb ik gedaan?' huilde ze.

'Je verpest het voor ons allemaal,' zei hij.

'Maar ik...'

'Bied je excuses aan, bied nu je excuses aan.'

'Het spijt me,' huilde ze. 'Ben je niet meer boos nu?'

Ze keek hem aan terwijl de tranen over haar wangen rolden en van haar kin drupten.

'Alleen als je zorgt dat je verandert,' antwoordde hij.

Hij zag haar zich aankleden terwijl haar schouders schokten van het huilen, hij zag hoe ze haar tranen van haar wangen veegde en met haar bloes half in haar rok en haar gewatteerde jack open op de fiets stapte. Hij stond daar terwijl zijn woede bekoelde en hoorde zijn dochtertje huilend naar school fietsen.

Hij schreef de hele dag en was erg tevreden. Hij had zich niet aangekleed maar was in zijn ochtendjas achter de computer gaan zitten, hij had zijn tanden niet gepoetst en zich niet geschoren, had de bedden niet opgemaakt en evenmin het eten teruggezet in de koelkast. Hij bedacht dat hij het aan Felicia zou vertellen, zou toegeven dat hij net zo was als zij, maar hij had nooit meer de gelegenheid gekregen dat te doen.

Tot laat op de avond had hij een diner met zijn Duitse uitgever en toen hij thuiskwam waren zijn kinderen al naar bed. De ochtend erop ontdekten ze hun lege bedden pas. Er is niets in zijn leven waar hij zo veel spijt van heeft als van zijn onrechtvaardige behandeling van Felicia.

Het is onverdraaglijk dat ze alleen in die vreselijke kamer zit en denkt dat zij hem niets kan schelen, dat hij alleen naar Mikael zou zoeken.

97

Saga Bauer wordt 's ochtends wakker doordat de lamp aan het plafond aangaat. Haar hoofd voelt heel zwaar en ze kan haar blik niet goed focussen. Ze blijft onder de deken liggen en controleert met verdoofde vingers of de microfoon nog in de band van haar broek zit.

De vrouw met de gepiercete wangen staat voor de deur en roept dat het tijd is voor het ontbijt.

Saga komt overeind, pakt het smalle dienblad aan door het luik en gaat op bed zitten. Langzaam dwingt ze zichzelf de boterhammen op te eten terwijl ze denkt dat de situatie onhoudbaar aan het worden is.

Ze houdt dit niet zo heel lang meer vol.

Voorzichtig raakt ze de microfoon aan en denkt dat ze zou kunnen vragen de opdracht af te breken.

Na haar ontbijt loopt ze met stramme benen naar de wastafel, poetst haar tanden en wast haar gezicht met ijskoud water.

Ik kan Felicia niet in de steek laten, denkt ze.

Saga gaat op het bed zitten en staart naar de deur van het dagverblijf tot het slot tussen haar cel en het dagverblijf begint te zoemen. Een klik en de weg is vrij. Ze telt tot vijf, staat op en drinkt water uit de mengkraan bij de wastafel om niet te gretig over te komen. Met een vermoeid gebaar veegt ze haar mond af met de rug van haar hand en loopt zo het dagverblijf in.

Ze is er als eerste, maar de tv achter het pantserglas staat aan alsof hij nooit uit is geweest. Uit de kamer van Bernie Larsson komen woedende kreten. Het klinkt alsof hij de tafel probeert kapot te slaan. Het dienblad klettert op de grond. Hij schreeuwt en mept de kunststof stoel tegen de muur.

Saga gaat de loopband op, zet hem aan, doet een paar stappen, zet hem stil, gaat op de rand vlak bij de palm zitten en schuift een schoen uit, doet alsof er iets met de binnenzool is. Haar vingers zijn koud en de verdoving is niet weggetrokken. Ze weet dat ze op moet schieten, maar mag zich ook niet te snel bewegen. Ze schermt de camera af met haar rug en haalt trillend de microfoon uit haar broekband.

'Smerige hoeren,' schreeuwt Bernie.

Saga haalt het beschermende papier van de minuscule microfoon. Het dingetje glipt weg tussen haar verdoofde vingers. Ze vangt het tegen haar bovenbeen en draait het goed in haar hand. Bernie is onderweg naar buiten. Zijn voetstappen ploffen op de vloer. Saga leunt voorover en drukt het microfoontje vast tegen de onderkant van een blad. Ze houdt het een tijdje op zijn plek, wacht een paar extra seconden en laat dan los.

Bernie zwaait de deur open en loopt het dagverblijf in. Het palmblad schommelt nog van haar aanraking, maar het microfoontje zit eindelijk op zijn plek.

'Obrahiim,' fluistert hij en hij blijft abrupt staan als hij haar in het oog krijgt.

Saga zit stil, trekt aan haar sok, strijkt hem glad en doet haar schoen weer aan. Ze staat op, zet de loopband aan en begint te lopen.

'Godverdomme,' zegt hij en hij hoest.

Ze kijkt überhaupt niet naar de kunstpalm. Haar benen trillen onder haar en haar hart bonst veel harder dan anders.

'Ze hebben mijn foto's afgepakt,' zegt Bernie en hij gaat hijgend op de bank zitten. 'Ik haat die klootzakken...'

Saga's lichaam is merkwaardig vermoeid, het zweet gutst over haar rug en haar hartslag bonkt in haar slapen. Dat moet door het medicijn komen. Ze zet de loopband langzamer, maar vindt het toch moeilijk om in het ritme te blijven.

Bernie zit met gesloten ogen op de bank en trappelt rusteloos met een voet.

'Kut kut kut!' gilt hij plotseling uit.

Hij staat op, wankelt, loopt naar de loopband en gaat voor Saga staan, vlakbij.

'Ik was de beste van de klas,' zegt hij, waardoor er speeksel in Saga's gezicht spat. 'In de pauze voerde mijn juf me rozijntjes.'

'Bernie Larsson, hou afstand,' klinkt een stem uit de luidspreker.

Hij waggelt opzij en leunt tegen de muur, hoest en doet een stap achteruit, recht tegen de palmboom waar aan een van de onderste bladeren een microfoontje hangt.

98

Bernie valt bijna om, hij trapt tegen de palm, loopt naar de andere kant van de loopband en komt weer op Saga af.

'Ze zijn zo godvergeten bang voor me dat ze me volpompen met Suprefact... Omdat ik een fokking neukmachine ben, een godsgruwelijk grote sybian...'

Saga werpt een blik op de camera en begrijpt dat ze gelijk had. Hij wordt afgeschermd door de uitbouw van gepantserd glas voor de tv. Het is maar een smalle, blinde spleet waar de camera niet bij kan met zijn oog, een meter op zijn breedst.

Bernie loopt dwars door de palm heen en gooit hem bijna om, loopt om de loopband heen en gaat achter Saga staan. Ze trekt zich niks van hem aan, loopt gewoon door en hoort zijn ademhaling vlak achter zich.

'Sneeuwwitje, je zweet tussen je billen,' zegt hij. 'Je kut is nu behoorlijk zweterig. Ik kan wat papieren servetjes halen...'

Op televisie is een man in kokskleding te zien die binnensmonds praat terwijl hij een heleboel krabbetjes op een barbecue legt.

De deur achter in de ruimte gaat open en Jurek komt binnen. Saga vangt een glimp op van zijn gerimpelde gezicht en zet de loopband onmiddellijk stil. Ze stapt ervan af, hijgt van de inspanning en loopt richting de bank. Jurek lijkt hen niet op te merken. Hij stapt de loopband domweg op, zet hem aan en begint met grote passen te lopen.

De zware bonzen weerkaatsen in het dagverblijf.

Saga kijkt naar de kok, die rode uienringen fruit in een hapjespan. Bernie komt glimlachend naar haar toe, veegt zweet uit zijn hals en loopt een rondje om haar heen, vlak bij haar.

'Je mag je kut houden als je m'n skeletslaaf wordt,' zegt Bernie en hij schuift achter haar. 'Al het andere vlees snij ik weg en...'

'Stil,' kapt Jurek hem af.

Bernie zwijgt abrupt en kijkt haar aan, vormt het woord 'hoer' met zijn lippen, likt aan zijn vingers en grijpt haar borst vast. Ze reageert onmiddellijk en pakt zijn hand, doet een stap naar achteren en trekt hem in de dode hoek van de camera. Met al haar kracht slaat ze hem recht op zijn neus. Het kraakbeen geeft mee en zijn neusbeen breekt. Ze draait rond, haalt kracht uit de draai en raakt Bernie met een bliksemsnelle rechtse hoekstoot op zijn oor. Hij kan zo in het blikveld van de camera te donderen, maar ze houdt hem tegen met haar linkerhand. Hij staart haar aan door zijn scheve bril. Er loopt een heleboel bloed door zijn snor en over zijn lippen.

Saga is nog steeds des duivels, houdt hem in de dode hoek en slaat opnieuw met rechts. Ze raakt hem keihard. Zijn hoofd zwiept opzij, zijn wangen lubberen en zijn bril vliegt naar links.

Bernie zakt op zijn knieën, zijn hoofd zwaait naar voren, er sijpelt bloed op de vloer voor hem.

Saga draait zijn gezicht omhoog, ziet dat hij buiten bewustzijn raakt en mept hem weer op zijn neus.

'Ik had je gewaarschuwd,' fluistert ze en ze laat hem los.

Bernie valt voorover, zoekt steun met zijn armen en blijft zo staan. Hij slingert heen en weer terwijl er bloed van zijn gezicht tussen zijn handen op het linoleum valt.

Saga ademt hijgend en trekt zich terug. Jurek Walter is van de loopband af gestapt en staat haar met zijn lichte ogen te bekijken. Zijn gezicht is onbeweeglijk en zijn lichaam wonderlijk ontspannen.

Saga denkt nog net dat ze alles heeft verpest als ze langs Jurek loopt en haar eigen kamer in gaat.

99

De ventilator in de computer ruist als Anders inlogt. De secondewijzer op de klok met het vermoeide gezicht van Bart Simpson verplaatst zich schokkerig. Anders herinnert zich dat hij vandaag iets eerder weg moet omdat hij naar een cursus socratische gespreksvoering gaat bij het cursuscentrum voor autisme.

Op een post-it naast het toetsenbord staat dat het deze week recycleweek is. Hij heeft geen idee wat dat inhoudt.

Als het dossiersysteem van de beveiligde eenheid open is, voert hij zijn ID-nummer en wachtwoord in.

Hij bekijkt de documenten en voert dan Saga's persoonsnummer in om een aantekening over de medicatie te maken.

Vijfentwintig milligram Haldol Depot, schrijft hij. Twee intramusculaire injecties in het bovenste en buitenste kwadrant van het gluteale gebied.

Het was een goed besluit, denkt hij, en hij ziet voor zich hoe ze langzaam met ontblote borsten op de grond kronkelde.

De lichte tepels waren hard geworden, haar mond was angstig geweest.

Als het haar niet helpt, kan hij cisordinol proberen, hoewel de bijwerkingen soms ernstig zijn. Het kan gaan om extrapiramidale symptomen met gezichts-, evenwichts- en orgasmestoornissen.

Anders sluit zijn ogen en denkt eraan terug hoe hij haar slipje omlaag trok.

'Ik wil niet,' had ze meerdere keren gezegd.

Maar hij hoefde niet naar haar te luisteren. Hij deed wat hij moest doen. Pia Madsen hield toezicht op de dwangmaatregel.

Hij gaf haar twee injecties in haar bil en staarde tussen haar benen naar het blonde schaamhaar en de gesloten, roze spleet.

Anders loopt naar de bewakingscentrale. My zit al op de operator-stoel. Haar vriendelijke blik richt zich op hem als hij binnenkomt.

'Ze zijn in het dagverblijf,' zegt ze.

Anders leunt over haar heen en kijkt naar het beeldscherm. Jurek Walter loopt met monotone stappen op de loopband. Saga staat tv te kijken. Ze lijkt tamelijk onaangedaan door de nieuwe medicatie. Bernie loopt naar haar toe, zegt iets en gaat achter haar staan.

'Waar is hij nu mee bezig?' vraagt Anders luchtig.

'Bernie lijkt onrustig,' zegt My met een frons in haar voorhoofd.

'Ik had zijn dosis gisteren eigenlijk willen verhogen, ik had hem misschien...'

'Hij loopt haar steeds achterna en praat manisch...'

'Verdorie,' zegt Anders gestrest.

'Leffe en ik zijn bereid om naar binnen te gaan,' verklaart My geruststellend.

'Maar dat zou niet nodig hoeven zijn,' zegt hij. 'Dan is er iets mis met de medicatie. Ik verhoog zijn dosis voor de komende twee weken vanavond van tweehonderd naar vierhonderd milligram...'

Anders valt stil en ziet Bernie Larsson om Saga Bauer voor de tv rondcirkelen.

De andere negen vensters tonen kamers, veiligheidsdeuren, gangen en patiëntenkamers die er verlaten bij liggen. Op een van de vensters zien ze Sven Hoffman met een kop koffie in zijn hand voor de sluis naar het dagverblijf. Hij staat wijdbeens met twee mannen van de bewaking te praten.

'Jezus,' gilt My opeens en ze schakelt het noodalarm in.

100

Er klinkt een scherp, pulserend signaal. Anders staart naar het scherm met het dagverblijf. De plafondlamp glinstert in het stoffige glas. Hij leunt naar voren. Aanvankelijk ziet hij maar twee patiënten. Jurek staat stil naast de tv en Saga loopt haar kamer in.

'Wat gebeurt er?' vraagt hij.

My is opgestaan en schreeuwt iets in haar portofoon. De bureaulamp valt om en de bureaustoel knalt tegen de archiefkast achter haar. Ze schreeuwt dat het interventieteam naar binnen moet, dat Bernie Larsson gewond is.

Nu pas beseft Anders dat Bernie aan het zicht onttrokken wordt door het vooruitstekende stuk wand.

Het enige wat te zien is, is een bebloede hand op de vloer.

Hij moet zich vlak voor Jurek Walter bevinden.

'Jullie moeten naar binnen,' herhaalt My meerdere keren in de portofoon en ze stormt weg.

Anders blijft zitten en ziet hoe Walter zich bukt en Bernie aan zijn haar meesleept, zo de vloer op, waar hij hem loslaat.

Er glinstert een bloedspoor op de vloer.

Hij ziet op het scherm dat Leif twee bewaarders voor de sluis instrueert en dat My aan komt rennen.

Het alarm blijft gaan.

Bernies gezicht zit onder het bloed. Zijn ogen knipperen krampachtig. Zijn handen grijpen in de lucht.

Anders doet de deur van patiëntenkamer 3 op slot en praat snel met Sven via de portofoon. Ze sturen een team bewaarders van afdeling 30 naar beneden.

Iemand bevestigt dat het alarm is binnengekomen.

Anders' portofoon tikt en hij hoort een hijgende ademhaling.

'Ik doe de deur nu open, ik doe nu open,' roept My.

Op het scherm van het dagverblijf is Walters uitdrukkingsloze gezicht te zien. Hij staat stil en bekijkt Bernies schokkerige bewegingen, zijn gehoest en het bloed dat over de vloer wordt gehijgd.

Er glimt een wapenstok. Verpleegkundigen en bewaarders lopen de sluis in. Hun gezichten staan gespannen.

De buitenste deur valt in het slot en er klinkt een brommend signaal.

Walter zegt iets tegen Bernie, gaat op één knie zitten en slaat hem hard op zijn mond.

'God,' hijgt Anders.

Het interventieteam komt het dagverblijf binnen en verspreidt zich. Walter recht zijn rug, schudt bloed van zijn hand, doet een stap achteruit en wacht.

'Geef hem veertig milligram Stesolid,' zegt Anders tegen My.

'Vier ampullen Stesolid,' herhaalt My in de portofoon.

Drie bewaarders komen met getrokken wapenstokken van drie kanten aan. Ze schreeuwen tegen Walter dat hij bij Bernie weg moet en op de grond moet gaan liggen.

Walter kijkt hen aan, gaat langzaam op zijn knieën zitten en sluit zijn ogen. Leif loopt met vlugge passen naar hem toe en slaat Walter met de wapenstok in zijn nek. Walter valt op de grond en blijft liggen.

De andere bewaarder drukt hem met een knie in zijn rug tegen de grond en draait zijn armen op zijn rug. My haalt het cellofaan van een injectienaald. Anders ziet haar handen trillen.

Walter ligt op zijn buik, twee bewaarders drukken hem tegen de grond, doen hem handboeien om en trekken zijn broek omlaag, zodat My hem de intramusculaire injectie kan geven.

101

Anders kijkt in de bruine ogen van de arts van de spoedeisende hulp en bedankt haar gedempt. Haar witte jas is besmeurd met bloed van Bernie.

'Het neusbeen is gezet,' zegt ze. 'Ik heb zijn wenkbrauw gehecht, maar voor de rest was verband voldoende... Hij heeft waarschijnlijk een hersenschudding, dus het is het beste als jullie hem onder toezicht houden.'

'Dat doen we altijd,' antwoordt Anders, en hij kijkt even op de monitor naar Bernie.

Hij ligt met verbonden gezicht op bed. Zijn mond staat half open en zijn dikke buik beweegt mee op zijn ademhaling.

'Hij zegt behoorlijk weerzinwekkende dingen,' zegt de arts en ze vertrekt.

Leif Rajama maakt de veiligheidsdeuren voor haar open. Eén camera registreert dat hij zwaait en een andere de wapperende jas van de arts terwijl ze de trap op loopt.

Leif komt terug naar de bewakingscentrale, haalt zijn hand door zijn golvende haar en zegt dat hij zoiets echt niet had verwacht.

'Ik heb de dossiers natuurlijk gelezen,' zegt Anders. 'Het is de eerste keer in dertien jaar dat Jurek Walter zich gewelddadig gedraagt.'

'Misschien houdt hij niet van gezelschap,' suggereert Leif.

'Jurek Walter is een oude man en hij is gewend aan zijn eigen gewoontes, maar hij moet begrijpen dat dit in het vervolg niet werkt.'

'Hoe moet hij dat begrijpen?' glimlacht Leif.

Anders haalt zijn pasje door de lezer en laat Leif voorgaan. Ze komen langs patiëntenkamer 3 en 2 en blijven staan bij de laatste, waarin Jurek Walter zich bevindt.

Anders kijkt de cel in. Walter ligt vastgesnoerd op zijn bed. Het bloed uit zijn neus is geronnen en zijn neusgaten zien er wonderlijk zwart uit.

Leif haalt oordopjes uit zijn zak en houdt ze op, maar Anders schudt zijn hoofd.

'Doe de deur op slot als ik binnen ben en sta klaar om het noodalarm in te schakelen.'

'Ga naar binnen en doe alleen wat je moet doen, praat niet met hem, doe alsof je niet hoort wat hij zegt,' zegt Leif, en hij draait de deur van het slot.

Anders gaat naar binnen en hoort hoe Leif de deur vlug achter hem dichtdraait. Walters polsen en enkels zijn gefixeerd aan de randen van het bed. Over zijn bovenbenen, heupen en romp zitten stevige banden gespannen. Zijn ogen staan nog steeds moe na de injectie en er is bloed uit zijn oor gelopen.

'Met het oog op wat er in het dagverblijf is gebeurd, hebben we besloten je medicatie aan te passen,' zegt Anders op droge toon.

'Ja... ik verwachtte al een straf,' zegt Jurek Walter hees.

'Het is vervelend dat je het zo ziet, maar als waarnemend chef-arts is het mijn verantwoordelijkheid om geweld op de afdeling te voorkomen.'

102

Anders zet ampullen met gele injectievloeistof naast elkaar op de tafel. Walter is vastgesnoerd en neemt hem met vermoeide ogen op.

'Ik heb geen gevoel in mijn vingers,' zegt hij en hij probeert zijn rechterhand los te trekken.

'Je weet dat we soms dwangmaatregelen moeten gebruiken,' zegt Anders.

'De eerste keer dat we elkaar zagen zag je er angstig uit – nu zoek je naar angst in mijn ogen,' zegt Walter.

'Waarom denk je dat?' vraagt Anders.

Walter ademt een poosje, bevochtigt dan zijn lippen en kijkt Anders in de ogen.

'Ik zie dat je driehonderd milligram cisordinol hebt klaargezet, hoewel je weet dat dat te veel is... en dat de combinatie met mijn andere medicatie riskant is.'

'Ik maak een andere inschatting,' zegt Anders en hij voelt de blos op zijn gezicht groeien.

'Toch zul je in mijn dossier schrijven dat je maar vijftig milligram hebt geprobeerd.'

Anders geeft geen antwoord, maakt alleen de spuit klaar en zorgt dat de canule helemaal droog is.

'Je weet dat de intoxicatie dodelijk kan zijn,' gaat Walter verder. 'Maar ik ben sterk, waarschijnlijk overleef ik het wel... ik zal schreeuwen, afschuwelijke klonische krampen krijgen en het bewustzijn verliezen.'

'Het risico op bijwerkingen bestaat altijd,' antwoordt Anders droog.

'Pijn heeft geen betekenis voor mij.'

Anders voelt zijn gezicht heet worden als hij een paar druppeltjes uit de naald duwt. Een ervan loopt langs de canule. Het ruikt bijna als sesamolie.

'We hebben gemerkt dat je wat onrustig wordt van de andere patiënten,' zegt Anders zonder Walter aan te kijken.

'Je hoeft je tegenover mij niet te verontschuldigen,' zegt Walter.

Anders drukt de naald in Walters bovenbeen, injecteert driehonderd milligram cisordinol en wacht af.

Walter hijgt, zijn lippen trillen en zijn pupillen trekken samen tot speldenpuntjes. Er loopt speeksel uit zijn mond, over zijn wang en hals.

Zijn lichaam trilt en schokt en plotseling verstijft hij helemaal, zijn hoofd knakt hevig achterover, zijn rug buigt alsof hij een bruggetje probeert te maken, de banden over zijn lichaam staan strakgespannen.

Hij is in deze houding gefixeerd, zonder te ademen.

Het frame van het bed kraakt.

Anders staart hem met open mond aan. Het is een onverdraaglijke, bevroren kramp.

Plotseling wordt de tonische toestand doorbroken en schokt het lichaam in waanzinnige krampen. Walter trekt ongecontroleerd, bijt op zijn tong en lippen en brult reutelend van de pijn.

Anders probeert de banden over zijn lichaam steviger aan te spannen. Walters armen rukken en trekken zo hevig dat zijn polsen beginnen te bloeden.

Hij zakt in elkaar, jammert en hijgt en trekt dan lijkbleek weg.

Anders doet een paar stappen achteruit en kan een glimlachje niet onderdrukken als hij de tranen over Walters wangen ziet lopen.

'Het wordt zo beter,' liegt hij kalmerend.

'Niet voor jou,' hijgt Jurek Walter.

'Wat zeg je?'

'Je zult verbaasd staan als ik je kop eraf hak en hem in...'

Hij wordt onderbroken door een nieuwe reeks krampen, hij schreeuwt en zijn hoofd draait zo hevig opzij dat er een waaier van pezen in zijn nek aanspant en de wervels in zijn nek knarsen, en daarna schokt zijn hele lichaam weer zo dat het bed tegen de vloer bonkt.

103

Saga laat ijskoud water over haar handen stromen. De gezwollen knokkels doen pijn en ze heeft drie wondjes.

Alles is misgegaan.

Ze is de controle kwijtgeraakt, heeft Bernie mishandeld en Jurek kreeg de schuld.

Door de deur hoorde ze het interventieteam om vier ampullen Stesolid roepen voor ze hem naar zijn cel sleepten.

Ze denken dat hij Bernie heeft geslagen.

Saga zet de kraan uit, laat het water van haar handen op de grond druppen en gaat op het bed zitten.

De adrenaline heeft slaperigheid en trillende zwaarte achtergelaten in haar spieren.

Een arts van de spoedeisende hulp heeft zich over Bernie ontfermd. Tot de deur dichtging hoorde ze Bernie manisch praten.

Saga voelt zich huilerig van angst. Ze heeft alles verpest met haar vervloekte woede. Dat godvergeten gebrek aan impulscontrole. Waarom hield ze zich niet gewoon koest? Hoe kon ze zich zo laten provoceren dat ze erop sloeg?

Ze rilt en klemt haar kiezen op elkaar. Het is denkbaar dat Jurek wraak neemt omdat hij de schuld kreeg.

De veiligheidsdeuren ratelen en er klinken vlugge stappen op de gang, maar er komt niemand naar haar cel.

Het is stil.

Saga zit op haar bed en sluit haar ogen als er gegrom door de muren komt. Haar hart slaat steeds vlugger. Plotseling brult Jurek Walter reutelend en schreeuwt hij van de pijn. Er knalt iets tegen de muren alsof iemand met zijn blote hielen tegen de gepantserde platen trapt. Het klinkt bijna als een serie linksen en rechtsen op een boksbal.

Saga staart naar de deur en denkt aan elektroshocks en lobotomie.

Jurek schreeuwt met gebroken stem en dan klinken er een paar zware bonzen.

Het wordt weer stil.

Het enige wat overblijft zijn kleine tikjes in de waterleidingen in de muur. Saga staat op en staart door de dikke glazen ruit. De jonge arts loopt langs. Hij blijft staan en neemt haar met een uitdrukkingsloos gezicht op.

Tot de lampen aan het plafond uitgaan zit ze maar op haar bed.

Het bestaan op deze gesloten beveiligde eenheid is veel zwaarder dan ze zich had voorgesteld. In plaats van te huilen neemt ze haar opdracht, de regels voor langdurige infiltratie en het doel van de hele operatie door in haar hoofd.

Felicia Kohler-Frost zit moederziel alleen in een afgesloten ruimte. Misschien lijdt ze honger en misschien heeft ze de veteranenziekte.

Er is haast bij.

Saga weet dat Joona naar het meisje zoekt, maar zonder informatie van Jurek Walter is een doorbraak zeer onwaarschijnlijk.

Saga moet hier blijven, ze moet het hier nog een tijdje proberen vol te houden.

De plafondlamp springt weer aan en als ze haar ogen sluit, voelt ze het warm worden onder haar oogleden.

Ze bedenkt dat het leven dat ze verliet haar daarvoor al verlaten had. Stefan is weg. Ze heeft geen familie.

104

Joona Linna bevindt zich samen met een aantal leden van het onder-
zoeksteam in een van de grote werkkamers van de rijksrecherche. De
muren zijn bedekt met kaarten, foto's en prints van de tips die op dit
moment prioriteit hebben. Op een detailkaart van het Lill-Jansskogen
zijn de vindplaatsen duidelijk gemarkeerd.

Met een gele stift volgt Joona het spoor vanaf de haven door het bos,
en hij richt zich tot de groep.

'Jurek Walter werkte onder meer met spoorwegwissels,' zegt hij.
'Het is mogelijk dat de slachtoffers in het Lill-Jansskogen zijn begraven
omdat het spoor daar loopt.'

'Zoals Angel Ramirez,' zegt Benny Rubin en hij glimlacht zonder reden.

'Maar waarom gaan we Jurek Walter in godsnaam niet gewoon verhoren?' vraagt Petter Näslund met stemverheffing.

'Dat werkt niet,' antwoordt Joona geduldig.

'Petter, ik neem aan dat je het forensisch psychiatrisch rapport hebt
gelezen,' zegt Magdalena Ronander. 'Is het zinvol om een schizofrene
en psychotische man te verhoren die...'

'We hebben slechts achttienduizend kilometer spoor in Zweden,'
valt hij haar in de rede. 'We hoeven alleen maar te gaan graven.'

'Sit on my facebook,' mompelt Benny.

Joona vindt dat Petter Näslund gelijk heeft. Jurek Walter is de enige
die hen naar Felicia kan leiden voor het te laat is. Ze volgen de kleinste
spoortjes uit het oude vooronderzoek, ze zoeken de tips die binnenkomen tot de bodem uit, maar toch komen ze nergens. Saga Bauer is hun
enige werkelijke hoop. Gisteren heeft ze een andere patiënt mishandeld en Jurek Walter kreeg de schuld. Dat hoeft niet slecht te zijn, denkt
Joona. Misschien zorgt het ervoor dat hij toenadering tot haar zoekt.

Het wordt donker buiten en sporadische sneeuwvlokjes slaan tegen Joona's gezicht als hij uit de auto stapt en het Söder-ziekenhuis in beent. Bij de receptie krijgt hij te horen dat Irma Goodwin vanavond een extra dienst op de spoedeisende hulp draait. Hij ziet haar zodra hij binnenkomt. De deur van een behandelkamer staat half open. Een vrouw met een gescheurde lip en een bloedende wond op haar kin zit er roerloos en zwijgend bij terwijl Irma Goodwin tegen haar praat.

Het ruikt naar natte wol en de vloer is donker van het vuile water. Een bouwvakker zit met een beslagen plastic zak om zijn voet op een bankje.

Joona wacht tot Irma Goodwin de kamer uit komt en loopt door de gang met haar mee naar een andere behandelkamer.

'Het is de derde keer in drie maanden dat ze hier is,' zegt Irma.

'Je moet haar in contact brengen met de vrouwenopvang,' zegt Joona ernstig.

'Heb ik al gedaan. Maar wat helpt dat?'

'Het helpt,' zegt Joona koppig.

'Wat kan ik voor je doen?' vraagt ze en ze blijft bij de deur staan.

'Ik wil graag weten hoe het verloop van de veteranenziekte eruitziet vo...'

'Hij komt er weer bovenop,' valt ze hem in de rede en ze doet de deur open.

'Ja, maar als hij niet behandeld was,' zegt Joona.

'Hoe bedoel je?' vraagt ze en ze kijkt in zijn grijze ogen.

'We zoeken naar zijn zus,' legt Joona uit. 'En het is heel waarschijnlijk dat ze tegelijk met Mikael besmet is...'

'Dan is het ernstig,' zegt Irma.

'Hoe ernstig?'

'Zonder behandeling... het hangt natuurlijk van haar algehele gezondheidstoestand en dergelijke af, maar waarschijnlijk heeft ze inmiddels hoge koorts.'

'En morgen?'

'Dan hoest ze en heeft ze al moeite met de ademhaling... het is niet te zeggen wanneer precies, maar op een gegeven moment, vermoedelijk tegen het eind van de week, loopt ze het risico van hersenbeschadiging en... je weet toch dat de veteranenziekte dodelijk is?'

105

Haar zorgen over wat er in het dagverblijf is gebeurd zijn de volgende ochtend nog groter. Saga heeft geen trek, en zit tot de lunch alleen maar op haar bed.

In gedachten blijft ze de mislukking herkauwen.

In plaats van vertrouwen te scheppen, heeft ze opnieuw een conflict veroorzaakt. Ze heeft een andere patiënt mishandeld en Jurek Walter kreeg de schuld.

Hij moet haar haten en hij zal zeker proberen wraak te nemen voor wat hem is aangedaan.

Ze is niet uitgesproken bang, aangezien het veiligheidsniveau op de afdeling zo hoog is.

Maar ze moet op haar hoede zijn.

Alert, zonder angst te tonen.

Als de deur zoemt en het slot klikt, staat ze op en loopt ze direct het dagverblijf in, zonder gedachten toe te laten. De tv staat al aan en op het scherm zitten drie mensen in een gezellige studio over oranjerieën te praten.

Ze is de eerste en stapt meteen de loopband op.

Haar benen voelen log, haar vingertoppen verdoofd en bij elke stap die ze zet trillen de plastic bladeren van de palm.

Bernie zit te schreeuwen in zijn kamer, maar verstomt vrij snel weer.

Iemand heeft het bloed op de vloer opgedweild.

Plotseling gaat Jureks deur open. Een schaduw kondigt zijn entree aan. Saga dwingt zichzelf niet naar hem te kijken. Met langzame passen loopt hij recht door de kamer naar de loopband toe.

Saga zet het apparaat stil, stapt eraf en doet een pas opzij om hem erlangs te laten. Ze vangt een glimp op van zwarte wonden op zijn lippen en de asgrauwe huid van zijn gezicht. Zwaar stapt hij de loopband op, maar blijft daar stilstaan.

'Jij hebt de schuld gekregen voor wat ik heb gedaan,' zegt ze.

'Denk je dat?' vraagt hij zonder haar aan te kijken.

Als hij het apparaat aanzet, ziet ze dat zijn handen trillen. Het zoevende en ruisende geluid klinkt weer. Het hele apparaat dreunt bij elke stap die hij zet. Ze voelt de vibraties in de vloer. De palm met de microfoon zwaait en verplaatst zich bij elke bons een stukje dichter naar de loopband.

'Waarom heb je hem niet afgemaakt?' vraagt hij met een zijdelingse blik op haar.

'Omdat ik dat niet wilde,' antwoordt ze eerlijk.

Ze kijkt in zijn lichte ogen en voelt het bloed door haar lichaam jagen als ze zich scherp bewust wordt van het feit dat ze direct contact met Jurek Walter heeft.

'Het zou interessant zijn geweest je dat te zien doen,' zegt hij zacht.

Ze voelt dat hij haar met ongeveinsde nieuwsgierigheid opneemt. Misschien zou ze op de bank moeten gaan zitten, maar ze besluit nog even te blijven staan.

'Jij bent hier, waarschijnlijk heb je mensen gedood,' zegt hij.

'Ja, ik heb gedood,' antwoordt ze na een tijdje.

'Dat is onvermijdelijk,' knikt hij.

'Ik wil het er niet over hebben,' mompelt Saga.

'Het is niet goed of slecht om te doden,' gaat Jurek rustig verder. 'Maar de eerste keren is het eigenaardig... alsof je iets eet waarvan je niet dacht dat het eetbaar was.'

Plotseling herinnert Saga zich de keer dat ze een ander mens doodde. Zijn bloed spatte met ritmische schokjes tegen de stam van een berk. Hoewel het niet nodig was, vuurde ze nog een keer en ze zag de kogel door haar vizier nog geen centimeter boven het eerste gat inslaan.

'Ik deed alleen wat ik moest doen,' fluistert ze.

'Net als gisteren.'

'Ja, maar het was niet de bedoeling dat jij er de dupe van werd.'

Jurek zet de band stil en blijft met zijn blik op haar gericht staan.

'Ik heb hierop gewacht... vrij lang, moet ik zeggen,' vertelt hij. 'Het was louter een genoegen om te verhinderen dat de deur dichtging.'

'Je kreten klonken door de muren heen,' zegt Saga zacht.

'Ja, die kreten,' antwoordt hij somber. 'Dat kwam doordat onze nieuwe arts een overdosis cisordinol inspoot... Dat is de reactie van de natuur op pijn... Het doet pijn en het lichaam schreeuwt, hoewel het zinloos is... en in dit geval was het ook verwend... Ik weet immers dat de deur anders dichtgevallen zou zijn...'

'Wat is dat voor deur?'

'Ik betwijfel of ze me ooit een advocaat laten spreken, dus die deur blijft gesloten... maar misschien zijn er andere...'

Hij kijkt haar in de ogen. Zijn blik is wonderlijk licht en doet haar aan metaal denken.

'Je denkt dat ik je kan helpen,' fluistert ze. 'Daarom heb je de schuld op je genomen voor wat ik heb gedaan.'

'Ik mag de arts niet bang voor je laten worden,' legt hij uit.

'Waarom niet?'

'Iedereen die hier terechtkomt is gewelddadig,' zegt Jurek. 'Het verplegend personeel weet dat je gevaarlijk bent, het staat in de dossiers en in het forensisch psychiatrisch rapport... Maar dat is niet wat je ziet als je naar jou kijkt...'

'Ik ben niet zo gevaarlijk.'

Hoewel ze niets heeft gezegd waar ze spijt van heeft – ze heeft alleen de waarheid gezegd en niets onthuld – heeft ze op een rare manier het gevoel dat ze zich heeft blootgegeven.

'Waarom ben je hier? Wat heb je gedaan?' vraagt hij.

'Niets,' antwoordt ze kort.

'Wat zeiden ze in de rechtbank dat je gedaan hebt?'

'Niets.'

In zijn ogen is een zweempje van een glimlach te zien.

'Je bent een echte sirene...'

106

Athena Promachos, de geheime groep in het topappartement, luistert realtime naar de gesprekken die in het dagverblijf worden gevoerd.

Joona staat naast de grote luidspreker en luistert opnieuw naar de stem, de woordkeuze, de frasering, de nuances in de stem en de ademhaling van Jurek Walter.

Corinne Meilleroux zit aan de werktafel en voert het gesprek in in de computer, zodat iedereen de woorden op het grote scherm kan zien. Het regelmatige tikkende geluid van haar lange nagels is prettig.

De zilvergrijze paardenstaart van Nathan Pollock hangt over het vest van zijn pak. Hij maakt aantekeningen in zijn notitieboek met gewaxte kaft terwijl Johan Jönson de geluidskwaliteit in de gaten houdt op het computerscherm.

De groep is volkomen stil terwijl het gesprek in het dagverblijf gaande is. De zon valt door de glazen balkondeuren binnen via besneeuwde, fonkelende daken.

Ze horen Jurek Walter tegen Saga zeggen dat ze een echte sirene is en daarna verlaat hij de ruimte.

Na een paar seconden stilte leunt Nathan achterover in zijn stoel en klapt in zijn handen. Corinne schudt alleen geïmponeerd haar hoofd.

'Saga is echt geweldig,' mompelt Nathan.

'Hoewel we nog niets weten wat ons dichter bij Felicia brengt,' zegt Joona, en hij wendt zich traag naar de groep. 'Maar het contact is gelegd, wat goed werk is... ik geloof dat ze hem nieuwsgierig heeft gemaakt.'

'Ik moet toegeven dat ik me wat zorgen maakte toen ze zich door de andere patiënt liet provoceren,' zegt Corinne. Ze perst wat limoensap in een glas water en geeft het aan Nathan.

'Walter heeft de schuld voor de mishandeling bewust op zich genomen,' zegt Joona langzaam.

'Ja, waarom deed hij dat? Hij moet haar gisteren haast wel hebben gehoord, toen ze tegen de verpleegkundige zei dat ze een advocaat wilde spreken,' zegt Nathan. 'Daarom kan Walter de arts niet bang voor haar laten zijn, want dan zal ze geen bezoek van de...'

'Hij is nieuw,' onderbreekt Joona hem. 'Walter zegt dat de arts nieuw is.'

'Wat is daarmee?' vraagt Johan Jönson met open mond.

'Toen ik Brolin sprak, de chef-arts... afgelopen maandag, zei hij dat er geen veranderingen op de beveiligde eenheid hadden plaatsgevonden.'

'Inderdaad,' zegt Nathan.

'Misschien betekent het niks,' zegt Joona. 'Maar waarom zei Brolin dan dat ze nog altijd hetzelfde personeel hadden?'

107

Joona Linna rijdt over de E4 naar het noorden. De radio speelt een ingetogen vioolsonate van Max Bruch. De schaduwen en de sneeuwvlokken voor de auto vloeien samen met de muziek. Als hij Norrviken passeert belt Corinne Meilleroux.

Ze vertelt snel dat er van de artsen die er de afgelopen twee jaar zijn bij gekomen op de loonlijst van het Löwenströmska-ziekenhuis maar eentje in de psychiatrie heeft gewerkt.

'Hij heet Anders Rönn, is nog niet zo lang afgestudeerd, maar hij heeft tijdelijk in een forensisch psychiatrische instelling in Växjö gewerkt.'

'Anders Rönn,' herhaalt Joona.

'Getrouwd met Petra Rönn, die in deeltijd bij de gemeente werkt... en ze hebben een dochter met een autistische stoornis. We weten niet of dat bruikbaar kan zijn, maar ik zeg het toch maar,' lacht ze.

'Dank je, Corinne,' zegt Joona, en hij verlaat de snelweg in Upplands Väsby. Hij passeert Solhagen, waar zijn vader vaak lunchte.

De oude weg naar Uppsala ligt langs een laan met zwarte eiken aan één kant. De besneeuwde akkers achter de bomen lopen af naar het meer.

Joona zet zijn auto voor de hoofdingang van het ziekenhuis en gaat naar binnen, slaat links af en haast zich langs de verlaten receptie naar de afdeling Algemene Psychiatrie.

Joona passeert de secretaresse, loopt verder naar de dichte deur van de chef-arts, doet hem open en stapt naar binnen. Roland Brolin kijkt op van zijn computer en zet zijn progressieve bril af. Joona buigt zijn hoofd een fractie maar schampt toch langs de hangende plafondlamp. Zonder haast te maken haalt hij zijn politielegitimatie tevoorschijn, houdt hem langdurig op voor Brolin en begint dan dezelfde vragen te stellen als afgelopen maandag.

'Hoe gaat het met de patiënt?'

'Ik ben nu helaas druk bezig, maar...'

'Heeft Jurek Walter de afgelopen tijd iets ongewoons gedaan?' valt Joona hem met harde stem in de rede.

'Daar heb ik al antwoord op gegeven,' zegt Brolin en hij richt zijn blik weer op de computer.

'Zijn de veiligheidsprocedures nog steeds onveranderd?'

De gezette arts zucht door zijn neus en kijkt hem vermoeid aan.

'Waar ben je mee bezig?'

'Krijgt hij nog steeds Risperdal intramusculair?' vraagt Joona.

'Ja,' zucht Brolin.

'Is het personeel op de beveiligde eenheid nog altijd hetzelfde?'

'Ja, maar dat heb ik toch al...'

'Is het personeel op de beveiligde eenheid nog altijd hetzelfde,' kapt Joona hem af.

'Ja,' antwoordt Brolin met een onzeker lachje.

'Werkt er geen nieuwe arts die Anders Rönn heet op de beveiligde eenheid?' vraagt Joona hees van koppigheid.

'Jawel...'

'Maar waarom zeg je dan dat hetzelfde personeel er werkt?'

Onder de vermoeide ogen van de arts is een lichte blos zichtbaar.

'Hij valt alleen maar in,' legt Brolin langzaam uit. 'Je begrijpt vast dat we soms tijdelijke krachten aan moeten nemen.'

'Voor wie valt hij in?'

'Susanne Hjälm, die met verlof is.'

'Hoe lang is ze al met verlof?'

Brolin antwoordt met een zucht: 'Drie maanden.'

'Wat doet ze?'

'Dat weet ik niet, je hoeft je verlof niet toe te lichten.'

'Is Anders Rönn nu aan het werk?'

Brolin kijkt kort op zijn horloge en stelt koel vast: 'Helaas, zijn werkdag zit erop.'

Joona pakt zijn mobiel en verlaat de kamer. Anja Larsson neemt op als hij langs de secretaresse loopt.

'Ik heb het adres en telefoonnummer van Anders Rönn en Susanne Hjälm nodig,' zegt hij kortaf.

108

Joona is net het ziekenhuisterrein af gereden en heeft vaart gemaakt op de oude provinciale weg als Anja weer belt.

'Baldersvägen 3 in Upplands Väsby,' zegt ze. 'Daar woont die Anders Rönn.'

'Dat vind ik wel,' zegt hij en hij geeft gas.

'Zou je je om mij bekeren?'

'Hoe bedoel je?'

'Als we trouwen dan... ik dacht alleen, als ik nou katholiek of moslim zou zijn of...'

'Maar dat ben je niet.'

'Nee, daar heb je gelijk in... er is niets wat ons tegenhoudt, we zouden een echte zomerbruiloft kunnen houden.'

'Ik ben nog niet helemaal toe aan die stap,' glimlacht Joona.

'Ik ook niet, maar ik voel dat ik dat wel aan het worden ben,' fluistert Anja in de hoorn.

Daarna schraapt ze haar keel, verandert van toon en zegt stijfjes dat ze Susanne Hjälm zal natrekken.

Joona rijdt terug naar verkeersplein Glädjen en is net de Sandavägen richting het huis van Anders Rönn ingeslagen, als Anja weer belt.

'Dit is een beetje raar,' zegt ze ernstig. 'Maar de telefoon van Susanne Hjälm staat uit. Die van haar man ook. Hij is al drie maanden niet op zijn werk bij een verzekeringsmaatschappij verschenen en beide kinderen zijn niet op school geweest. De meisjes zijn ziek gemeld, met doktersverklaring, maar de school heeft toch contact met jeugdzorg opgenomen...'

'Waar wonen ze?'

'Biskop Nilsväg 23 in Stäket, richting Kungsängen.'

Joona rijdt naar de kant van de weg en laat de vrachtwagen achter zich passeren. Er stuift sneeuw van de lading.

'Stuur een surveillancewagen naar het adres,' zegt Joona en hij maakt een U-bocht.

Zijn rechtervoorwiel rijdt de stoep op, de schokbreker van de auto dreunt en de klep van het dashboardkastje valt open van de klap.

Hij probeert niet te ver vooruit te denken, maar gaat toch steeds harder rijden. Hij negeert de rode stoplichten, rijdt domweg de kruising over en de rotonde op. Op de oprit naar de snelweg rijdt hij al honderdzestig kilometer per uur.

109

Weg 267 is bedekt met sneeuw en achter de auto stuift een witte wolk omhoog. Joona haalt een oude Volvo in en de banden rollen zacht door de strook sneeuw tussen de rijbanen. Hij zet zijn grote licht aan en de lege weg verandert in een tunnel met een zwarte overkapping boven een witte vloer. Eerst passeert hij akkers waar de sneeuw een blauwe tint heeft aangenomen in de toenemende duisternis en daarna loopt de weg door dichte bossen, waarna de verlichting van Stäket flikkerend opdoemt en het landschap zich opent richting het meer Mälaren.

Wat is er met het gezin van de psychiater gebeurd?

Joona matigt zijn snelheid, slaat rechts af en rijdt een kleine villawijk in met besneeuwde fruitbomen en konijnenhokken op de gazons.

Het weer is verslechterd en er waait sneeuw vanaf het water het land op, schuin en dicht.

Biskop Nilsväg nummer 23 is een van de laatste huizen in de wijk, daarachter ligt slechts bos en gemeenschappelijke grond.

Het huis van Susanne Hjälm is een grote, witte villa met lichtblauwe luiken en een rood pannendak.

Alle ramen zijn donker en de oprit is bedekt met ongerepte sneeuw.

Joona parkeert even voorbij het huis en heeft de handrem nog maar net omhooggetrokken als de auto van de districtspolitie van Upplands-Bro afremt en even verderop blijft staan.

Joona stapt uit, pakt zijn jas en sjaal van de achterbank en terwijl hij zijn jas dichtknoopt loopt hij naar zijn geüniformeerde collega's toe.

'Joona Linna, rijksrecherche,' zegt hij, en hij steekt zijn hand uit.

'Eliot Sörenstam.'

Eliot heeft een geschoren schedel, een verticaal baardstreepje op zijn kin en zwaarmoedige bruine ogen.

De andere agent drukt zijn hand stevig en stelt zich voor als Marie

Franzén. Ze heeft een opgewekt, sproetig gezicht, blonde wenkbrauwen en een hoge paardenstaart.

'Leuk om je eens in het echt te zien,' glimlacht ze.

'Fijn dat jullie zo snel konden komen,' zegt Joona.

'Dat is gewoon omdat ik op tijd thuis moet zijn om Elsa's haar te vlechten,' zegt ze vriendelijk. 'Ze moet morgen absoluut met krullen naar de crèche.'

'Dan moeten we maar voortmaken,' antwoordt Joona en hij loopt naar de donkere tuin.

'Ik maak maar een grapje... ik heb een krultang achter de hand.'

'Marie zorgt al vijf jaar alleen voor haar dochter,' licht Eliot toe. 'Maar ze heeft zich nog nooit ziek gemeld en ze is nog nooit eerder naar huis gegaan.'

'Het is aardig dat je dat zegt... voor een Steenbok,' voegt ze er met genegenheid in haar stem aan toe.

Het bos achter het huis breekt de wind van het meer en de sneeuw rolt op de een of andere manier over de boomtoppen en dwarrelt dan neer op het villawijkje. In de meeste huizen brandt licht achter de ramen, maar het huis met nummer 23 is onheilspellend donker.

'Er is ongetwijfeld een goede verklaring voor,' zegt Joona tegen de twee agenten. 'Maar de ouders zijn afgelopen maanden geen van beiden op hun werk geweest en de kinderen zijn ziek gemeld.'

De lage heg aan de straatkant is bedekt met sneeuw en de groene plastic brievenbus naast de elektriciteitskast zit bomvol post en reclame.

'Is jeugdzorg ingeschakeld?' vraagt Marie ernstig.

'Ze zijn hier geweest, maar zeggen dat het gezin niet thuis is,' antwoordt Joona. 'We bellen aan, maar waarschijnlijk moeten we gaan informeren bij de buren.'

'Bestaan er verdenkingen van een misdrijf?' vraagt Eliot en hij kijkt naar het gladde sneeuwdek op de oprit.

Joona kan niet anders dan aan Samuel Mendel denken. Zijn hele gezin verdween. De Zandman heeft ze precies volgens Walters voorspelling meegenomen. Maar hier klopt iets niet. Susanne Hjälm heeft haar kinderen ziek gemeld en zelf de doktersverklaring ondertekend die ze naar de school heeft verstuurd.

110

De twee collega's lopen rustig met Joona mee naar het huis. De sneeuw knerpt onder hun schoenzolen.

Er heeft hier al weken niemand gelopen.

Naast de zandbak steekt een stuk tuinslang boven de sneeuw uit.

Ze lopen het trappetje naar de voordeur op en bellen aan, wachten even en bellen dan weer aan.

Ze luisteren of ze iets horen in het huis. Er komt damp uit hun mond. De trap onder hen kraakt.

Joona belt nogmaals aan.

Hij raakt het akelige gevoel niet kwijt, maar zegt niets. Er is geen reden om zijn collega's verontrust te maken.

'Wat doen we nu?' vraagt Eliot gedempt.

Joona steunt met een knie op het bankje, leunt opzij en kijkt door het smalle raam de hal in. Hij ziet de bruine plavuizen en het gestreepte behang. De matglazen prisma's van het muurlampje hangen er onbeweeglijk bij. Hij verplaatst zijn blik weer naar de vloer. De stofvlokken naast de muur liggen stil. Hij denkt net dat er geen luchtbeweging in het huis lijkt te zijn, als er een stofvlok onder een ladekast glijdt. Joona leunt verder naar het glas toe, schermt het licht van buiten af met zijn handen en ziet een donkere gestalte in de hal.

Een mens, met zijn handen omhoog.

Het duurt maar een seconde voor Joona begrijpt dat hij zichzelf in de spiegel in de hal ziet, maar de adrenaline giert al door zijn lijf.

Hij ziet zichzelf als een silhouet in het smalle raam van de hal, hij ziet paraplu's in een standaard, de binnenkant van de deur, de veiligheidsketting en het rode vloerkleed.

Er zijn geen schoenen of jassen te zien.

Joona tikt tegen het raam, maar er gebeurt niets.

De prisma's van de muurlamp hangen er onbeweeglijk bij, alles is stil in het huis.

'Oké, we moeten maar met de buren gaan praten,' zegt hij.

In plaats van dat hij teruggaat naar de straat, loopt hij echter om het huis heen. Zijn collega's kijken hem verbaasd na vanaf de oprit.

Joona loopt langs een besneeuwde trampoline en blijft dan staan. Er lopen hoefsporen van reeën door de tuinen. Licht vanuit het raam van de buren valt als een gouden laagje over de sneeuw.

Op dat moment is het volkomen stil.

Waar de tuin eindigt, begint het donkere bos. Naalden en dennenappels zijn in de dunnere sneeuw onder de boom gevallen.

'Zouden we niet met de buren gaan praten?' zegt Eliot vragend.

'Ik kom eraan,' antwoordt Joona zacht.

'Wat?'

'Wat zei hij?'

'Wacht even...'

Joona ploetert verder door de sneeuw, het is koud aan zijn voeten en enkels. Voor het donkere keukenraam schommelt knerpend een vogelhuisje.

Hij loopt verder langs het huis en denkt dat er iets niet klopt.

Er is sneeuw tegen de gevel gewaaid.

Glinsterende ijspegels hangen aan de vensterbank onder het raam aan de kant van het bos.

Maar waarom alleen daar, vraagt hij zich af.

Hij loopt erheen en ziet de buitenverlichting van de buren weerspiegeld in het raam.

Het zijn vier lange ijspegels en een paar rijen kleinere.

Hij is bijna bij het raam als hij ziet dat er vlak bij een ventilatierooster even boven de grond een holte in de sneeuw zit. Dat betekent dat er af en toe warme lucht uit het rooster komt.

Daarom hebben zich ijspegels gevormd.

Joona leunt voorover en luistert. Het enige wat hij hoort is het langzame ruisen van het bos als de wind door de boomtoppen gaat.

De stilte wordt verbroken door stemmen uit het buurhuis. Twee kinderen roepen kwaad iets naar elkaar. Er slaat een deur dicht en daarna klinken de stemmen zwakker.

Een zacht schrapend geluid maakt dat Joona zich weer naar het rooster toe buigt. Hij houdt zijn adem in en vangt door de ventilatieopening een snelle fluistering op, een soort commando.

Instinctief deinst hij achteruit, hij weet niet zeker of hij zich het gefluister heeft ingebeeld, hij kijkt om zich heen, ziet zijn wachtende collega's op de oprit, de donkere bomen, de sneeuwkristallen die in de lucht glinsteren, en plotseling beseft hij wat hij zopas heeft gezien.

Toen hij door het smalle raam de hal in keek en zichzelf in de spiegel zag, was hij zo verrast dat hij het cruciale detail miste.

De veiligheidsketting zat op de deur, en dat kan alleen maar als er iemand in huis is.

Joona rent door de diepe sneeuw naar de voorkant. Er wervelt losse sneeuw over zijn bovenbenen. Hij vist de lopers op uit de binnenzak van zijn jas en loopt de trap naar de voordeur op.

'Er is iemand binnen,' zegt hij gedempt.

Zijn collega's kijken hem bevreemd aan als hij het slot openmaakt, de deur voorzichtig opent, weer dichtdoet en vervolgens zo hard opentrekt dat de ketting losschiet.

Joona gebaart naar hen dat ze achter hem moeten blijven.

'Politie!' roept hij het huis in. 'We komen binnen!'

111

De drie agenten lopen de hal in en ruiken meteen de scherpe geur van oud afval. Het is stil in het huis en net zo koud als buiten.

'Is daar iemand?' roept Joona.

Het enige wat ze horen zijn hun eigen voetstappen en bewegingen. Het licht van de buurhuizen valt niet naar binnen. Joona steekt zijn hand uit naar het lichtknopje om de plafondlamp aan te knippen, maar die doet het niet.

Marie doet haar zaklamp achter hem aan. De lichtkegel gaat nerveus allerlei kanten op. Ze lopen verder het huis in en Joona ziet hoe zijn eigen schaduw zich verheft en over de neergelaten luxaflex wegglijdt.

'Politie,' roept hij weer. 'We willen alleen maar praten!'

Ze komen de keuken binnen en zien dat er een heleboel lege verpakkingen van cornflakes, macaroni, meel en suiker op de vloer onder de tafel liggen.

'Wat is dit in godsnaam?' fluistert Eliot.

Koelkast en vriezer staan er donker en leeg bij, alle keukenstoelen zijn verdwenen en op de vensterbanken voor de gesloten gordijnen staan verdroogde planten.

Alleen van buitenaf ziet het eruit alsof de familie op reis is.

Ze lopen verder een televisiekamer met hoekbank in. Joona stapt over de kussens die op de grond liggen.

Marie fluistert iets wat hij niet verstaat.

De dikke gordijnen voor het raam reiken tot op de grond. Door de deur naar de gang is een trap zichtbaar die naar de kelder leidt.

Als ze een dode hond met een plastic zak om de kop zien liggen, blijven ze staan. Het dier ligt op de grond voor de bank in de televisiekamer.

Joona loopt verder richting de gang en de trap. Hij hoort de voorzichtige bewegingen van zijn collega's achter zich.

Marie is snel gaan ademen.

Het schijnsel van de zaklamp trilt.

Joona doet een stap opzij zodat hij de donkere gang in kan kijken. Verderop staat de badkamerdeur op een kier.

Joona gebaart naar zijn collega's dat ze moeten blijven staan, maar Marie staat al naast hem en richt haar zaklamp op de trap. Ze doet een stap naar voren en probeert verder de gang in te kijken.

'Wat is dat daar?' fluistert ze, en ze kan de nervositeit in haar stem niet onderdrukken.

Er ligt iets op de vloer bij de badkamerdeur. Ze richt haar zaklamp erop. Het is een pop met lang blond haar.

Het schijnsel trilt op het glanzende plastic gezicht.

Plotseling wordt de pop de badkamer in getrokken.

Marie glimlacht en doet een grote stap naar voren en op hetzelfde moment klinkt er een knal zo hevig dat ze hem in hun buik voelen.

Het mondingsvuur van het jachtgeweer vult de gang als een bliksemflits.

Het lijkt alsof Marie een harde duw in haar rug krijgt en tegelijkertijd gaan er gedeeltes van de hagelwolk dwars door haar hals heen.

Haar hoofd klapt achterover en er spat bloed uit het gat in haar keel.

De zaklamp knalt tegen de grond.

Als Marie met loshangend hoofd een laatste stap zet, is ze in feite al dood. Ze zakt in elkaar en blijft met een been onder zich liggen, waardoor haar bekken in een vreemde hoek omhoog staat.

Joona heeft zijn pistool getrokken en ontgrendeld en draait zich om. De gang naar de trap is leeg. Er is daar niemand – de schutter moet in de kelder verdwenen zijn.

Het bloed bubbelt uit Maries hals en dampt in de koude lucht.

De zaklamp rolt langzaam over de vloer.

'Mijn god, mijn god,' fluistert Eliot.

Hun oren suizen van de knal.

Plotseling rent er een kind met de pop in haar armen de gang door, glijdt uit in het bloed, valt op haar rug en glipt het donker bij de trap in. Ze verdwijnt bonkend omlaag en daarna klinkt er iets ratelends.

112

Joona zakt op één knie en kijkt snel naar Marie. Er is niets meer aan te doen, de zware lading ging haar longen en hart in en doorboorde de halsslagader.

Eliot Sörenstam schreeuwt met tranen in zijn stem in zijn portofoon dat een ambulance en versterking hierheen moeten komen.

'Politie,' roept Joona richting de trap. 'Leg het wapen neer en...'

Vanuit de kelder wordt het jachtgeweer opnieuw afgevuurd en de kogels vliegen door de spijlen van de trap, waardoor er een wolk splinters rondvliegt.

Joona hoort de mechanische klik als het geweer opengeklapt wordt. Hij stormt de gang in, bereikt de trap en hoort tegelijkertijd het zuchtende geluid als de eerste lege huls uit het geweer wordt gehaald.

Met grote passen loopt Joona met geheven pistool de donkere trap af.

Eliot Sörenstam heeft de zaklamp opgeraapt om hem bij te schijnen en het licht reikt precies tot de kelder, zodat Joona weet af te remmen voor hij gespietst wordt.

Onder aan de trap heeft iemand de stoelen van de eettafel opgestapeld tot een barricade. De omhoog gerichte poten zijn tot spiesen geslepen en er zijn messen aan bevestigd met duct tape.

Joona richt zijn zware Colt Combat over de barricade heen, een kamer met pooltafel in.

Er is geen mens te zien, alles is weer stil.

De adrenaline in zijn lijf maakt hem eigenaardig rustig, alsof hij zich in een nieuwe, scherpere versie van de werkelijkheid bevindt.

Voorzichtig haalt hij zijn vinger van de trekker en maakt de lus van het touw dat om de trapleuning zit los, zodat hij langs de stoelen kan komen.

'Wat moeten we verdomme doen?' fluistert Eliot met paniek in zijn stem als hij beneden komt.

'Heb je een kogelwerend vest aan?'

'Ja.'

'Schijn de kelder in,' zegt Joona en hij begint te lopen.

Tussen gebroken glas en oude conservenblikken liggen twee lege hulzen op de grond. Eliot ademt veel te snel en houdt de zaklamp naast zijn pistool als hij de hoekjes afspeurt. Hierbeneden is het warmer en er dringt een scherpe geur van zweet en urine tot hen door.

In de gang is er op halshoogte ijzerdraad gespannen en ze moeten bukken. Achter hen rinkelen staaldraden.

Plotseling horen ze gefluister en Joona blijft staan en gebaart naar Eliot. Een tikkend geluid wordt gevolgd door voetstappen.

'Rennen, rennen,' fluistert iemand.

Er waait koude lucht naar binnen en Joona loopt snel door terwijl het nerveuze licht van Eliots zaklamp rondzoekt in de kelder. Links vangen ze een glimp op van een ketelruimte en aan de rechterkant leidt een betonnen trap naar een open kelderdeur.

Er waait sneeuw binnen over de traptreden.

Joona heeft de verborgen gestalte al gezien als het schijnsel van de zaklamp het lemmet doet schitteren.

Hij doet nog een stap, hoort de vlugge ademhaling die voorafgaat aan een plots gekerm.

Een lange vrouw met vuil gezicht stormt met een mes in haar hand op hem af en Joona richt zijn pistool automatisch op haar romp.

'Pas op!' schreeuwt Eliot.

Het gaat maar om een seconde, maar Joona heeft toch tijd genoeg om niet te schieten. Zonder na te hoeven denken pareert hij haar aanval en doet een stap schuin naar voren als ze steekt. Hij blokt haar arm, pakt hem beet, laat haar schouders de draai van haar lichaam volgen, en slaat met zijn rechteronderarm tegen de linkerkant van haar hals. Hij raakt haar zo hard en onverwachts dat ze achteruitschiet door de kracht.

Joona houdt de arm met het mes in zijn greep. Er klinkt gekraak als van stenen onder water als haar elleboog breekt. De vrouw klapt tegen de grond en schreeuwt het uit van de pijn.

Het mes klettert op de tegels. Joona trapt het weg en richt zijn pistool de ketelruimte in.

113

Een man van middelbare leeftijd ligt half op de grond bij de geothermische pomp. Hij is vastgebonden met touwen en duct tape en heeft een lap in zijn mond.

Eliot Sörenstam ketent de vrouw met zijn handboeien vast aan een waterleiding terwijl Joona voorzichtig naar de man toe loopt, vertelt dat hij van de politie is en de lap uit zijn mond trekt.

'De kinderen,' hijgt de man. 'Ze zijn naar buiten gerend, jullie mogen onze kinderen geen kwaad doen, ze zijn...'

'Zijn er meer mensen hier?'

Eliot is de betonnen trap al op gerend.

'Alleen de kinderen...'

'Hoeveel?'

'Twee meisjes... Susanne heeft ze het jachtgeweer gegeven, ze zijn alleen maar bang, ze hebben nog nooit met een jachtgeweer geschoten, jullie mogen ze geen kwaad doen,' smeekt de man vertwijfeld. 'Ze zijn alleen bang...'

Joona rent de keldertrap op die aan de achterkant van het huis uitkomt terwijl hij de man keer op keer hoort roepen dat ze de meisjes geen kwaad mogen doen.

De voetsporen leiden door de tuin en gaan recht het donkere bos in. Diep tussen de bomen fladdert er licht.

'Eliot,' roept Joona. 'Er zijn hier alleen kinderen!'

Hij volgt de sporen met grote stappen het bos in en voelt het zweet op zijn gezicht afkoelen.

'Ze zijn gewapend,' roept Joona.

Hij rent naar het schijnsel tussen de bomen. Takken onder de sneeuw breken onder zijn gewicht. Verderop ziet hij Eliot met zaklamp en pistool voortploeteren.

'Stop,' roept Joona, maar Eliot lijkt hem niet te horen.

Losse sneeuw stort met doffe ploffen van een boom.

In het zwakke licht ziet hij vagelijk de sporen van de kinderen tussen de bomen, in verschillende hoeken, en Eliots rechte lijn erachteraan.

'Het zijn maar kinderen,' roept Joona weer, en hij probeert tijd te winnen door een steile helling af te glijden.

Hij valt op zijn heup, sleurt losse stenen en dennenappels onder de sneeuw mee, schraapt met zijn rug ergens overheen, maar landt dan op zijn voeten.

Door de dichte takken ziet hij het zoekende schijnsel van de zaklamp en schuin achter hem staat een tenger meisje naast een boom met het geweer in beide handen.

Joona rent dwars door het kreupelhout van droge takken. Hij probeert zijn gezicht te beschermen, maar haalt toch zijn wangen open. Hij ziet Eliots gedaante tussen de boomstammen bewegen en het kleine meisje dat vanachter de boom tevoorschijn stapt en het geweer afvuurt op de agent.

Het schot hagel verdwijnt een meter of wat voor het mondstuk in de sneeuw. De loop schiet omhoog en haar magere lichaam schokt van de terugslag. Ze valt en Eliot draait zich om en richt zijn pistool op haar.

'Wacht!' roept Joona en hij probeert zich door een dichte spar heen te wringen.

Hij krijgt sneeuw in zijn gezicht en zijn jas, de takken geven mee, hij komt aan de andere kant tevoorschijn en blijft abrupt staan.

Eliot Sörenstam zit met het huilende meisje in zijn armen op de grond. Een paar passen verderop staat haar jongere zusje naar hen te kijken.

114

De armen van Susanne Hjälm zijn achter haar rug vastgeketend. De gebroken elleboog ziet er raar uit. Ze schreeuwt hysterisch en biedt hevig tegenstand als twee geüniformeerde agenten haar de keldertrap op slepen. Het blauwe zwaailicht van politiewagens en ambulance doen het sneeuwlandschap pulseren als water. Buurtbewoners staan als stille geestverschijningen vanuit de verte toe te kijken.

Susanne houdt op met gillen als ze Joona en Eliot het bos uit ziet komen. Joona draagt het jongste meisje in zijn armen en Eliot houdt het andere bij de hand.

Susanne staat met opengesperde ogen hijgend te ademen in de ijskoude winternacht. Joona zet het meisje neer zodat ze met haar zusje naar haar moeder kan gaan. Ze omhelzen haar een hele poos en ze probeert ze te troosten.

'Het komt weer goed,' zegt ze met gebroken stem. 'Alles komt weer goed.'

Een oudere vrouw in uniform begint met de kinderen te praten en probeert uit te leggen dat mama mee moet met de politie.

De vader wordt door ambulancepersoneel de kelder uit geholpen, maar hij is zo zwak dat hij op een brancard gelegd moet worden.

Joona loopt mee als de agenten Susanne door de diepe sneeuw naar een politiewagen op de oprit brengen. Ze moet achter in een auto gaan zitten terwijl een agent telefoneert met een officier van justitie.

'Ze moet naar een ziekenhuis,' zegt Joona, en hij stampt de sneeuw van zijn schoenen en kleren.

Hij loopt naar Susanne Hjälm toe. Ze zit stil in de auto, met haar gezicht naar het huis in een poging een glimp van haar kinderen op te vangen.

'Waarom heb je dit gedaan?' vraagt Joona.

'Dat kun je nooit begrijpen,' mompelt ze. 'Niemand kan het begrijpen.'

'Misschien kan ik het wel,' zegt hij. 'Ik ben degene die Jurek Walter dertien jaar geleden heeft gegrepen en...'

'Je had hem dood moeten maken,' valt ze hem in de rede en ze kijkt hem voor het eerst in de ogen.

'Wat is er gebeurd? Na al die jaren als psychiater op de beveiligde afdeling...'

'Ik had niet met hem moeten praten,' zegt ze verbeten. 'Dat horen we niet te doen, maar ik dacht niet...'

Ze zwijgt en richt haar blik weer op het huis.

'Wat zei hij?'

'Hij... vroeg me een brief te versturen,' fluistert ze.

'Een brief?'

'Hij heeft immers beperkingen opgelegd gekregen, dus ik kon hem niet... maar ik, ik...'

'Je kon hem niet versturen? Waar is die brief dan?'

'Misschien kan ik beter met een advocaat overleggen,' zegt ze.

'Heb je de brief nog?'

'Ik heb hem verbrand,' vertelt ze en ze kijkt weer weg.

Er lopen tranen over haar vermoeide, vuile gezicht.

'Wat stond er in de brief?'

'Voor ik meer vragen beantwoord wil ik overleggen met een advocaat,' zegt ze mat.

'Dit is belangrijk, Susanne,' dringt Joona aan. 'Je krijgt nu medische zorg en je mag een advocaat spreken, maar eerst moet ik weten waar die brief heen gestuurd had moeten worden... Geef me een naam, geef me een adres.'

'Ik weet het niet meer... het was een postbus.'

'Waar?'

'Ik weet het niet... het was een naam,' zegt ze en ze schudt haar hoofd.

Joona ziet de oudste dochter op een brancard liggen die in een ambulance wordt geschoven. Ze ziet er angstig uit en probeert de banden die haar op haar plaats houden los te maken.

'Weet je de naam nog?'

'Die was niet Russisch,' fluistert Susanne. 'Die was...'

Plotseling raakt haar dochter in de ambulance in paniek en begint te gillen.

'Ellen,' roept Susanne. 'Ik ben hier, ik ben hier!'

Susanne probeert de auto uit te komen, maar Joona dwingt haar te blijven zitten.

'Laat me godverdomme met rust!'

Ze probeert zich los te wringen om uit te stappen. De deuren van de ambulance gaan dicht en het is weer stil.

'Ellen,' roept ze.

De ambulance rijdt weg en Susanne zit met afgewend gezicht en gesloten ogen achter in de politieauto.

115

Als Anders Rönn terugkomt van de ouderbijeenkomst van de Autisme-
en Aspergervereniging zit Petra achter de computer rekeningen te beta-
len. Hij loopt naar haar toe en zoent haar in haar nek, maar ze schudt
hem van zich af. Hij probeert te glimlachen en over haar wang te strelen.

'Niet doen,' zegt ze alleen.

'Kunnen we proberen het weer goed te maken?'

'Je bent veel te ver gegaan,' zegt ze vermoeid.

'Ik weet het, sorry, ik dacht dat je wilde dat...'

'Hou op dat te denken,' kapt ze hem af.

Anders kijkt haar in de ogen, knikt en gaat dan naar Agnes' kamer.
Ze zit met haar rug naar hem toe bij het poppenhuis. Hij ziet dat ze de
haarborstel in haar hand houdt, alle poppen heeft geborsteld en ze vervolgens op elkaar gestapeld in een bed in het poppenhuis heeft gestopt.

'Wat heb je dat mooi gedaan,' zegt Anders.

Agnes draait zich om, laat de borstel zien en kijkt hem even aan.

Hij gaat naast haar zitten en slaat zijn arm om haar tengere schouders. Ze wringt zich langzaam los.

'Nu liggen ze samen te slapen,' zegt Anders opgewekt.

'Nee,' antwoordt ze met haar monotone stem.

'Wat doen ze dan?'

'Ze kijken.'

Ze wijst naar de getekende, wijd geopende ogen van de poppen.

'Je bedoelt dat ze niet kunnen slapen als ze kijken? Maar je kunt toch
spelen dat ze...'

'Ze kijken,' onderbreekt ze hem, en ze begint haar hoofd in een angstig patroon te bewegen.

'Ik zie het,' zegt hij geruststellend. 'Maar ze liggen in bed zoals het
hoort en dat is heel goed...'

'Ai ai ai...'

Agnes beweegt haar hoofd in het schokkerige patroon en klapt drie keer snel in haar handen. Anders houdt haar in zijn armen, kust haar op haar hoofd en zegt dat ze het heel mooi heeft gedaan met de poppen. Uiteindelijk ontspant haar lichaam weer en begint ze legosteentjes achter elkaar te leggen.

De deurbel gaat en Anders verlaat de kamer, kijkt nog een laatste keer naar Agnes voor hij de deur open gaat doen.

In het schijnsel van de buitenverlichting staat een lange man in een pak met natte broekspijpen en een gescheurde jaszak. De krullen van de man zijn warrig, hij heeft lachkuiltjes in zijn wangen en ernstige ogen.

'Anders Rönn?' zegt hij in Zweeds met een Finse inslag.

'Kan ik u ergens mee helpen?' vraagt Anders neutraal.

'Ik ben van de rijksrecherche,' zegt hij en hij laat zijn legitimatie zien. 'Mag ik binnenkomen?'

116

Anders staart de lange man voor de deur aan. Binnen een seconde is hij ijskoud van angst. Hij doet de deur open om de bezoeker binnen te laten en terwijl hij vraagt of de man een kop koffie wil, gaan er duizend gedachten door zijn gloeiende brein.

Petra heeft het vrouwenmeldpunt gebeld en het verteld.

Brolin heeft een aanklacht tegen hem bij elkaar gelogen.

Het is uitgekomen dat hij eigenlijk helemaal niet competent genoeg is voor het werk op de gesloten afdeling.

De lange commissaris vertelt dat hij Joona Linna heet, slaat de koffie beleefd af, loopt dan naar binnen en gaat in de fauteuil in de woonkamer zitten. Hij werpt een vriendelijke, onderzoekende blik op Anders waardoor deze zich een gast in zijn eigen woonkamer voelt.

'Je valt op de beveiligde eenheid in voor Susanne Hjälm,' zegt de commissaris.

'Ja,' antwoordt Anders, en hij probeert te begrijpen waar de man op uit is.

'Hoe ervaar je Jurek Walter?'

Jurek Walter, denkt Anders. Gaat het alleen maar over Jurek Walter? Hij ontspant en weet een droge toon in zijn stem te leggen.

'Ik kan het niet over individuele patiënten hebben,' zegt hij stijfjes.

'Praat je met hem?' vraagt de man, en zijn grijze ogen worden heel scherp.

'We hebben geen gesprekstherapie op de beveiligde eenheid,' zegt Anders en hij haalt zijn hand door zijn korte haar. 'Maar het spreekt voor zich dat de patiënten praten...'

Joona Linna leunt naar voren: 'Je weet dat het gerechtshof Jurek Walter beperkingen heeft opgelegd omdat hij als extreem gevaarlijk wordt beschouwd?'

'Ja,' zegt Anders. 'Maar uiteindelijk is dat toch een interpretatie, en als verantwoordelijk arts moet ik voortdurend een afweging maken tussen beperkingen en behandeling.'

De commissaris knikt een paar keer en zegt dan: 'Hij heeft je gevraagd een brief te versturen, hè?'

Anders is even van zijn stuk gebracht, maar dan herinnert hij zich weer dat hij de verantwoordelijkheid voor de patiënten draagt en de besluiten over hen neemt.

'Ja, ik heb een brief verstuurd,' zegt hij. 'Ik achtte dat van belang voor het vertrouwen tussen ons.'

'Heb je de brief gelezen voor je hem verstuurde?'

'Ja, natuurlijk... hij wist dat ik dat zou doen, daar is niets mis mee.'

De grijze ogen van de politieman worden donkerder als zijn pupillen zich verwijden.

'Wat stond erin?'

Anders weet niet of Petra binnengekomen is, maar hij heeft het gevoel dat ze achter zijn rug naar hen staat te kijken.

'Ik weet het niet precies,' zegt hij, en tot zijn ergernis voelt hij dat hij rood wordt. 'Maar het was een formele brief naar een advocatenkantoor... en dat beschouw ik als een mensenrecht.'

'Ja,' antwoordt de rechercheur zonder hem los te laten met zijn blik.

'Jurek Walter wilde een privébezoek van een advocaat op de isoleerafdeling om uitleg te krijgen over de mogelijkheid van heroverweging van zijn vonnis... dat wilde hij ongeveer... en dat hij in dat geval... als een heroverweging mogelijk was, een zelfgekozen advocaat wilde die hem zou bijstaan.'

Het is stil in de woonkamer.

'Naar welk adres?' vraagt de commissaris rustig.

'Advocatenkantoor Rosenhane... een postbus in Tensta.'

'Zou je de precieze formuleringen in de brief kunnen reconstrueren?'

'Ik heb hem maar één keer gelezen en hij was zoals ik al zei erg beleefd en formeel... hoewel hij heel wat spelfouten bevatte.'

'Spelfouten?'

'Eerder dyslectische fouten,' verduidelijkt Anders.

'Heb je het met Roland Brolin over de brief gehad?'

'Nee,' antwoordt Anders. 'Waarom zou ik?'

117

Joona loopt terug naar zijn auto en begint richting Stockholm te rijden. Hij belt Anja en vraagt haar advocatenkantoor Rosenhane in Tensta na te trekken.

'Weet je eigenlijk wel hoe laat het is?'

'Hoe laat,' herhaalt hij, en hij denkt opeens aan Marie Franzén, die een paar uur geleden is doodgeschoten. 'Ik... het spijt me, we kunnen het morgen doen.'

Hij beseft dat ze het gesprek al heeft weggedrukt. Het duurt maar een paar minuten voor ze hem terugbelt.

'Er bestaat geen Rosenhane,' zegt ze. 'Geen advocatenkantoor en geen advocaat met die naam.'

'Er was een postbus,' houdt Joona vol.

'Ja, in Tensta, die heb ik gevonden,' zegt ze mild. 'Maar die is opgezegd en de advocaat die hem huurde bestaat niet.'

'Ik begrijp het...'

'Rosenhane is de naam van een uitgestorven adellijk geslacht,' zegt ze.

'Het spijt me dat ik zo laat belde.'

'Ik maakte een grapje, je mag me bellen wanneer je wilt, we gaan immers trouwen...'

Het adres is een dood spoor, denkt Joona. Geen postbus, geen advocatenkantoor, geen naam.

Hij begint na te denken over het opmerkelijke gegeven dat Anders Rönn Jurek Walter dyslectisch noemde.

Ik heb hem zien schrijven, denkt Joona. Wat Anders Rönn als dyslexie beschouwde, is waarschijnlijk het gevolg van langdurige medicatie.

Opnieuw gaan zijn gedachten naar Marie Franzén, die is gedood door Susanne Hjälm. Nu zit er een kind te wachten op een moeder die nooit meer thuiskomt.

Ze had niet naar de badkamerdeur moeten rennen, maar hij weet dat hij dezelfde fout had kunnen maken als de operationele training niet zo diep had gezeten – en dan was hij net als zijn eigen vader gedood.

Maries dochter Elsa heeft het bericht inmiddels misschien gekregen. De wereld zal nooit meer dezelfde zijn. Toen hij zelf elf jaar was, werd zijn vader doodgeschoten met een jachtgeweer. Zijn vader, die agent was, zou alleen maar een flat in gaan waar een echtelijke ruzie gemeld was. Elke dag denkt Joona er wel een keer aan hoe hij in de klas zat toen de rector binnenkwam en hem vroeg mee te komen. De wereld is nooit meer dezelfde geweest.

118

Het is ochtend en Jurek Walter loopt met grote stappen op de loopband. Saga hoort hem zwaar en donker ademen. Op tv vertelt een man over het zelf maken van stuiterballen. Kleurige bolletjes deinen in diverse waterglazen.

Saga zit vol tegenstrijdige gevoelens. Haar drang tot zelfbehoud zegt haar dat ze al het contact met Jurek zou moeten vermijden, maar met elk gesprek neemt de kans dat haar collega's Felicia vinden toe.

De man op tv waarschuwt de kijkers om niet te veel glitter te gebruiken, aangezien dat het stuitvermogen van de ballen verpest.

Langzaam loopt Saga naar Jurek toe. Hij stapt van de loopband af en gebaart naar haar dat ze hem over kan nemen.

Ze bedankt, stapt erop en begint te lopen. Jurek staat ernaast en neemt haar op. Haar benen zijn nog steeds vermoeid en haar gewrichten gevoelig. Ze probeert het tempo op te voeren, maar ademt nu al hevig.

'Heb je je Haldol-injectie gehad?' vraagt Jurek.

'De eerste dag al,' antwoordt ze.

'Van de arts?'

'Ja.'

'Kwam hij binnen en trok hij je broek naar beneden?'

'Eerst kreeg ik Stesolid,' antwoordt ze zacht.

'Was hij handtastelijk?'

Ze haalt haar schouders op.

'Is hij vaker bij je binnen geweest?'

Bernie komt de ruimte binnen en loopt recht op de loopband af. Zijn gebroken neus is gefixeerd met witte tape. Eén oog zit dicht vanwege een donkergrijze zwelling. Hij blijft voor Saga staan, kijkt haar aan en hoest onderdrukt.

'Nu ben ik je slaaf... godsamme zeg... Ik ben hier en ik volg je tot in de eeuwigheid, als de butler van de paus... tot de dood ons scheidt...'

Hij veegt zweet van zijn bovenlip en wankelt even.

'Ik gehoorzaam elk klein...'

'Ga op de bank zitten,' kapt Saga hem af zonder hem aan te kijken.

Hij boert en slikt meerdere keren.

'Ik lig op de grond en verwarm je voeten... ik ben je hond,' zegt hij en hij gaat met een zucht op zijn knieën zitten. 'Zeg me, wat wil je dat ik doe?'

'Ga op de bank zitten,' herhaalt Saga.

Ze loopt met zware stappen op de loopband. De palmbladeren deinen. Bernie kruipt naar haar toe, houdt zijn hoofd scheef en kijkt naar haar op.

'Wat dan ook, ik gehoorzaam,' zegt hij. 'Als je zweet tussen je borsten, kan ik het afdrogen...'

'Ga op de bank zitten,' herhaalt Jurek neutraal.

Bernie kruipt onmiddellijk weg en gaat op de vloer voor de bank liggen. Saga moet de snelheid van de loopband iets verlagen. Ze kijkt met opzet niet naar het zwiepende palmblad en vermijdt het aan de microfoon met het zendertje te denken.

Jurek staat haar stil op te nemen, veegt zijn lippen af en haalt zijn hand door zijn korte, metaalgrijze haar.

'We kunnen samen weggaan uit het ziekenhuis,' zegt hij rustig.

'Maar ik weet niet of ik dat wel wil,' zegt ze eerlijk.

'Waarom niet?'

'Ik heb eigenlijk niets meer buiten.'

'Niets meer?' herhaalt hij zacht. 'Het is hoe dan ook onmogelijk om ergens naar terug te gaan... maar er zijn betere plekken dan deze.'

'En slechtere misschien.'

Hij kijkt oprecht verbaasd en wendt zijn gezicht met een zuchtend geluid af.

'Wat zeg je?' vraagt ze.

'Ik zuchtte alleen maar, omdat ik bedacht dat ik me inderdaad een slechtere plaats herinner,' zegt hij en hij kijkt haar dromerig aan. 'De lucht gonsde van de hoogspanningsleidingen... de wegen waren kapotgereden door grote shovels... en de sporen vulden zich met rood modderig water, het reikte tot mijn middel... maar ik kon nog steeds mijn mond opendoen om te ademen.'

'Hoe bedoel je?'

'Dat slechtere plaatsen te verkiezen kunnen zijn boven betere...'

'Denk je aan je jeugd?'

'Ja, daar denk ik aan,' fluistert hij.

Saga zet de loopband stil, buigt zich voorover en hangt aan de handvatten. Haar wangen gloeien alsof ze tien kilometer heeft hardgelopen. Ze weet dat ze moet doorgaan met het gesprek zonder al te gretig te worden, en dat ze hem meer moet laten vertellen.

'Maar nu... Heb je een schuilplaats of ben je van plan een nieuwe te vinden?' vraagt ze zonder hem aan te kijken.

De vraag was veel te direct, dat voelt ze. Ze dwingt zichzelf op te kijken, hem in de ogen te kijken.

'Ik kan je een hele stad geven, als je wilt,' antwoordt hij ernstig.

'Waar?'

'Kies zelf maar.'

Saga schudt glimlachend haar hoofd, maar herinnert zich opeens een plek waar ze al jaren niet aan heeft willen denken.

'Als ik aan andere plekken denk... dan denk ik alleen maar aan het huis van mijn grootvader,' zegt ze. 'Ik had er een schommel in een boom... ik weet niet, maar ik vind schommelen nog steeds fijn.'

'Kun je daar niet heen gaan?'

'Dat gaat niet,' antwoordt ze en ze stapt van de loopband af.

119

In het topappartement aan Rörstrandsgatan 19 luistert de geheime groep Athena Promachos naar het gesprek dat Jurek Walter en Saga Bauer voeren.

Johan Jönson zit in een grijs trainingspak achter de computer. Corinne zit aan het bureau en voert het hele gesprek in in haar computer. Nathan Pollock heeft tien bloemen in de kantlijn van zijn schrijfblok getekend en noteert de woorden 'hoogspanningsleidingen', 'shovels' en 'rode modder'.

Joona staat met gesloten ogen bij de luidspreker en voelt koude rillingen over zijn rug omhoogkruipen als Saga over haar grootvader vertelt. Ze mag Jurek Walter onder geen beding in haar hoofd laten, denkt hij. Het gezicht van Susanne Hjälm fladdert door zijn gedachten. Haar vuile gezicht en angstige blik, daar in die kelder.

'Waarom kun je niet naar de plek waar je heen wilt?' hoort hij Jurek Walter vragen.

'Het huis is nu van mijn vader,' antwoordt Saga Bauer.

'En hem heb je al tijden niet meer gezien?'

'Dat wou ik niet,' zegt ze.

'Als hij leeft, dan wacht hij erop dat je hem een nieuwe kans geeft,' zegt Walter.

'Nee,' antwoordt ze.

'Het hangt er natuurlijk van af wat er is gebeurd, maar...'

'Ik was klein en weet er niet meer zoveel van,' legt ze uit. 'Maar ik weet dat ik hem steeds belde en beloofde dat ik nooit meer lastig zou zijn als hij thuiskwam... ik zou in mijn eigen bed slapen en netjes aan tafel zitten en... Ik wil het er niet over hebben.'

'Dat begrijp ik,' zegt Walter, maar zijn woorden verdrinken bijna in een ratelend geluid.

Er klinkt een gierend geluid en daarna het ritmische bonzen van zware stappen op de loopband.

120

Jurek loopt op de loopband. Hij ziet er weer sterker uit. Zijn passen zijn lang en krachtig, zijn bleke gezicht staat rustig.

'Je bent teleurgesteld in je vader omdat hij niet thuiskwam,' zegt hij.

'Ik herinner me al die keren dat ik belde... ik bedoel, ik had hem nodig.'

'Maar je moeder... waar was zij?'

Saga stokt en bedenkt dat ze nu wat te veel praat, maar tegelijkertijd moet ze zijn vertrouwelijkheid beantwoorden. Het is geven en nemen, anders wordt het gesprek weer oppervlakkiger. Het is tijd dat ze iets persoonlijks vertelt, en zolang ze zich aan de waarheid houdt is ze veilig.

'Mijn moeder was ziek toen ik klein was... ik herinner me alleen de laatste tijd,' antwoordt Saga.

'Is ze dood?'

'Kanker... ze had een kwaadaardige tumor in haar hersenen.'

'Mijn deelneming.'

Saga herinnert zich de tranen die in haar mond liepen, de geur van de telefoon, het warme oor, het licht door het stoffige raam in de keuken.

Misschien komt het door de medicatie, door de zenuwen of domweg door Jureks onverbiddelijke blik die invloed op haar heeft. Ze heeft het hier al die jaren nooit over gehad. Ze weet eigenlijk niet eens waarom nu dan wel.

'Maar papa... hij verdroeg haar ziekte gewoon niet,' fluistert ze. 'Hij kon er niet tegen om thuis te zijn.'

'Ik begrijp dat je boos bent.'

'Ik was veel te klein om voor mijn moeder te zorgen... ik probeerde haar te helpen met de medicijnen, ik probeerde haar te troosten...

's Avonds had ze hoofdpijn en dan lag ze maar in de donkere slaapkamer te huilen.'

Bernie kruipt naar Saga toe en probeert tussen haar benen te snuffelen. Ze duwt hem weg en hij rolt zo tegen de plastic palm aan.

'Ik wil ook vluchten,' zegt hij. 'Ik ga mee, ik kan bijten...'

'Bek dicht,' kapt ze hem af.

Jurek draait zich om en kijkt naar Bernie, die grijnzend naar Saga zit te loeren.

'Moet ik je afmaken?' vraagt Jurek hem.

'Sorry, sorry,' fluistert Bernie en hij staat op.

Jurek loopt verder op de loopband. Bernie gaat op de bank tv zitten kijken.

'Ik zal je hulp nodig hebben,' zegt Jurek.

Saga geeft geen antwoord, maar denkt dat ze zou liegen als ze zou zeggen dat ze wil vluchten. Ze wil blijven tot Felicia is gevonden.

'Ik denk dat de mens meer aan zijn familie gebonden is dan enig ander dier,' gaat Jurek verder. 'We doen alles om de scheiding uit te stellen.'

'Misschien, ja.'

'Je was nog maar een kind, maar je zorgde voor je moeder...'

'Ja.'

'Kon ze wel zelf eten?'

'Meestal wel... maar tegen het einde had ze geen eetlust meer,' zegt Saga naar waarheid.

'Was ze geopereerd?'

'Volgens mij kreeg ze alleen chemo.'

'Tabletten?'

'Ja, ik hielp haar elke dag...'

Bernie zit vanaf de bank voortdurend blikken naar hen te werpen. Hij pulkt af en toe voorzichtig aan de brede pleister op zijn neus.

'Hoe zagen die tabletten eruit?' vraagt Jurek Walter, en hij voert de snelheid een beetje op.

'Als gewone tabletten,' zegt ze vlug.

Plotseling voelt ze zich onbehaaglijk. Waarom vraagt hij naar het medicijn? Dat is geen voor de hand liggende vraag. Misschien is hij haar aan het testen. Haar hartslag loopt op terwijl ze voor zichzelf her-haalt dat er niets aan de hand is omdat ze voortdurend de waarheid spreekt.

'Kun je ze beschrijven?' gaat hij rustig verder.

Saga opent haar mond om te zeggen dat het veel te lang geleden is, als ze zich opeens de witte tabletten tussen de lange, bruine franjes van het geknoopte tapijt herinnert. Ze had het potje omgegooid en kroop langs het bed om de pillen op te rapen.

Haar herinnering is volstrekt helder.

Ze verzamelde de pillen in het kommetje van haar hand en blies de pluisjes van het tapijt eraf. Ze hield een stuk of tien ronde tabletten in haar hand. Aan de ene kant stonden twee letters in een vierkantje ge-drukt.

'Wit, rond,' zegt ze. 'Met aan één kant letters... ко... ik snap niet dat ik dat nog weet.'

121

Jurek zet de loopband uit en hijgt een poos met een glimlach uit.

'Je zegt dat je je moeder cytostatica gaf, chemo... Maar dat deed je niet...'

'Jawel,' glimlacht ze.

'Het medicijn dat je beschreef is Kodein Recip,' zegt hij. 'Codeïne.'

'Pijnstillers?' vraagt ze.

'Ja, maar kankerpatiënten geeft men geen codeïne, alleen krachtige opiaten, zoals morfine en fentanyl.'

'Maar ik herinner me die tabletten heel precies... aan één kant zit een gleufje...'

'Ja,' zegt hij alleen.

'Mama zei dat...'

Ze valt stil en haar hart bonkt zo hevig dat ze bang is dat het van haar gezicht af te lezen is. Joona heeft me gewaarschuwd, denkt ze. Hij zei dat ik het niet over mijn ouders mocht hebben.

Ze slikt en kijkt naar de versleten vloerbedekking.

Het maakt niet uit, denkt ze, en ze loopt naar haar kamer.

Het liep gewoon zo, ze praatte een beetje te veel, maar ze hield zich al die tijd aan de waarheid.

Ze had geen keus. Geen antwoord geven op de vragen was veel te ontwijkend geweest. Het was een noodzakelijke ruil, maar nu zal ze niks meer zeggen.

'Wacht even,' zegt Jurek heel vriendelijk.

Ze blijft staan maar draait zich niet om.

'Al deze jaren heb ik geen enkele mogelijkheid gehad om te ontsnappen,' vervolgt hij. 'Ik heb altijd geweten dat het besluit voor forensisch psychiatrische behandeling nooit herzien zou worden, ik heb begrepen dat ik nooit verlof zal krijgen... maar nu jij hier bent kan ik het ziekenhuis eindelijk verlaten.'

Saga draait zich om en kijkt recht in het magere gezicht en in de lichte ogen.

'Wat zou ik kunnen doen?' vraagt ze.

'Het kost een paar dagen om alles voor te bereiden,' antwoordt hij. 'Maar als je zorgt dat je aan slaappillen komt... Ik heb vijf tabletten Stesolid nodig.'

'Hoe zou ik daaraan kunnen komen?'

'Je blijft wakker, beweert dat je niet kunt slapen, vraagt om tien milligram Stesolid, verstopt de tablet en gaat naar bed.'

'Waarom doe je dat zelf niet?'

Jurek glimlacht met zijn korstige lippen: 'Ik zou nooit iets krijgen, ze zijn bang voor me. Maar jij bent een sirene... iedereen ziet de schoonheid, niemand ziet het gevaar.'

Saga denkt dat dit het kleine beetje kan zijn dat nodig is om dichter bij Jurek Walter te komen. Ze zal doen wat hij zegt, ze zal deel uitmaken van zijn plan zolang dat niet gevaarlijk wordt.

'Je hebt de straf voor wat ik heb gedaan op je genomen, dus ik zal proberen je te helpen,' antwoordt ze zacht.

'Maar je wilt niet mee?'

'Ik heb geen enkele plek waar ik heen kan.'

'Die zul je wel krijgen.'

'Vertel eens,' glimlacht ze.

'Het dagverblijf gaat zo dicht,' zegt hij en hij loopt weg.

Ze voelt een wonderlijke duizeling, alsof hij alles al van haar weet voor ze het ook maar heeft verteld.

Natuurlijk waren het geen cytostatica. Dat nam ze gewoon aan, zonder erover na te denken. Zo krijgt iemand geen chemo. Ze weet eigenlijk best dat die altijd met strikte tussenperiodes worden ingenomen. Waarschijnlijk was de kanker al veel te ver gevorderd. Het enige wat nog restte, was het stillen van de pijn.

Als ze eenmaal in haar cel is, heeft ze het gevoel alsof ze aan één stuk door haar adem heeft ingehouden tijdens het gesprek met Jurek.

Ze gaat op de brits liggen, doodop.

Saga bedenkt dat ze zich vanaf nu passief zal opstellen en Jurek zijn plannen aan de politie zal laten onthullen.

122

Het is nog maar vijf voor acht 's ochtends als iedereen van de groep Athena in het topappartement aanwezig is. Nathan Pollock heeft de koffiekopjes afgewassen en ze omgekeerd op een blauwgeruite theedoek gezet.

Nadat de deuren van het dagverblijf gisteren dichtgingen, zijn ze tot zeven uur 's avonds gebleven om het omvangrijke materiaal te analyseren. Ze luisterden naar het gesprek tussen Jurek Walter en Saga Bauer, structureerden en ordenden de informatie.

'Ik ben bang dat Saga wat te persoonlijk met hem praat,' zegt Corinne en ze knikt glimlachend als Nathan haar een kopje koffie aangeeft. 'Het is natuurlijk een evenwichtsoefening, want zonder iets van zichzelf te geven kan ze geen vertrouwen creëren...'

'Ze heeft de situatie onder controle,' zegt Nathan en hij slaat zijn zwarte notitieblok open.

'Laten we dat hopen,' zegt Joona.

'Saga is echt fantastisch,' zegt Johan Jönson. 'Ze krijgt hem aan de praat.'

'Maar we weten nog steeds niets over Jurek Walter,' zegt Nathan en hij tikt met zijn pen op de tafel. 'Behalve dan dat hij waarschijnlijk heel anders heet...'

'En dat hij wil ontsnappen,' zegt Corinne en ze trekt haar wenkbrauwen op.

'Ja,' zegt Joona.

'Maar hoe stelt hij zich dat eigenlijk voor? Waar heeft hij vijf slaaptabletten voor nodig? Wie wil hij drogeren?' vraagt Corinne met een rimpel in haar voorhoofd.

'Het personeel kan hij niet drogeren... want die mogen niets van hem aannemen,' zegt Pollock.

'We laten Saga doorgaan met waar ze mee bezig is,' zegt Corinne na een tijdje.

'Ik vind het niet prettig,' zegt Joona.

Hij staat op, loopt naar het raam en ziet dat het weer is gaan sneeuwen.

'Het ontbijt is de belangrijkste maaltijd van de dag,' zegt Johan Jönson en hij pakt een Daim.

'Voor we verdergaan,' zegt Joona, en hij draait zich weer om naar de kamer, 'zou ik de opname nog een keer willen horen... het gedeelte waar Saga vertelt dat ze misschien niet uit het ziekenhuis weg wil.'

'We hebben er nog maar vijfendertig keer naar geluisterd,' zucht Corinne.

'Ik weet het, maar ik heb het gevoel dat we iets missen,' legt hij uit met een stem die nors klinkt van de koppigheid. 'We hebben het er niet over gehad, maar wat gebeurt er daar? Eerst klinkt Jurek Walter net als anders als hij zegt dat er betere plaatsen op de wereld zijn dan de beveiligde eenheid... maar als Saga antwoordt dat er ook slechtere zijn, krijgt ze hem uit balans.'

'Misschien,' zegt Corinne en ze dwaalt af met haar blik.

'Niet misschien,' zegt Joona. 'Ik heb uren met Walter gepraat en ik hoor dat zijn stem anders klinkt, meer naar binnen gekeerd, heel even maar, als hij die plaats beschrijft met rood, modderig water...'

'En hoogspanningsleidingen en shovels,' zegt Nathan.

'Ik weet dat er iets mee is,' zegt Joona. 'Niet alleen het feit dat Walter zichzelf verrast als hij een echte herinnering begint te vertellen...'

'Maar het leidt nergens toe,' valt Corinne hem in de rede.

'Ik wil die opname nog een keer horen,' zegt Joona en hij kijkt Johan Jönson aan.

123

Johan Jönson leunt naar voren en verplaatst de cursor over het scherm naar de regels met grafisch weergegeven geluidsgolven. De grote luidsprekers ruisen en kraken en daarna klinkt het ritmische bonken van de stappen op de loopband.

'We kunnen samen weggaan uit het ziekenhuis,' zegt Walter.

Kortstondig gekraak, en een ritselend geluid wordt sterker.

'Maar ik weet niet of ik dat wel wil,' zegt Saga.

'Waarom niet?'

'Ik heb eigenlijk niets meer buiten.'

Op de achtergrond klinkt gelach van de tv.

'Niets meer? Het is hoe dan ook onmogelijk om ergens naar terug te gaan... maar er zijn betere plekken dan deze.'

'En slechtere misschien,' zegt Saga

Opnieuw gekraak en een zuchtend geluid.

'Wat zeg je?' vraagt Saga.

'Ik zuchtte alleen maar, omdat ik bedacht dat ik me inderdaad een slechtere plaats herinner.'

Zijn stem klinkt merkwaardig mild en aarzelend als hij vervolgt: 'De lucht gonsde van de hoogspanningsleidingen... de wegen waren kapotgereden door grote shovels... en de sporen vulden zich met rood modderig water, het reikte tot mijn middel... maar ik kon nog steeds mijn mond opendoen om te ademen.'

'Hoe bedoel je?' vraagt Saga.

Applaus en meer gelach van de tv.

'Dat slechtere plaatsen te verkiezen kunnen zijn boven betere,' antwoordt Walter haast onhoorbaar.

Ademhaling en zware stappen klinken tegelijk met een zoevend, suizend geluid.

'Denk je aan je jeugd?' vraagt Saga Bauer.

'Ja, daar denk ik aan,' fluistert hij.

Het wordt helemaal stil rondom de tafel als Johan Jönson de opname stopzet en Joona met een frons op zijn voorhoofd aankijkt.

'We komen hier niet verder mee,' zegt Nathan Pollock.

'Stel dat hij iets zegt wat wij niet verstaan,' houdt Joona vol en hij wijst naar het scherm. 'Hier is er tijd voor. Ja toch? Vlak nadat Saga heeft gezegd dat er ook slechtere plaatsen buiten het ziekenhuis bestaan.'

'Hij zucht,' antwoordt Nathan.

'Walter zegt dat hij zucht, maar weten we zeker dat hij dat inderdaad doet?' vraagt Joona.

Johan Jönson krabt aan zijn buik, verplaatst de cursor, zet het volume luider en speelt het moment nogmaals af.

'Heb trek in een zware sigaret,' zegt Corinne, en ze pakt haar glanzende handtas van de vloer.

De luidsprekers suizen en een hevig krakend geluid wordt gevolgd door een zuchtende uitademing.

'Wat zei ik je?' glimlacht Nathan warm.

'Probeer het trager,' houdt Joona hardnekkig vol.

Nathan trommelt gestrest op tafel. De snelheid wordt gehalveerd en nu klinkt de zucht als een storm die landinwaarts trekt.

'Hij zucht,' zegt Corinne.

'Ja, maar er is iets met de pauze en de toon in zijn stem vlak erna,' zegt Joona.

'Vertel me waar ik naar moet zoeken,' zegt Johan Jönson gefrustreerd.

'Ik weet het niet... ik wil dat je je voorstelt dat hij inderdaad iets zegt... ook als het niet te horen is,' antwoordt Joona en hij glimlacht daarna om zijn eigen antwoord.

'Ik kan het natuurlijk proberen.'

'Is het niet mogelijk het geluid te blijven versterken totdat we weten of er iets in die stilte zit of niet?'

'Als we de geluidsdruk en de geluidsintensiteit honderd keer versterken, zouden onze trommelvliezen scheuren door de voetstappen op de loopband.'

'Haal die voetstappen dan weg.'

Johan Jönson haalt zijn schouders op, maakt een loop van het moment, rekt de tijd uit en deelt het geluid dan op in een stuk of dertig hertz- en decibelgrafieken. Met opgeblazen wangen selecteert hij daarna bepaalde grafieken en wist ze.

Elke weggehaalde grafiek is vervolgens op een kleiner scherm te zien.

Corinne en Nathan staan op. Ze staan een tijdje te kleumen op het balkon en kijken uit over het dak en de Filadelfia-kerk.

Joona blijft zitten en slaat het tijdrovende werk gade.

Na vijfendertig minuten leunt Johan Jönson achterover en beluistert de schoongemaakte loop op verschillende snelheden, haalt nog drie grafieken weg en speelt het resultaat dan af.

Wat er nu van het geluid over is, klinkt ongeveer als een zware steen die over een stenen vloer wordt gesleept.

'Jurek Walter zucht,' stelt Johan Jönson vast en hij stopt de opname.

'Zouden deze toppen niet samen moeten vallen,' zegt Joona terwijl hij op drie verwijderde grafieken op het schermpje wijst.

'Nee, dat is alleen een echo die ik heb weggehaald,' zegt Johan, maar dan is hij opeens nadenkend. 'Maar ik zou kunnen proberen om alles behalve de echo weg te halen.'

'Hij kan naar een muur toe staan,' zegt Joona snel.

Johan Jönson verwijdert grafieken en voegt die van de echo toe, verhoogt de geluidsdruk en de geluidsintensiteit driehonderd keer en speelt de loop weer af. Als het even onder de oorspronkelijke snelheid wordt herhaald, klinkt hetzelfde geluid als een trillerige uitademing.

'Is daar niet iets?' vraagt Joona met hernieuwde concentratie.

'Dat zou weleens kunnen,' fluistert Johan Jönson.

'Ik kan het niet horen,' zegt Corinne.

'Het klinkt niet meer als een zucht,' geeft Johan Jönson toe. 'Maar we kunnen niets meer doen, want op dit niveau raken longitudinale geluidsgolven vermengd met transversale... en omdat hun snelheid verschilt, zullen ze elkaar alleen maar uitwissen...'

'Probeer het toch,' zegt Joona ongeduldig.

124

Johan Jönson vertrekt zijn lippen op een manier die hem op August Strindberg doet lijken als hij de partituur van vijftien verschillende geluidsgolven in ogenschouw neemt.

'Dit kun je eigenlijk niet doen,' mompelt hij.

Met fingerspitzengefühl verplaatst hij curves in de tijd en verlengt sommige puntige toppen tot plateaus.

Hij probeert de loop af te spelen en de kamer wordt gevuld door een vreemd onderwatergeluid. Corinne staat met haar hand voor haar mond. Johan stopt snel, verandert wat meer, trekt bepaalde delen uit elkaar en speelt het geheel weer af.

Het zweet staat Nathan Pollock op het voorhoofd.

Het rommelt diep in de grote luidsprekers en daarna klinkt een uitademing opgedeeld in zwakke lettergrepen.

'Luister,' zegt Joona.

Wat er te horen is, is een langzame zucht die onbewust wordt gevormd door een gedachte. Jurek Walter gebruikt zijn stembanden niet, maar beweegt zijn lippen en tong als hij uitademt.

Johan Jönson verplaatst een van de curves minimaal en staat met een gejaagde glimlach op van zijn stoel als de loop met de fluistering keer op keer herhaald wordt.

'Wat zegt hij?' vraagt Nathan met gespannen stem. 'Het klinkt haast als Lenin.'

'Leninsk,' zegt Corinne met opengesperde ogen.

'Wat?' schreeuwt Nathan haast.

'Er is een stad die Leninsk-Koeznetski heet,' zegt ze. 'Maar omdat hij het zonet over rode modder had, denk ik dat hij de geheime stad bedoelt.'

'De geheime stad?' mompelt Nathan.

'Het Kosmodroom van Bajkonoer is nu bekend,' zegt ze. 'Maar vijftig jaar geleden heette de stad Leninsk en was hij topgeheim.'

'Leninsk in Kazachstan,' zegt Joona heel zacht. 'Jurek Walter heeft een jeugdherinnering aan Leninsk...'

Corinne gaat aan de tafel zitten, met rechte rug, schuift een haarlok achter haar oor en legt uit: 'Kazachstan hoorde in die tijd natuurlijk bij de Sovjet-Unie... en lag afgelegen genoeg om er een hele stad te kunnen bouwen zonder dat de rest van de wereld het doorhad. De wapenwedloop was immens en men had raketbases en onderzoekscomplexen nodig.'

'Kazachstan is in elk geval lid van Interpol,' zegt Nathan.

'Als ze ons zijn echte naam geven, kunnen we hem gaan natrekken,' zegt Joona. 'Dan is de jacht geopend.'

'Dat zou moeten kunnen,' zegt Corinne. 'Ik bedoel... we hebben nu een plaats en bij benadering een geboortejaar. We weten dat hij in 1994 naar Zweden is gekomen. We hebben foto's van hem, we hebben de littekens op zijn lichaam in kaart gebracht en...'

'We hebben zelfs zijn bloedgroep en DNA,' glimlacht Nathan.

'Dus zijn familie behoorde of tot de Kazachse bevolking in het gebied, of tot de wetenschappers, ingenieurs of militairen die er vanuit Rusland heen werden gestuurd...'

'Ik verzamel het materiaal,' zegt Nathan snel.

'Dan probeer ik de NSC in Kazachstan te pakken te krijgen,' zegt Corinne. 'Joona? Zal ik proberen...'

Ze zwijgt en kijkt hem vragend aan. Joona staat langzaam op, kijkt haar aan en knikt, pakt zijn jas van een stoel en loopt naar de hal.

'Waar ga jij heen?' vraagt Nathan.

'Ik moet Susanne Hjälm spreken,' mompelt Joona en hij gaat naar buiten.

125

Toen Corinne het had over wetenschappers die naar het onderzoeks-complex in Kazachstan waren gestuurd, herinnerde Joona zich opeens het gesprek met Susanne Hjälm in de politiewagen. Vlak voordat haar dochter in de ambulance begon te gillen, had hij gevraagd of Susanne zich het adres op de brief van Jurek Walter herinnerde.

Ze had verteld dat het om een postbus ging, had geprobeerd zich de naam te herinneren en gemompeld dat die in elk geval niet Russisch was.

Waarom zei ze dat de naam niet Russisch was?

Joona laat zijn legitimatie aan de bewaarder zien en vertelt wie hij wil spreken. Ze lopen samen over de vrouwenafdeling van het huis van bewaring.

De potige bewaarder blijft staan voor een dikke metalen deur. Joona kijkt door het raampje naar binnen. Susanne Hjälm zit stil, met gesloten ogen. Haar lippen bewegen alsof ze zit te bidden.

Als de bewaarder de deur opendraait, gaat er een schok door haar heen en slaat ze haar blik op. Ze begint haar bovenlichaam heen en weer te wiegen als ze Joona binnen ziet komen. De gebroken arm is gezet en de andere ligt om haar middel alsof ze zichzelf probeert te omarmen.

'Ik wil je spreken over...'

'Wie zal mijn dochters beschermen?' vraagt ze hijgend.

'Ze zijn nu bij hun vader,' vertelt Joona, en hij kijkt in haar angstige ogen.

'Nee, nee... hij begrijpt er niets van, hij weet niet... niemand weet het, jullie moeten iets doen, jullie kunnen ze niet zomaar achterlaten.'

'Heb je de brief die Walter je gaf gelezen?' vraagt Joona.

'Ja,' fluistert ze. 'Dat heb ik gedaan.'

'Was die aan een advocaat gericht?'

Ze kijkt hem aan en ademt wat rustiger.

'Ja.'

Joona gaat naast haar op de brits zitten.

'Waarom heb je hem niet verstuurd?' vraagt hij zacht.

'Omdat ik niet wilde dat hij eruit zou komen,' zegt ze vertwijfeld. 'Ik wilde hem zelfs die kans niet geven. Je kunt dit nooit begrijpen, niemand kan het begrijpen.'

'Ik ben degene die hem heeft gearresteerd, maar...'

'Iedereen haat mij,' gaat ze verder zonder acht op hem te slaan. 'Ik haat mezelf, ik heb niets gezien, ik wilde de agente niet verwonden, maar jullie hadden daar niet moeten zijn, jullie hadden niet achter me aan moeten zitten, jullie hadden...'

'Herinner je je het adres op de brief nog?' onderbreekt Joona haar.

'Ik heb hem verbrand, ik dacht dat het afgelopen zou zijn als ik dat deed, ik weet niet wat ik dacht.'

'Wilde hij hem naar een advocatenkantoor sturen?'

Het lichaam van Susanne Hjälm beeft hevig en het zweterige haar slaat tegen haar voorhoofd en wangen.

'Wanneer mag ik mijn kinderen zien?' jammert ze. 'Ik moet vertellen dat ik het allemaal voor hen heb gedaan, ook als ze het nooit zullen begrijpen, ook als ze me zullen haten...'

'Advocatenkantoor Rosenhane?'

Ze kijkt hem met wilde ogen aan, alsof ze al was vergeten dat hij er was.

'Ja, dat was het,' zegt ze moeilijk verstaanbaar.

'Toen ik je er de vorige keer naar vroeg, zei je dat de naam niet Russisch was,' zegt Joona. 'Waarom zou die Russisch zijn?'

'Omdat Walter een keer Russisch tegen me sprak...'

'Wat zei hij?'

'Ik kan niet meer, ik kan niet...'

'Weet je zeker dat hij Russisch sprak?'

'Hij zei zulke verschrikkelijke dingen...'

126

Susanne gaat op het bed staan van angst, keert zich naar de muur en huilt terwijl ze haar gezicht achter haar niet-gewonde hand probeert te verbergen.

'Ga alsjeblieft zitten,' zegt Joona rustig.

'Hij mag niet, mag niet...'

'Je hebt je gezin in de kelder opgesloten omdat je bang was voor Walter.'

Ze kijkt hem aan en stampt weer rond op het bed.

'Niemand luisterde naar me, maar ik weet dat hij de waarheid sprak... ik heb zijn vuur boven mijn gezicht gevoeld.'

'Ik zou hetzelfde hebben gedaan als jij,' zegt Joona ernstig. 'Als ik had geloofd dat ik mijn gezin op die manier tegen Walter kon beschermen, had ik precies hetzelfde gedaan.'

Ze blijft met vragende blik staan en veegt langs haar lippen.

'Ik zou Walter een injectie Zypadhera geven. Hij had een kalmerend middel gekregen en lag op het bed... hij kon zich niet meer bewegen. Sven Hoffman deed de deur open, ik ging naar binnen en gaf Walter de injectie in zijn bil... Toen ik de pleister opplakte, vertelde ik alleen dat ik klaar was met zijn brief, dat ik niet van plan was hem te versturen, ik zei niet dat ik hem al had verbrand, ik zei alleen...'

Ze zwijgt en probeert zich te concentreren om verder te gaan, houdt haar hand even voor haar mond en laat hem dan zakken: 'Hij keek me recht in de ogen en sprak Russisch... Ik weet niet hoe hij wist dat ik het verstond, ik heb nooit verteld dat ik in Sint-Petersburg heb gewoond.'

Ze zwijgt en schudt haar hoofd.

'Wat zei hij?'

'Hij verzekerde me dat hij Ellen en de kleine Anja zou villen... en dat hij mij zou laten kiezen wie er zou doodbloeden,' zegt ze en ze glimlacht breed om niet in te storten 'Patiënten kunnen verschrikkelijke dingen zeggen, je moet heel wat dreigementen aanhoren, maar met Walter is het anders'.

'Weet je zeker dat hij Russisch sprak, en geen Kazachs?'

'Ja... Jurek Walter sprak een uitgesproken beschaafd Russisch, alsof hij een professor aan de Lomonosov-universiteit was.'

'Je zei tegen hem dat je klaar was met zijn brief,' zegt Joona. 'Waren er meerdere brieven?'

'Alleen de brief waarop hij antwoordde.'

'Dus hij had eerst een brief ontvangen?' vraagt Joona.

'Die kwam bij mij... van een advocaat die... hij bood aan om zijn rechten en mogelijkheden met hem door te nemen.'

'En jij gaf hem aan Jurek Walter?'

'Ik weet niet waarom, ik vond het een mensenrecht, maar hij is geen...'

Ze huilt en doet een paar stappen achteruit op het zachte bed.

'Probeer je te herinneren wat...'

'Ik wil mijn kinderen bij me hebben, hier kan ik niet tegen,' kermt ze, en ze stampt weer rond op het bed. 'Hij zal ze iets aandoen.'

'Je weet dat Walter opgesloten is op de beveiligde een...'

'Alleen als hij het wil,' onderbreekt ze hem en ze wankelt. 'Hij houdt iedereen voor de gek, hij kan erin en eruit...'

'Dat is niet waar, Susanne,' probeert Joona haar gerust te stellen. 'Jurek Walter heeft de beveiligde eenheid de afgelopen dertien jaar geen enkele keer verlaten.'

Ze kijkt hem aan en zegt dan met haar witte, gebarsten lippen: 'Jij weet niets.'

Het lijkt haast alsof ze in lachen uit zal barsten.

'Jij weet echt helemaal niets, hè?'

'Ik heb hem op de parkeerplaats voor het ziekenhuis gezien, zegt ze zacht. 'Hij stond daar maar naar me te kijken.'

Ze knippert met haar ogen, die droog zijn geworden, en haar hand trilt hevig als ze hem optilt om haar haren uit haar gezicht te strijken.

Het bed kraakt onder haar voeten en ze zoekt met haar hand steun bij de muur. Joona probeert haar te kalmeren: 'Ik begrijp dat zijn dreigement...'

'Je bent gewoon dom,' gilt ze. 'Ik heb je naam op de glazen ruit gezien...'

Ze doet een stap naar voren, glijdt uit op het bed, slaat hard met haar nek tegen de bedrand en valt op de grond.

127

Corinne Meilleroux legt haar telefoon op tafel en schudt haar hoofd, waardoor er een geur van exclusief parfum helemaal tot bij Nathan wolkt.

Hij heeft zitten wachten tot ze het gesprek afrondt, heeft bedacht dat hij haar zal vragen of ze een keer met hem uit eten wil.

'Ik krijg geen biet boven water,' zegt ze.

'Geen biet,' herhaalt hij met een scheef glimlachje.

'Kun je dat niet zeggen?'

'Het is misschien niet zo hip, maar...'

'Ik heb Anton Takirov van de NSC, de veiligheidspolitie in Kazachstan gesproken,' zegt ze. 'Binnen een seconde was het gebeurd. Hij antwoordde sneller dat Jurek Walter geen Kazachs staatsburger is dan dat ik mijn laptop open kan klappen. Ik was hartstikke vriendelijk en vroeg hun een nieuwe poging te doen, maar die Takirov, hij was domweg beledigd en zei dat ze zowaar computers hebben in Kazachstan.'

'Misschien vindt hij het moeilijk om met vrouwen te communiceren.'

'Toen ik die Takirov probeerde te vertellen dat DNA-matching even kan duren, viel hij me in de rede en legde hij uit dat ze het modernste systeem ter wereld hadden.'

'Ze willen gewoon niet helpen.'

'In tegenstelling tot de federale veiligheidsdienst van de Russische federatie. De samenwerking met hen is tegenwoordig tenminste goed. Dmitri Oergov heeft net teruggebeld. Ze hadden niets dat overeenkwam met het DNA dat ik heb opgestuurd, maar hij zou de nationale politie persoonlijk vragen de foto's te bekijken en hun DNA-bank door te nemen...'

Corinne sluit haar ogen en masseert haar nek. Nathan kijkt naar haar, probeert de neiging om hulp aan te bieden te onderdrukken. Hij zou achter haar willen gaan staan om langzaam haar rugspieren soepel te maken.

'Ik heb warme handen,' zegt Nathan op het moment dat Joona Linna binnenkomt.

'Mag ik eens voelen?' vraagt hij met zijn donkere, Finse timbre.

'Kazachstan maakt het ons niet makkelijk,' vertelt Corinne. 'Maar ik...'

'Jurek Walter komt uit Rusland,' zegt Joona en hij pakt een hand zuurtjes uit de schaal.

'Rusland,' herhaalt ze leeg.

'Hij spreekt perfect Russisch.'

'Zou Dmitri Oergov tegen me gelogen hebben... sorry hoor, maar ik ken hem en ik geloof echt niet dat...'

'Hij weet waarschijnlijk van niets,' zegt Joona, terwijl hij de snoepjes in zijn zak stopt. 'Jurek Walter is zo oud dat het in de tijd van de KGB moet zijn geweest.'

128

Nathan, Joona en Corinne buigen zich over de tafel en vatten de situatie samen. Kortgeleden hadden ze niets. Maar dankzij Saga's infiltratie hebben ze een plaatsnaam gekregen. Jurek Walter had zich versproken toen hij 'Leninsk' fluisterde. Hij was opgegroeid in Kazachstan, maar aangezien Susanne Hjälm hem verzorgd Russisch had horen spreken, kwam zijn familie hoogstwaarschijnlijk uit Rusland.

'Al wist hun veiligheidspolitie niets,' herhaalt Corinne.

Joona pakt zijn mobiele telefoon en gaat op zoek naar een contact dat hij al jaren niet gebeld heeft. Hij voelt hoe hij vanbinnen begint te gloeien als hij beseft dat hij de oplossing van het raadsel Jurek Walter wellicht op het spoor is.

'Wat ga je doen?' vraagt Corinne.

'Met een oude bekende praten.'

'Je belt Nikita Karpin!' roept Nathan uit. 'Ja toch?'

Joona trekt zich terug met zijn mobiel tegen zijn oor. De telefoon gaat met suizende echo's over en na een hele tijd kraakt het.

'Heb ik je niet bedankt voor de hulp met Pitsjoesjkin?' vraagt Karpin bruusk.

'Jawel, je hebt wat zeepjes gestuurd die...'

'Is dat niet genoeg?' kapt hij hem af. 'Je bent de koppigste jongen die ik ooit heb ontmoet, dus ik had kunnen bedenken dat je me zou storen met een telefoontje.'

'We hebben hier een ingewikkelde zaak die...'

'Ik spreek nooit over de telefoon,' onderbreekt Nikita hem.

'Als ik een versleutelde lijn regel?'

'Er bestaan geen lijnen die we niet binnen twintig seconden weten te kraken,' lacht de Rus. 'Maar dat doet er niet toe... Ik heb me immers teruggetrokken en kan je niet helpen.'

'Je hebt vast wel contacten,' probeert Joona.

'Zijn er niet meer... en ze weten toch niets over Leninsk, en als ze wat wisten zouden ze het niet vertellen.'

'Je bent dus al op de hoogte van onze vraag,' zucht Joona.

'Natuurlijk, het is een klein land...'

'Met wie zou ik moeten praten als ik een antwoord zou willen hebben?'

'Probeer het over een maand weer bij de FSB... het spijt me,' gaapt Karpin. 'Maar ik moet Zean uitlaten, we wandelen altijd over het ijs van de Kljazma, naar de zwemsteigers en terug.'

'Ik begrijp het,' zegt Joona.

Hij hangt op en glimlacht om de overdreven voorzichtigheid van de oude man. De voormalig KGB-agent lijkt er niet op te vertrouwen dat Rusland veranderd is. Maar misschien heeft hij gelijk. Misschien heeft men alleen de buitenwereld doen geloven dat het de goede kant op gaat.

Het is geen echte uitnodiging, maar voor Karpins doen was dit haast gastvrij te noemen.

Nikita's samojeed Zean was oud en stierf toen Joona acht jaar geleden op bezoek was. Joona was uitgenodigd om drie lezingen te houden over het werk dat tot de arrestatie van Jurek Walter had geleid. De politie van Moskou zat op dat moment midden in de jacht op de seriemoordenaar Aleksandr Pitsjoesjkin.

Nikita Karpin weet dat Joona weet dat de hond niet meer leeft. En hij weet dat Joona weet waar hij verblijft als hij over het ijs van de Kljazma wandelt.

129

Het is tien voor zeven 's avonds en Joona Linna zit in het laatste vliegtuig naar Moskou. Als het vliegtuig landt is het al middernacht in Rusland. Er ligt een knisperige kou over het binnenland en door de lage temperatuur is de sneeuw uitermate droog.

Joona rijdt met de taxi door de immense, eentonige buitenwijken. Hij heeft het gevoel dat hij vast is komen te zitten in een rondgang door duistere, grootschalige woningbouwprojecten als de stad eindelijk verandert. Hij vangt nog een glimp op van de prachtige wolkenkrabbers – de zeven zusters van Stalin – als de taxi een achterafstraat in rijdt en halt houdt voor het hotel.

Zijn kamer is zeer eenvoudig en donker. Het plafond is hoog, de wanden zijn vergeeld van de sigarettenrook. Op het bureau staat een elektrische samowar van bruin plastic. Op het kaartje met de vluchtroute aan de binnenkant van de deur zit een ronde brandplek op de nooduitgang.

Als Joona bij het enige raam naar de steeg staat, voelt hij de winterkoude door het glas heen. Hij gaat op de stugge bruine sprei op het bed liggen, kijkt naar het plafond en hoort in de kamer ernaast gedempt praten en lachen. Hij denkt dat het te laat is om Disa te bellen om welterusten te zeggen.

Zijn gedachten wervelen voort, de beelden voeren hem mee de slaap in. Een meisje wacht tot haar moeder haar haar vlecht, Saga Bauer kijkt hem met een hoofd vol snijwonden aan en Disa ligt met halfgesloten ogen te neuriën in zijn badkuip.

Om half zes 's ochtends trilt de telefoon op Joona's nachtkastje. Hij heeft met zijn kleren aan geslapen, met alle dekens en dekbedden over zich heen. Zijn neuspuntje is ijskoud en hij blaast op zijn vingers voor hij de wekkerfunctie uit kan zetten.

De lucht aan de andere kant van het raam is nog steeds donker.

Joona loopt naar de foyer en vraagt de jonge vrouw achter de balie een auto voor hem te huren. Hij gaat aan een sierlijk gedekte tafel zitten, drinkt thee en eet warm brood met gesmolten boter en dikke plakken kaas.

Een uur later rijdt hij in een gloednieuwe BMW X3 op de M2 Moskou uit. Zwart, glanzend asfalt raast onder de auto door, het verkeer in Vidnoje is druk en het is al acht uur als hij de snelweg verruilt voor de kronkelende witte wegen.

De stammen van het berkenbos staan als slanke, jonge engelen in het besneeuwde landschap. De schoonheid van Rusland is bijna beangstigend.

Het is koud en helder en Ljoebimova baadt in winters zonlicht als Joona binnenrijdt en de auto op een sneeuwvrij gemaakt erf voor een landhuis neerzet. Hij heeft gehoord dat de plaats ooit de zomerresidentie van de theaterlegende Stanislavski was.

Nikita Karpin komt de veranda op.

'Je herinnert je mijn vuile beestje nog,' glimlacht hij en hij drukt Joona de hand.

Nikita Karpin is een kleine, breedgebouwde man met een mooi verouderd gezicht, een bikkelharde blik en een soldatenkapsel. In zijn tijd als agent was hij een angstaanjagende man.

Formeel gezien maakt Nikita Karpin geen deel meer uit van de veiligheidsdienst, maar hij valt nog steeds onder het ministerie van Justitie. Joona weet dat als er iemand kan achterhalen of Jurek Walter banden met Rusland heeft, het Karpin is.

'We delen onze belangstelling voor seriemoordenaars,' zegt Nikita en hij laat Joona binnen. 'Van mijn kant kun je ze enerzijds beschouwen als putten die je mogelijk kunt vullen met onopgeloste misdrijven... wat praktisch is. Anderzijds moeten we ze ook arresteren om niet incompetent te lijken, wat het geheel compliceert...'

Joona volgt Karpin een grote, mooie kamer in waar het interieur sinds het einde van de negentiende eeuw onveranderd lijkt.

Het oude medaillonbehang glanst als vette room. Boven een zwarte vleugel hangt een ingelijst portret van Stanislavski.

De agent schenkt iets te drinken in uit een grote, beslagen glazen kan. Op tafel staat een grijze kartonnen doos.

'Vlierbessensap,' zegt hij, en hij klopt zachtjes op zijn lever.

Op het moment dat Joona het glas met sap heeft gekregen en ze tegenover elkaar zijn gaan zitten, verandert Nikita's gezicht. De goedmoedige glimlach dooft uit alsof die nooit heeft bestaan.

'Bij onze vorige ontmoeting... was het meeste nog geheim, maar in die tijd leidde ik een speciaal getrainde groep genaamd "Kopstoot",' zegt Nikita zacht. 'We waren behoorlijk hardhandig... mijn mannen en ik...'

Hij leunt achterover in zijn stoel, waardoor de rugleuning kraakt.

'Wellicht zal ik ervoor branden in de hel,' zegt hij ernstig. 'Tenzij er een engel is die hen die het vaderland verdedigen beschermt.'

Nikita's geaderde handen liggen op tafel tussen de grijze doos en de karaf met sap.

'Ik wilde de terroristen in Tsjetsjenië harder aanpakken,' vertelt hij met ernstige stem. 'Ik ben trots op onze inzet in Beslan, en wat mij betreft was Anna Politkovskaja een verraadster.'

Hij zet het glas neer en haalt diep adem.

'Ik heb het materiaal doorgekeken dat jullie veiligheidsdienst naar de FSB heeft gestuurd... Jullie hebben maar bar weinig boven water gekregen, Joona Linna.'

'Ja,' antwoordt Joona geduldig.

'De jonge ingenieurs en constructeurs die naar de kosmodroom Leninsk werden gestuurd noemden we raketbrandstof.'

'Raketbrandstof?'

'Alles rondom het ruimteprogramma moest geheim blijven. Alle rapporten waren zorgvuldig gecodeerd. Het idee was dat de ingenieurs nooit uit Leninsk zouden terugkeren. Ze waren de hoogst opgeleide wetenschappers van hun tijd, maar werden behandeld als beesten.'

De KGB-agent zwijgt. Joona schenkt zijn glas bij en neemt een slok.

'Mijn grootmoeder heeft me geleerd vlierbessensap te maken.'

'Lekker.'

'Je hebt er uiteraard goed aan gedaan naar mij toe te komen, Joona Linna,' zegt Nikita Karpin en hij strijkt over zijn lippen. 'Ik heb een dossier uit het eigen archief van de Kopstoot geleend.'

130

De oude man haalt een grijze map uit de al even grijze kartonnen doos, slaat de map open en legt een foto voor Joona op tafel. Het is een groepsfoto van tweeëntwintig mannen voor een gepleisterde stenen trap.

'Deze is in 1955 genomen in Leninsk,' zegt Karpin, en zijn stem heeft een nieuwe klank gekregen.

In het midden van de eerste rij zit de legendarische Sergej Koroljov rustig glimlachend op een van de bijgetrokken parkbanken. De hoofd-ingenieur achter de eerste mens in de ruimte en de eerste satelliet ter wereld.

'Kijk naar de mannen achteraan.'

Joona leunt naar voren en gaat met zijn ogen de achterste rij gezich-ten af. Half verscholen achter een man met warrig haar staat een ten-gere man met een mager gezicht en lichte ogen.

Joona trekt zijn hoofd weg alsof hij ammoniak heeft ingeademd.

Hij heeft de vader van Jurek Walter gevonden.

'Ik zie hem,' fluistert Joona.

'De administratie van Stalin selecteerde de jongste en meest getalen-teerde ingenieurs,' vertelt Nikita rustig en hij gooit een oud sovjetpas-poort voor Joona neer. 'En Vadim Levanov was zonder twijfel een van de besten.'

Joona doet het paspoort open en voelt zijn hart bonken.

Op de zwart-witfoto staat een man die op Jurek Walter lijkt, maar met warmere ogen en zonder alle rimpels in het gezicht. Vadim Leva-nov is dus de naam van de vader van Jurek Walter, denkt Joona.

De reis hiernaartoe is niet voor niets. Nu kunnen ze Jurek Walter echt in kaart brengen.

Nikita legt een kaart met tien vingerafdrukken neer, zelf geschoten

fotootjes van de doop en de studententijd van Walters vader. School-
boeken van de lagere school en een kindertekening van een auto met
een schoorsteen op het dak.

'Wat wil je van hem weten?' glimlacht Karpin. 'Het meeste hebben
we wel... alle adressen waar hij heeft gewoond, vriendinnetjes voor zijn
huwelijk met Jelena Mickajlovaa, de brieven naar zijn ouders in Novo-
sibirsk, de actieve tijd binnen de Partij...'

'Zijn zoon,' fluistert Joona.

'Zijn vrouw was ook een geselecteerde ingenieur, maar ze is na twee
jaar huwelijk in het kraambed overleden,' vervolgt Karpin.

'Zijn zoon,' herhaalt Joona.

Karpin staat op, opent de houten kast, tilt er een zware tas uit en zet
hem op tafel. Als hij de hoes eraf haalt, ziet Joona dat het een filmpro-
jector voor 16 mm films is.

Nikita Karpin vraagt Joona de gordijnen dicht te trekken en haalt
een filmrol uit zijn grijze doos.

'Dit is een zelf opgenomen film uit de tijd in Leninsk die je naar mijn
mening moet zien...'

De projector begint te tikken, het beeld wordt direct op het lichte
medaillonbehang geprojecteerd. Karpin stelt de scherpte bij en gaat
dan weer zitten.

De lichtsterkte van het beeld varieert, maar verder is het duidelijk.
De camera staat waarschijnlijk op een statief.

Joona beseft dat hij naar een film kijkt die de vader van Jurek Walter
in zijn tijd in Leninsk heeft gemaakt.

Voor hem op de muur is de achterkant van een huis met een lom-
merrijke tuin te zien. Zonlicht valt door bladeren en boven de bomen
op de achtergrond torent een paal voor hoogspanningsleidingen op.

Het beeld trilt een beetje en plotseling is Walters vader in beeld. Hij
legt een zware koffer in het hoge gras, opent hem en haalt er vier vouw-
stoelen uit. Een jongen met gekamd haar komt van links in beeld. Hij
is een jaar of zeven en heeft een fijnbesneden gezicht en grote, lichte
ogen.

Dat is zonder twijfel de jonge Jurek, denkt Joona, en hij durft amper
te ademen.

De jongen praat, maar het enige wat te horen is, is het tikken van de projector.

De vader en de jongen klappen samen de metalen poten van de koffer uit, die als ze hem omkeren in een houten tafel verandert.

De jonge Jurek verdwijnt uit beeld, maar keert onmiddellijk van de andere kant terug met een waterkaraf. Het gaat zo snel dat Joona denkt dat er geknipt moet zijn.

Jurek bijt op zijn lip en heeft zijn vuisten stevig gebald als zijn vader tegen hem praat.

Hij verdwijnt weer uit beeld en zijn vader loopt met grote passen achter hem aan.

Het water in de karaf schommelt fonkelend.

Even later komt Jurek terug met een witte papieren zak en daarna loopt de vader met een ander kind op zijn schouders het beeld in.

De vader schudt met zijn hoofd en huppelt als een paard.

Joona kan het gezicht van het andere kind niet zien.

Zijn hoofd bevindt zich boven de rand van het beeld, maar Jurek zwaait ernaar.

De voeten met de kleine schoenen trappelen tegen de borst van de vader.

Jurek roept iets.

En als de vader het andere kind op het gras voor de tafel neerzet, ziet Joona dat dat ook Jurek is.

De identieke jongetjes staren met ernstige gezichten de camera in. De schaduw van een wolk trekt over de tuin. De vader pakt de papieren zak en loopt uit beeld.

'Een eeneiige tweeling,' glimlacht de agent en hij stopt de film.

'Een tweeling,' herhaalt Joona.

'Daarom is hun moeder overleden.'

131

Joona staart naar het medaillonbehang en herhaalt in zichzelf dat de Zandman Walters tweelingbroer is.

Hij is de man die Felicia gevangen houdt.

Hij is de man die Lumi in de tuin zag toen ze naar de kat wilde zwaaien.

En dat is de reden waarom Susanne Hjälm Jurek Walter in het donker op de parkeerplaats bij het ziekenhuis heeft kunnen zien.

De warme projector maakt tikkende geluidjes.

Joona pakt het glas sap, staat op, trekt de gordijnen open en gaat bij het raam staan. Hij kijkt recht op het met ijs bedekte oppervlak van de Kljazma.

'Hoe heb je dit allemaal kunnen vinden?' vraagt hij als hij het gevoel heeft dat zijn stem niet zal breken. 'Hoeveel mappen en films heb je moeten doorkijken? Ik bedoel, jullie moeten materiaal over miljoenen mensen hebben.'

'Ja, maar we hebben maar één overloper van Leninsk naar Zweden,' antwoordt Karpin rustig.

'Is hun vader naar Zweden gevlucht?'

'Augustus 1957 was een moeilijke maand in Leninsk,' antwoordt Nikita cryptisch en hij steekt een sigaret op.

'Wat is er gebeurd?'

'We hadden twee pogingen gedaan om de Semjorka de lucht in te krijgen. De eerste keer verbrandde de hulpraket en stortte de raket zelf na vierhonderd kilometer neer. De tweede keer – hetzelfde fiasco. Ik moest erheen om de verantwoordelijken weg te halen. Ze een kopstoot te geven. Vergeet niet dat vijf procent van het BNP van de hele Sovjet-Unie naar het complex in Leninsk ging. De derde poging ging goed en de ingenieurs konden opgelucht ademhalen, tot de Nedelin-ramp drie jaar later.

'Daar heb ik over gelezen,' zegt Joona.

'Mitrofan Nedelin joeg zijn mensen op om een intercontinentale raket te bouwen,' zegt Nikita en hij bekijkt de gloeiende punt van de sigaret. 'Die is midden op de kosmodroom ontploft en er zijn meer dan honderd mensen verbrand. Vadim Levanov en de tweeling waren verdwenen. Een paar maanden lang dachten we echt dat ze samen met alle anderen waren omgekomen.'

'Maar dat was niet zo,' zegt Joona.

'Nee,' zegt Nikita. 'Hij was gevlucht omdat hij bang was voor represailles en hij had ongetwijfeld naar de goelag gemoeten, waarschijnlijk het werkkamp Siblag... maar in plaats daarvan dook hij op in Zweden.'

Nikita Karpin zwijgt en drukt zijn sigaret langzaam uit in een porseleinen asbakje.

'We hielden Vadim Levanov en de tweeling vierentwintig uur per dag in de gaten en waren uiteraard bereid hem te liquideren,' gaat Karpin zachtjes door. 'Maar dat was niet nodig... want Zweden behandelde hem als een stuk vuil, organiseerde een eigen goelag... Het enige werk dat hij kreeg was een baantje als arbeider in een grindgroeve.'

Karpins ogen glinsteren ondeugend.

'Als jullie in plaats daarvan belangstelling voor zijn kennis hadden gehad, had Zweden het eerste land in de ruimte kunnen zijn,' lacht hij.

'Misschien,' antwoordt Joona rustig.

'Ja.'

'Dus Walter en zijn broer zijn al op tienjarige leeftijd naar Zweden gekomen?'

'Maar ze zijn maar een paar jaar gebleven,' glimlacht Nikita.

'Waarom?'

'Je wordt niet voor niets seriemoordenaar.'

'Weet je wat er gebeurd is?' vraagt Joona.

'Ja.'

Nikita kijkt door het raam naar buiten en likt aan zijn lippen. Het lage winterlicht valt door het bobbelige glas naar binnen.

132

Vandaag is Saga als eerste in het dagverblijf en ze stapt onmiddellijk op de loopband. Ze houdt het hardlopen vier minuten vol en heeft de snelheid net omlaag gedaan naar wandeltempo, als Bernie zijn kamer uit komt.

'Als ik vrij ben ga ik taxi rijden... Godsamme, als een echte Fittipaldi... en jij mag gratis mee en ik mag je tussen je benen...'

'Hou je bek toch,' kapt ze hem af.

Hij knikt gekwetst en loopt recht naar het palmblad, draait het om en laat met een smalle grijns de microfoon zien.

'Nu ben jij mijn slaaf,' lacht hij.

Saga geeft hem vlug een duw, waardoor hij achteruit wankelt en op zijn billen op de grond belandt.

'Ik wil ook vluchten,' sist hij. 'Ik wil taxi rijden en...'

'Bek dicht,' zegt Saga en ze kijkt snel over haar schouder om te zien of de bewaarders door de sluis komen.

Maar niemand lijkt ze in de gaten te houden op de monitoren.

'Je neemt mij mee als jullie vluchten, hoor je me...'

'Zwijg,' onderbreekt Jurek hem achter hen.

'Sorry,' fluistert Bernie geluidloos richting de vloer.

Saga heeft Jurek het dagverblijf niet in horen komen. De rillingen lopen over haar rug als ze beseft dat hij de microfoon gezien kan hebben.

Misschien is ze al ontmaskerd?

Het is mogelijk dat het nu gebeurt, denkt ze. Dat de crisissituatie die ze gevreesd heeft nu ontstaat. Ze voelt dat de adrenaline begint te stromen en probeert de plattegrond van de beveiligde eenheid op te roepen. In gedachten gaat ze snel langs de omcirkelde deuren, de verschillende zones en de mogelijke plaatsen voor tijdelijke bescherming.

Als Bernie haar verraadt moet ze zich in eerste instantie in haar eigen kamer barricaderen. Als het even kan neemt ze de microfoon mee en schreeuwt ze dat ze onmiddellijk ontzet wil worden, dat ze haar moeten redden.

Jurek blijft staan voor Bernie die op de grond ligt en zijn excuses fluistert.

'Je moet het snoer van de loopband lostrekken en naar je kamer gaan om je aan de deur te verhangen,' zegt Jurek tegen hem.

Bernie kijkt met angstige ogen op naar Jurek.

'Wat zeg je? Godallemachtig...'

'Maak het snoer vast aan de klink aan de buitenkant, gooi het over de deur en pak de plastic stoel erbij,' legt Jurek kort uit.

'Ik wil het niet, ik wil niet,' fluistert Bernie met trillende lippen.

'We kunnen je er hier niet meer levend bij hebben,' zegt Jurek rustig.

'Maar... jezus christus, het was maar een grapje, ik snap heus wel dat ik niet mee mag... Ik weet best dat het jullie ding is... van jullie alleen...'

133

Nathan Pollock en Corinne Meilleroux staan allebei op van het bureau als de situatie in het dagverblijf op scherp komt te staan.

Ze begrijpen dat Jurek Walter besloten heeft Bernie af te maken, maar hopen dat Saga niet vergeet dat ze geen bevoegdheden of taken heeft.

'Er is niets aan te doen,' fluistert Corinne.

Uit de grote luidsprekers klinkt een traag, fluctuerend razen. Johan Jönson stelt het geluidsniveau bij en krabt gestrest in zijn haar.

'Geef me dan straf,' kermt Bernie. 'Ik verdien straf...'

'Ik kan allebei zijn benen breken,' zegt Saga.

Corinne slaat haar armen om zichzelf heen en probeert rustig te ademen.

'Doe niets,' fluistert Nathan tegen de luidspreker. 'Je moet op de bewaarders vertrouwen, jij bent maar patiënt.'

'Waarom komt er niemand?' zegt Johan Jönson. 'De bewaarders moeten godverdomme toch zien wat er gaande is?'

'Als ze in actie komt, doodt Jurek Walter haar meteen,' fluistert Corinne, en door de stress klinkt haar Franse accent door in haar spraak.

'Doe niets,' smeekt Nathan. 'Doe niets.'

134

Saga's hart bonkt in haar borst. Ze kan haar gedachten niet op een rijtje houden als ze van de loopband afstapt. Het is niet haar taak om andere patiënten te beschermen. Ze weet dat ze niet uit haar rol van schizoïde patiënt moet vallen.

'Ik breek zijn benen bij de knieschijven,' probeert ze. 'Ik breek zijn armen en vingers en...'

'Het is beter als hij gewoon dood is,' zegt Jurek concluderend.

'Kom,' zegt ze snel tegen Bernie. 'De camera is hier afgeschermd...'

'Verdomme, zeg, Sneeuwwitje,' snikt Bernie, en hij gaat naar haar toe.

Ze pakt zijn pols beet, sleurt hem naar zich toe en breekt zijn pink. Hij schreeuwt, zakt op zijn knieën en houdt zijn hand stevig tegen zijn buik gedrukt.

'Volgende vinger,' zegt ze.

'Jullie zijn gek,' huilt Bernie. 'Ik roep om hulp... m'n skeletslaven komen hier...'

'Stil jij,' zegt Jurek Walter.

Hij gaat naar de loopband, haalt het snoer uit het apparaat, rukt het uit het stopcontact in de muur waardoor er betonbrokjes over de vloer stuiven.

'Volgende vinger,' probeert Saga.

'Nu blijf je uit de buurt,' zegt Jurek en hij kijkt haar in de ogen.

Saga blijft met haar hand tegen de muur staan terwijl Bernie achter Jurek Walter aan loopt.

Het voelt volkomen absurd om Jurek Walter het snoer aan de klink naar het dagverblijf te zien vastknopen, om het daarna over de deur heen te gooien.

Ze zou het willen uitschreeuwen.

Bernie kijkt haar smekend aan als hij op de plastic stoel klimt en de strop om zijn hals legt.

Hij probeert met Jurek te praten, glimlacht en herhaalt iets.

Ze staat verstijfd en denkt dat het personeel hen nu toch gauw moet zien. Maar er komt niemand. Jurek is al zo lang op de afdeling dat hij hun gewoontes door en door kent. Misschien weet hij dat ze op dit moment koffiepauze houden of wisselen van wacht.

Saga gaat langzaam naar haar eigen kamer. Ze weet niet wat ze moet doen, begrijpt niet waarom er niemand komt.

Jurek zegt iets tegen Bernie, wacht even, herhaalt de woorden, maar Bernie schudt zijn hoofd en krijgt tranen in zijn ogen.

Saga loopt met bonkend hart verder naar achteren. In haar lichaam verspreidt zich een gevoel van onwerkelijkheid.

Jurek trapt de stoel weg en loopt dan meteen het dagverblijf door naar zijn eigen kamer.

Bernie trappelt dertig centimeter boven de grond met zijn voeten, hij probeert zich op te trekken aan het snoer, maar heeft de kracht niet.

Saga gaat haar kamer in, naar de deur met het pantserglas en trapt er uit alle macht tegenaan. Er klinkt een doffe bons in het metaal. Ze loopt naar achteren, draait zich om en trapt weer, loopt achteruit en trapt weer en weer. De dikke deur vibreert maar een fractie, maar het zware geluid van de bonzen plant zich voort door de metalen muren. Ze trapt en trapt en uiteindelijk hoort ze onthutste stemmen in de gang, snelle passen en het zoemen van elektrische sloten.

135

De lampen aan het plafond gaan uit. Saga ligt met open ogen op haar zij in bed.

God, wat moest ik doen? Ze gloeit van angst.

Haar voeten, enkels en knieën doen nog steeds pijn van het trappen.

Ze weet niet of ze Bernie had kunnen redden door in te grijpen, misschien had dat gekund, misschien had Jurek haar niet kunnen tegenhouden.

Maar ze had zichzelf zonder enige twijfel in levensgevaar gebracht en had alle mogelijkheden om Felicia te redden verprutst.

Dus ging ze haar kamer in en trapte ze tegen de deur. Het was allemaal een wanhopige en zielige vertoning, denkt ze.

Uit alle macht trapte ze tegen de deur en hoopte dat de bewaarders zich af zouden vragen waar het geluid vandaan kwam, zodat ze eindelijk op hun monitoren zouden kijken.

Maar er gebeurde niets. Ze hoorden haar niet. Ze had harder moeten trappen.

Het leek een eeuwigheid te duren voor er stemmen en voetstappen aankwamen.

Ze ligt op het bed en probeert zichzelf voor te houden dat de verplegers op tijd waren, dat Bernie op de intensive care ligt, dat zijn toestand stabiel is.

De afloop is afhankelijk van de mate waarin de strop de inwendige halsslagaders heeft afgeklemd.

Ze denkt tegen beter weten in dat Jurek Walter ondanks alles misschien een slechte strop heeft gelegd.

Sinds Saga terug is in haar kamer heeft ze alleen maar op bed liggen rillen. Van het avondeten dat het gepiercete meisje kwam brengen, heeft ze alleen de groene erwten opgegeten, plus twee happen aardappelpuree van de visovenschotel.

Saga ligt in het donker en denkt aan Bernies gezicht toen hij met een volslagen hulpeloze blik in zijn ogen zijn hoofd schudde. Jurek bewoog zich als een schaduw. Hij voltrok de executie zonder enige emotie, deed gewoon wat hij moest doen, trapte de stoel weg en liep daarna zonder haast naar zijn kamer.

Saga knipt het bedlampje aan en gaat op de rand van het bed zitten met haar voeten op de grond. Ze richt haar blik recht op de bewakingscamera aan het plafond, op het zwarte oog, en wacht.

Joona had zoals altijd gelijk, denkt ze terwijl ze naar de ronde lens van de camera staart. Hij dacht dat er een kleine kans bestond dat Jurek Walter haar zou benaderen.

Feit is dat hij op zo'n persoonlijk vlak met haar is gaan praten dat zelfs Joona verbaasd moet zijn.

Saga bedenkt dat ze de regel heeft geschonden om het niet over haar ouders, haar familie te hebben. Ze hoopt maar dat de meeluisterende collega's niet denken dat ze de controle over de situatie kwijt was. Het was een poging om het gesprek te verdiepen, houdt ze zichzelf voor. Ze was zich terdege bewust van wat ze deed toen ze de seriemoordenaar Jurek Walter over een van de moeilijkste periodes uit haar leven vertelde.

Ze is geen moment vergeten wat Jurek Walter heeft gedaan, maar ze heeft zich niet door hem bedreigd gevoeld. Dat is de infiltratie waarschijnlijk ten goede gekomen, denkt ze. Ze was banger voor Bernie. Totdat Jurek hem ophing aan het snoer.

Saga masseert haar nek met haar hand en blijft naar het oog van de camera staren. Ze moet al meer dan een uur zo zitten.

136

Anders Rönn heeft ingelogd en zit op zijn kamer terwijl hij de gebeurtenissen van die dag probeert samen te vatten in het afdelingslogboek.

Waarom gebeurt alles nu?

Elke maand controleert het personeel van de afdeling op dezelfde dag de voorraad geneesmiddelen en andere verbruiksgoederen van de afdeling.

Dat duurt niet langer dan veertig minuten.

My, Leif en hijzelf stonden voor de koelkast met medicijnen toen ze het geluid opeens hoorden.

Donker gerommel weerklonk diep in de muren. My liet de inventarislijst uit haar handen vallen en rende naar de bewakingscentrale. Anders kwam achter haar aan. My stond bij de grote monitor te schreeuwen toen ze de beelden van patiëntenkamer 2 zag. Bernie hing levenloos tegen zijn deur. Vanaf zijn tenen druppelde urine in de plas onder hem.

Anders' lichaam kriebelt van onbehagen na de korte bijeenkomst met het presidium van de ziekenhuisdirectie. Naar aanleiding van de zelfmoord op zijn afdeling werd hij opgeroepen voor een crisisbijeenkomst. De directeur was direct van een kinderpartijtje gekomen, geïrriteerd omdat hij was weggeroepen uit de visvijver. De directeur had hem aangekeken en gezegd dat het misschien een vergissing was geweest om een onervaren arts de verantwoordelijkheden van een chefarts te geven. Het ronde gezicht met de diepe keep in de kin had getrild.

Anders slikt en bloost als hij eraan terugdenkt hoe hij opstond en probeerde uit te leggen dat Bernie Larsson volgens zijn dossier ontzettend depressief was, dat de omschakeling lastig voor hem was geweest.

'Ben je er nog?'

Hij schrikt op en ziet My met een vermoeide glimlach in de deuropening staan.

'De directie wil het rapport morgenvroeg hebben, dus je zult me hier nog een paar uur moeten verdragen.'

'Heftige shit,' zegt ze gapend.

'Je kunt best even in de slaapruimte gaan liggen als je wilt,' zegt hij.

'Dat hoeft niet, hoor.'

'Ik meen het, ik ben hier toch.'

'Echt waar? Goh, wat lief van je.'

Hij glimlacht naar haar.

'Ga een paar uur slapen. Ik maak je wakker als ik wegga.'

Anders hoort haar door de gang lopen, langs de kleedkamer, de slaapruimte in.

Het schijnsel van het computerscherm vult Anders' kantoortje. Hij klikt naar de agenda en vult een aantal nieuwe afspraken met familieleden en begeleiders in.

Zijn vingers blijven hangen op het toetsenbord als hij weer aan de nieuwe patiënte denkt. Hij voelt zich gevangen in dat moment, de seconden waarin hij bij haar binnen was en haar broek en slipje omlaag trok en de witte huid rood zag kleuren door de twee prikken met de naald. Hij raakte haar aan als een arts, maar keek tussen haar dijen naar haar geslacht, het blonde haar en de gesloten spleet.

Anders maakt een aantekening van een verzette afspraak, klikt door naar oudere evaluaties, maar kan zich niet concentreren.

Hij leest het rapport van het maatschappelijk werk door, staat daarna op en loopt naar de bewakingscentrale.

Als hij voor het grote scherm gaat zitten om naar de negen vensters te kijken, ziet hij meteen dat Saga Bauer wakker is. De lamp bij het bed brandt. Ze zit heel stil naar hem te kijken, recht de camera in.

Met een wonderlijke zwaarte vanbinnen kijkt Anders naar de andere schermpjes. Patiëntenkamer 1 en 2 zijn donker. De sluis en het dagverblijf zijn verlaten. De camera buiten de kamer waar My rust, registreert niet meer dan een gesloten deur. Het personeel van het beveiligingsbedrijf bevindt zich buiten de eerste veiligheidsdeur.

Anders klikt op patiëntenkamer 3 en onmiddellijk vult het beeld het tweede scherm. De plafondlamp in de bewakingscentrale wordt weerspiegeld in het stoffige scherm. Hij schuift zijn stoel dichterbij. Saga zit nog steeds met haar blik op hem gericht.

Hij vraagt zich af wat ze wil. Haar lichte gezicht straalt en haar hals is recht.

Ze masseert haar nek met haar rechterhand, staat op van het bed, doet een paar passen en blijft in de lens staren.

Anders klikt het beeld weg, staat op, kijkt naar de bewaarders en de gesloten deur van de slaapruimte.

Hij loopt naar de veiligheidsdeur, haalt zijn pasje door de lezer en gaat de gang in. De nachtverlichting heeft een sombere grijze tint. De drie deuren glanzen zwak als lood. Hij loopt naar haar deur en kijkt door het pantserglas naar binnen. Saga staat nog steeds midden in de kamer, maar richt haar blik op de deur als hij het luikje opent.

Het licht van het bedlampje straalt vanachter tussen haar benen door.

'Ik kan niet slapen,' zegt ze met grote, donkere ogen.

'Ben je bang in het donker?' glimlacht hij.

'Ik heb tien milligram Stesolid nodig, dat kreeg ik in Karsudden altijd.'

Hij denkt dat ze in werkelijkheid nog mooier en tengerder is. Ze beweegt zich met een opmerkelijke doelbewustheid, een zekerheid in haar lichaam, alsof ze een profturnster of ballerina is. Hij ziet het dunne, strakke hemdje dat donker is van het zweet. De welving van de perfecte schouders, de tepels onder de stof.

Hij probeert zich te herinneren of hij iets over slaapproblemen in Karsudden heeft gelezen. Daarna beseft hij dat dat er eigenlijk niet toe doet. Hij beslist zelf over de medicatie.

'Wacht even,' zegt hij en hij gaat een pil halen.

Als hij terugkomt staat het zweet tussen zijn schouderbladen. Hij laat haar het plastic bekertje zien, ze steekt haar hand door het luikje om het aan te pakken, maar hij kan het niet laten een beetje met haar te dollen: 'Glimlach eens naar me.'

'Geef me die pil,' zegt ze alleen, en ze blijft haar hand ophouden.

Hij houdt het plastic bekertje op, buiten bereik van haar uitgestoken hand.

'Eén glimlachje,' zegt hij, en hij kietelt haar handpalm.

137

Saga glimlacht naar de arts en blijft hem aankijken tot ze het plastic bekertje krijgt. Hij doet het luik dicht en op slot, maar blijft toch bij de deur staan. Ze loopt de kamer in, doet alsof ze de pil in haar mond stopt, neemt water in haar hand en slikt met haar hoofd in haar nek. Ze kijkt zijn kant niet op, weet niet of hij er nog staat, maar ze gaat even op het bed zitten en doet dan het licht uit. In de bescherming van het donker verbergt ze de pil onder de binnenzool van haar schoen en gaat dan in bed liggen.

Voor ze in slaap valt, ziet ze Bernies gezicht weer, ziet ze hoe de tranen opwelden in zijn ogen toen hij de strop om zijn nek legde.

Zijn stille, worstelende bewegingen, de korte bonzen van zijn hielen tegen de deur, volgen haar de slaap in.

Saga zinkt loodrecht heel diep weg, de helende, vallende slaap in.

Maar op een gegeven moment keert de zandloper om.

En als warme lucht beweegt ze zich omhoog naar waken en opent ze haar ogen plotseling in het donker. Ze weet niet wat haar heeft gewekt. In haar droom waren het Bernies hulpeloos trappende voeten.

Misschien een verafgelegen gerinkel, denkt ze.

Maar het enige wat ze hoort is haar eigen hartslag in haar gehoorgangen.

Ze knippert en luistert.

Het pantserglas van de deur doemt langzaam op als een vierkant van bevroren zeewater.

Ze sluit haar ogen en probeert weer in slaap te vallen. Haar ogen branden van vermoeidheid, maar ze kan niet ontspannen. Iets maakt dat ze haar zintuigen scherpt.

Er tikt iets in de metalen wanden en ze opent haar ogen weer en staart naar het grijze raam.

Plotseling tekent zich een zwarte schaduw af op de ruit.

Ze is klaarwakker, ijzend.

Door het pantserglas kijkt een man bij haar naar binnen. Het is de jonge arts. Heeft hij daar al die tijd gestaan?

Hij kan niets zien in het donker.

Toch staat hij daar, midden in de nacht.

Ze hoort een zwak ruisen.

Zijn hoofd schommelt licht.

Nu beseft ze dat het rinkelende geluid dat haar wekte de sleutel was die in het slot gleed.

Lucht suist naar binnen, de toon wordt sterker, lager en verstomt dan.

De zware deur gaat open en ze begrijpt dat ze doodstil moet blijven liggen. Ze zou heel diep moeten slapen op die tablet. De nachtverlichting op de gang valt als fonkelend poeder om het hoofd en de schouders van de jonge arts.

Ze denkt dat hij misschien heeft gezien dat ze maar deed alsof ze de pil innam, dat hij binnenkomt om hem uit haar schoen te halen. Maar het personeel mag niet alleen bij de patiënten naar binnen gaan, denkt ze.

Daarna begrijpt ze dat de arts bij haar binnen komt omdat hij denkt dat ze de pil wél heeft genomen en diep in slaap is.

138

Dit is waanzin, denkt Anders en hij doet de deur achter zich dicht. Midden in de nacht is hij bij een patiënt naar binnen gegaan en nu staat hij in haar donkere kamer. Zijn hart bonst zo heftig dat het pijn doet. Hij ziet haar contouren in het bed.

Ze zal nog urenlang diep slapen, op het randje van bewusteloosheid. De deur naar de slaapruimte waar My ligt te slapen was dicht. Twee bewaarders bevinden zich bij de buitenste veiligheidsdeur. Alle anderen slapen.

Hij weet zelf niet wat hij hier bij Saga doet, hij kan niet vooruitdenken, voelt alleen dat hij naar binnen moet en weer naar haar moet kijken, hij moet een taak verzinnen zodat hij haar warme huid onder zijn vingers kan voelen.

Het is onmogelijk om niet aan haar bezwete borsten te denken en aan de intens eenzame oogopslag toen ze zich los probeerde te worstelen en haar kleren omhoog schoven.

Hij herhaalt voor zichzelf dat hij alleen maar controleert of alles goed gaat met de patiënt die kalmerende middelen heeft gekregen.

Als hij betrapt wordt, kan hij gewoon zeggen dat hij apneu had waargenomen en besloot alleen naar binnen te gaan omdat ze toch zwaar onder de medicijnen zat.

Men zal zeggen dat het onoordeelkundig was om My niet wakker te maken, maar het bezoekje zelf zal als noodzakelijk beschouwd worden.

Hij wil er gewoon op toezien dat alles goed met haar gaat.

Anders doet een paar stappen de kamer in en denkt plotseling aan visnetten, aan vangarmen en openingen in fuiken, aan de grote ringen die naar steeds kleinere voeren, tot je niet meer kunt omkeren.

Hij slikt hard en houdt zichzelf voor dat hij niets verkeerd doet. Hij bekommert zich alleen buitengewoon veel om zijn patiënten.

Hij kan niet ophouden terug te denken aan het moment dat hij haar de spuit gaf. De herinnering aan haar rug en kont bevindt zich als een massief gewicht in hem.

Hij loopt langzaam op haar af en kijkt in het donker naar haar. Hij heeft de indruk dat ze op haar zij slaapt.

Voorzichtig gaat hij op de rand van het bed zitten en slaat het dekbed van haar benen en billen. Hij probeert haar ademhaling te horen, maar zijn eigen hartslag dreunt te hard in zijn oren.

Haar lichaam straalt warmte uit.

Zijn handen zijn koud, ze trillen en hij is veel te nerveus om seksueel opgewonden te zijn.

Het is te donker voor de camera in het plafond om te registreren wat hij doet.

Voorzichtig laat hij zijn vingers over haar slipje glijden tot tussen haar dijen, en hij voelt de hitte van haar geslacht.

Zacht drukt hij een vinger tegen de stof en glijdt langzaam over haar vaginamond.

Hij zou haar tot aan een orgasme willen strelen, tot haar hele lichaam om penetratie schreeuwt, hoewel ze slaapt.

Zijn ogen zijn aan het donker gewend en nu ziet hij Saga's slanke dijen en de perfecte heuplijn.

Hij houdt zichzelf voor dat ze diep slaapt, en trekt haar slipje ruw omlaag. Ze slaakt een zucht in haar slaap, maar ligt roerloos.

Haar lichaam glanst in het donker.

Het blonde schaamhaar, de gevoeligheid van haar liezen, de platte buik.

Ze zal doorslapen, ongeacht wat hij doet.

Het betekent niets voor haar.

Ze zal geen nee zeggen, hem niet aankijken met het smekende verzoek op te houden.

Nu wordt hij overspoeld door zijn seksuele opwinding, die vervult hem, doet hem hijgend ademen. Hij voelt dat zijn penis zich opricht en kloppend tegen de stof spant. Hij moet hem plaats geven en verschuift hem met zijn hand.

Hij hoort zijn eigen ademhaling – het bonzen en suizen van zijn hart.

Hij moet in haar komen. Zijn handen tasten over haar knieën, proberen haar dijen te spreiden.

Ze draait weg, schopt zacht in haar slaap.

Hij dempt haar bewegingen, leunt over haar heen, schuift zijn handen tussen haar dijen en probeert ze te spreiden.

Het gaat niet – het is net alsof ze tegenstand biedt.

Hij rolt haar op haar buik, maar ze glijdt op de grond, gaat rechtop zitten en kijkt hem met opengesperde ogen aan.

Anders vertrekt snel uit de kamer, bedenkt dat ze niet echt wakker was, dat ze zich niets zal herinneren maar zal denken dat ze heeft gedroomd.

139

Sluiers van sneeuw waaien over de snelweg voor het wegrestaurant. De ramen trillen van de voorbijrazende voertuigen. De koffie in Joona's kopje deint van de vibraties.

Joona neemt de mannen aan de tafel op. Hun gezichten staan rustig en vermoeid. Nadat ze zijn telefoon, paspoort en portemonnee hebben afgenomen, lijken ze nu slechts te wachten op een of ander bericht. Het ruikt naar boekweit en gebakken spek in het eethuisje.

Joona kijkt op zijn horloge en ziet dat zijn vliegtuig uit Moskou over negen minuten vertrekt.

Felicia's leven tikt weg.

De ene man probeert een sudoku op te lossen, de ander zit in een grote krant over paardensport te lezen.

Joona kijkt naar de vrouw achter de toonbank en denkt aan het gesprek met Nikita Karpin.

Tot ze werden afgebroken gedroeg de oude man zich alsof ze alle tijd van de wereld hadden. Hij glimlachte rustig voor zichzelf, veegde met zijn duim wasem van de kan en zei dat Walter en zijn tweelingbroer maar een paar jaar in Zweden waren gebleven.

'Waarom?'

'Je wordt niet voor niets seriemoordenaar.'

'Weet je wat er is gebeurd?'

'Ja.'

De oude man had zijn vinger over de grijze map laten glijden en was er weer over begonnen dat de hoogopgeleide ingenieur waarschijnlijk bereid was geweest zijn kennis te verkopen.

'Maar jullie vreemdelingendienst had alleen belangstelling voor Levanovs werkkracht. Ze begrepen niets... stuurden een raketingenieur van wereldformaat een grindgroeve in.'

'Hij wist misschien dat jullie hem in de gaten hielden en was verstandig genoeg om zijn kennis voor zich te houden,' zei Joona.

'Verstandig was geweest om Leninsk niet te verlaten... Dat had misschien tien jaar dwangarbeid betekend, maar...'

'Hij moest natuurlijk aan de kinderen denken.'

'Dan had hij moeten blijven,' zei Nikita en hij keek Joona aan. 'De jongens zijn uitgewezen uit Zweden en Vadim Levanov kon ze niet traceren. Hij nam contact op met iedereen die hij kende, maar het leverde niets op. Hij kon niet veel doen. Hij wist natuurlijk dat we hem op zouden pakken als hij terugging naar Rusland en dan zou hij de jongens zeker niet vinden, en daarom wachtte hij in plaats daarvan op hen, dat was het enige wat hij kon doen... Hij dacht waarschijnlijk dat als de jongens zouden proberen hem te vinden, ze zouden teruggaan naar de plaats waar ze voor het laatst samen waren geweest.'

'Welke plaats was dat?' vroeg Joona en toen zag hij dat er een zwarte auto naar het landhuis kwam rijden.

'De gastarbeiderswoningen, huis nummer 4,' antwoordde Nikita Karpin. 'Dat was ook de plek waar hij zich veel later van het leven beroofde.'

Voordat Joona naar de naam van de grindgroeve had kunnen vragen, kreeg Nikita Karpin bezoek in zijn landhuis. Een blinkend zwarte Chrysler reed het erf op en bleef staan en hun gesprek was definitief ten einde. Zonder zichtbare haast verruilde de oude man al het materiaal op tafel over de vader van Jurek Walter voor materiaal over Aleksandr Pitsjoesjkin, de zogeheten schaakmoordenaar – een seriemoordenaar aan wiens arrestatie Joona in zekere zin had bijgedragen.

De vier mannen kwamen binnen, liepen rustig naar Joona en Nikita toe, schudden hun beleefd de hand, spraken een tijdje Russisch en daarna namen twee van hen Joona mee naar de zwarte auto terwijl de anderen bij Nikita bleven.

Joona werd op de achterbank gezet. Een van de mannen, met een stierennek en kleine zwarte oogjes, verzocht vriendelijk zijn paspoort te mogen zien en daarna vroeg hij om zijn mobiele telefoon. Ze keken zijn portemonnee door, belden het hotel en de autoverhuurder. Ze verzekerden hem dat ze hem naar het vliegveld zouden brengen, maar nu nog niet.

Nu zitten ze aan een tafel in het eethuisje te wachten.

Joona neemt een halve slok van de koude koffie.

Als hij zijn mobiel maar had gehad zou hij Anja kunnen bellen om haar te vragen de vader van Jurek Walter na te trekken. Er moest iets over de kinderen te vinden zijn, over de plaats waar ze woonden. Hij onderdrukt een impuls om de tafel omver te smijten, naar de auto te rennen en naar het vliegveld te rijden. Ze hebben zijn paspoort, zijn portemonnee en zijn mobiele telefoon.

De man met de stierennek trommelt licht op de tafel en neuriet iets voor zich uit. De ander, met ijsgrijs stekeltjeshaar, is opgehouden met lezen en zit te sms'en.

Vanuit de keuken klinkt gerammel.

Plotseling gaat de telefoon en de man met grijs haar staat op en doet een paar stappen bij de tafel vandaan voor hij opneemt.

Even later drukt hij het gesprek weg en vertelt hij het kleine gezelschap dat het tijd is om te gaan.

140

Mikael zit op zijn kamer samen met Berzelius tv te kijken. Reidar loopt de trap af en ziet door een rij ramen de sneeuw als een grijs schijnsel op de akkers liggen. Vandaag is de zon niet te zien geweest, sinds vanmorgen is het donker.

Het berkenhout brandt in de open haard en de post is op de bibliotheektafel gelegd. Uit de luidsprekers stromen de late pianosonates van Beethoven.

Reidar gaat zitten en kijkt de stapel brieven vluchtig door. Reidars Japanse vertaler wil de precieze titel en leeftijd van de verschillende personages weten voor de mangaverfilming van de boeken, en een producent van een Amerikaanse televisiemaatschappij wil een nieuw idee met hem bespreken. Helemaal onder op de stapel ligt een gewone envelop zonder afzender. Het lijkt alsof een kind Reidars adres heeft opgeschreven.

Hij weet niet waarom zijn hart al sneller begint te kloppen voordat hij de envelop openscheurt en begint te lezen:

Felicia slaapt nu. Ik ben een jaar geleden hier in de
Kvastmakarbacken 1B komen wonen. Felicia is hier al veel langer
dan ik. Ik ben het zat om haar eten en water te geven. Je kunt haar
terugkrijgen als je wilt.

Reidar staat op en belt met trillende handen naar Joona. Zijn telefoon staat uit. Reidar loopt naar de hal. Hij weet uiteraard dat het weer een oplichter kan zijn, maar hij moet erheen, hij moet er nu heen. Hij pakt de autosleutel uit de schaal op de tafel in de hal, controleert of de nitroglycerinespray in zijn jaszak zit en stormt dan naar buiten.

Terwijl hij naar Stockholm rijdt probeert hij Joona weer te bellen en krijgt dan diens collega Magdalena Ronander aan de lijn.

'Ik weet waar Felicia is,' schreeuwt hij. 'Ze is in Södermalm, in een gebouw aan de Kvastmakarbacken.'

'Ben jij dat, Reidar?' vraagt ze.

'Waarom is het zo godvergeten moeilijk iemand te pakken te krijgen?' brult Reidar.

'Je bedoelt dat je weet waar Felicia is?' vraagt Magdalena.

'In de Kvastmakarbacken op nummer 1B,' zegt Reidar in een poging beheerst en duidelijk te klinken. 'Er is vanmorgen een brief gekomen.'

'We willen die brief graag bekijken...'

'Ik moet Joona spreken,' kapt Reidar haar af en de telefoon glipt uit zijn hand.

Hij valt ratelend naast de stoel en Reidar vloekt binnensmonds en slaat gestrest op het stuur terwijl hij een grijze vrachtwagen inhaalt. De voorruit wordt overspoeld door vuile sneeuw en de auto schudt van de zuiging.

141

Reidar rijdt het trottoir op en laat de auto met open portier voor het rode hek naar de Kvastmakarbacken staan. De telefoon onder de stoel gaat over, maar hij laat hem liggen. Zijn benen trillen als hij over het hek klimt, door de diepe sneeuw rent en dan de geveegde oprit op.

Nummer 1B is een oud stenen gebouw dat in zijn eentje op een heuvel staat. Erachter is alleen een doorgaande weg en industrieterrein. Reidar glijdt uit op de steile stenen trap en stoot zijn knie zo hard dat hij het uitschreeuwt.

Hij probeert rustig te ademen, loopt trekkebenend omhoog terwijl hij kreunt van de pijn.

Leunend tegen het gietijzeren hek rukt hij aan de gesloten deur en voelt het bloed in zijn broekspijp vanaf zijn knie omlaag lopen.

Een lamp met het huisnummer 1B brandt vuilgeel in de portiek.

Reidar bonkt zo hard hij kan op de deur en ten slotte kraakt het raam ernaast als het opengeduwd wordt.

'Waar ben jij mee bezig?' vraagt een kale oude man door de kier.

'Doe de deur open,' hijgt Reidar. 'Mijn dochter is hierbinnen.'

'Aha,' pruttelt de oude man en hij trekt het raam dicht.

Reidar bonkt weer op de deur en na een tijdje wordt het slot opengedraaid. Reidar rukt de deur open, loopt direct naar binnen en schreeuwt in het trappenhuis: 'Felicia! Felicia!'

De oude man ziet er angstig uit en loopt achteruit naar zijn deur, en Reidar komt achter hem aan.

'Was jij het?' vraagt hij. 'Heb jij die brief geschreven?'

'Ik ben gewoon...'

Reidar dringt langs de man heen en loopt zo het appartement binnen. Links bevindt zich een keukentje met een tafel en een stoel. De man blijft in de deuropening staan terwijl Reidar de andere kamer in loopt. Voor een rode bank met een paar dekens eroverheen staat een tv'tje op een voet. Reidars schoenen laten natte sporen achter op het zeil. Hij trekt de kleerkast open en graait tussen de hangende kleren.

'Felicia!' roept Reidar en hij kijkt de badkamer in.

De oude man loopt het trappenhuis in als hij Reidar aan ziet komen.

'Maak de kelder open!'

'Nee, ik...'

Reidar komt achter hem aan. Zijn blik gaat gejaagd over de muren, de deuren en de uitgesleten stenen trap die naar beneden leidt.

'Doe open!' schreeuwt Reidar, en hij grijpt de spencer van de man beet.

'Alstublieft,' smeekt hij en hij haalt de sleutels uit zijn broekzak.

Reidar grist de sleutels uit zijn hand en rent naar beneden, hij huilt als hij de stalen deur openmaakt en de ruimte met kelderboxen in rent.

'Felicia!' roept hij.

Hij hoest en loopt langs de gaaswanden terwijl hij zijn dochter roept, maar er is niemand en hij rent weer naar boven. Zijn borst begint pijn te doen, maar hij stormt verder naar de volgende verdieping en trapt tegen de deur. Hij duwt de brievenbus open, roept Felicia, gaat verder naar de volgende verdieping en belt aan. Het ruikt naar fruit en vermolmd hout.

Er loopt zweet over zijn rug en hij krijgt moeite met ademhalen.

Een jonge vrouw met rood haar doet de deur open en Reidar wringt zich zonder een woord te zeggen langs haar heen.

'Jezus, wat doe jij nou!' schreeuwt ze.

'Felicia!'

Een man met een leren vest en lang zwart haar houdt Reidar tegen en duwt hem naar achteren. Reidar spreidt zijn armen en maait per ongeluk een kalender van de muur. Hij probeert weer voorbij de man te komen, maar krijgt zo'n harde duw tegen zijn borst dat hij over schoenen struikelt en achterovervalt. Hij klapt met zijn hoofd op de drempel, is een paar seconden buiten bewustzijn, rolt op zijn zij en hoort de vrouw schreeuwen dat ze de politie moeten bellen.

Reidar staat op, valt bijna weer om, trekt een jas van een knaapje, mompelt excuses en draait zich om naar de woning.

'Ik moet binnenkomen,' zegt hij en hij veegt bloed van zijn lippen.

De man met lang, zwart haar houdt met beide handen een ijshockey-stick beet en staart hem met opengesperde ogen aan.

'Felicia,' fluistert Reidar en hij voelt de tranen in zijn ogen opwellen.

'Ik heb haar, maar ze is een beetje ziek,' zegt een vrouw achter zijn rug.

Reidar draait zich om en ziet een oude vrouw met blonde pruik en rood gestifte lippen. Ze staat een paar treden lager op de donkere trap met een gestreepte kat in haar armen.

'Wat zeg je?' hijgt hij.

'Je riep Felicia,' glimlacht ze.

'Mijn dochter...'

'Ze pikte eten van me.'

Hij loopt naar de vrouw op de trap toe. Ze heeft een boze groef in haar voorhoofd en houdt de gestreepte kat voor zich. Nu ziet hij dat de nek van de kat gebroken is.

'Felicia,' zegt de vrouw. 'Ze zat in de flat toen ik hem betrok en ik heb voor haar gezorgd en...'

'De kat?'

'Er staat Felicia op de halsband...'

142

Het onbehagen na het bezoek van de arts afgelopen nacht stroomt als regen langs een raam – niet heel erg dichtbij, maar het houdt haar toch gevangen.

De medicijnen maken dat Saga merkwaardig afgeschermd is van de werkelijkheid, maar ze heeft sterk het gevoel dat ze binnenkort ontmaskerd zal worden.

Als ik echt had geslapen, had hij me verkracht, denkt ze. Ik moet zorgen dat hij me nooit meer aanraakt.

Ze heeft nog iets meer tijd nodig om de infiltratie af te ronden. Ze is nu zo dichtbij. Jurek heeft het met haar over ontsnappen. En als ze niet ontmaskerd wordt, geeft hij haar binnenkort een plaats, een aanwijzing of iets wat naar Felicia kan leiden.

Gisteren leek hij op het punt te staan. Misschien gebeurt het vandaag.

Als de microfoon maar werkt.

Wat Saga helpt is steeds maar weer aan Felicia te denken.

Ze moet zich concentreren op wat haar hier te doen staat. Zonder medelijden met zichzelf te hebben.

Ze moet het opgesloten meisje redden.

De regels zijn eenvoudig. Ze mag Jurek onder geen beding helpen ontsnappen. Maar ze mag de vlucht wel samen met hem plannen, ze mag belangstelling tonen en vragen stellen.

Het gebruikelijke probleem met ontsnappingen is dat je nergens heen kunt als je eenmaal buiten bent. Die fout gaat Jurek niet maken. Hij weet waar hij heen moet.

Het slot van de deur naar het dagverblijf zoemt. Saga staat op van het bed, rolt met haar schouders zoals voor een wedstrijd, en loopt dan haar kamer uit.

Jurek Walter staat bij de muur ertegenover op haar te wachten. Ze begrijpt niet hoe hij zo snel in het dagverblijf kan zijn.

Er is geen reden om je bij de loopband op te houden als het snoer ontbreekt. Ze moet maar hopen dat het bereik van de microfoon groot genoeg is.

De tv staat uit, maar ze gaat toch op de bank zitten.

Jurek staat voor haar.

Het voelt alsof ze geen huid heeft, alsof hij het eigenaardige vermogen heeft haar ontblote vlees te zien.

Hij gaat naast haar zitten en ze overhandigt hem discreet het tabletje.

'We hebben er nog maar vier nodig,' zegt hij en zijn lichte ogen kijken in de hare.

'Ja, maar ik...'

'Daarna kunnen we hier weg.'

'Maar dat wil ik misschien niet.'

Als Jurek Walter zijn hand uitsteekt en haar arm pakt, deinst ze bijna terug. Hij merkt dat ze bang wordt en kijkt haar uitdrukkingsloos aan.

'Ik heb een plek die je zeker zal bevallen,' zegt hij. 'Het is hier niet heel ver vandaan. Gewoon een oud huis achter een gesloten cementfabriek, maar 's nachts kun je naar buiten om te schommelen.'

'In een zweefmolen?' vraagt ze en ze probeert te glimlachen.

Jurek moet tegen haar blijven praten, denkt ze. Zijn woorden zijn kleine stukjes die een patroon zullen vormen van de puzzel die Joona aan het leggen is.

'Het is maar een gewone schommel,' antwoordt hij. 'Maar je kunt boven het water schommelen.'

'Boven een meer of een...'

'Wacht maar af, het is er prachtig.'

'Ik hou ook van appelbomen,' zegt ze zacht.

143

Saga denkt dat Jurek zou moeten kunnen horen hoe luid haar hart
bonst. Als de microfoon naar behoren werkt, dan hebben haar collega's alle gesloten cementfabrieken gelokaliseerd, misschien zijn ze zelfs
al onderweg.

'Het is een goede plek om je te verstoppen tot de politie stopt met
zoeken,' vertelt Jurek terwijl hij naar haar kijkt. 'En je kunt in het huis
blijven als het je bevalt...'

'Maar jij gaat verder,' zegt ze.

'Ik moet wel.'

'En ik mag niet mee?'

'Wil je mee?'

'Dat hangt ervan af waar je heen gaat.'

Saga is zich ervan bewust dat ze misschien te veel druk uitoefent,
maar op dit moment wil hij haar graag mee hebben.

'Je moet me vertrouwen,' zegt hij kort.

'Het klinkt alsof je van plan bent mij in het eerste huis achter te laten.'

'Nee.'

'Zo komt het over,' zegt ze gekwetst. 'Ik denk dat ik hier blijf tot ik
word ontslagen.'

'Wanneer is dat?'

'Ik weet het niet.'

'Weet je zeker dat ze je vrij zullen laten?'

'Ja,' antwoordt ze eerlijk.

'Omdat je een klein lief meisje bent dat haar zieke moeder heeft geholpen toen ze...'

'Ik was niet lief,' kapt Saga hem af, en ze trekt haar arm terug. 'Denk
je echt dat ik daar wou zijn? Ik was nog maar een kind en ik zorgde
noodgedwongen voor mijn moeder.'

Hij leunt achterover op de bank en knikt.

'Dat met dwang is interessant.'

'Ik werd niet gedwongen,' protesteert ze.

'Dat zei je net zelf,' zegt hij glimlachend.

'Niet op die manier... Ik bedoel, ik deed het gewoon,' legt ze uit. 'Ze had alleen 's avonds en 's nachts pijn.'

Saga zwijgt en denkt terug aan een ochtend na een erg zware avond waarop haar moeder ontbijt voor haar maakte. Ze bakte eieren, smeerde boterhammen en schonk melk in. Daarna gingen ze blootsvoets in hun nachthemd naar buiten. Het gras in de tuin was vochtig van de dauw en ze droegen kussens naar de schommelbank.

'Je gaf haar codeïne,' zegt Jurek op een vreemde toon.

'Dat hielp.'

'Maar het zijn lichte tabletten – hoeveel moest ze er de laatste avond innemen?'

'Veel... ze had zo vreselijk veel pijn...'

Saga haalt haar hand over haar voorhoofd en voelt tot haar verbazing dat ze helemaal bezweet is. Ze wil hier niet over praten, ze heeft er al jaren niet meer aan gedacht.

'Meer dan tien, neem ik aan?' vraagt Jurek luchtig.

'Meestal nam ze er maar twee, maar die avond had ze er veel meer nodig... ik liet ze op de grond vallen, maar... ik weet niet, ik moet haar een stuk of twaalf, misschien dertien tabletten gegeven hebben.'

Saga voelt de spieren in haar gezicht trekken. Ze is bang dat ze gaat huilen als ze blijft, dus staat ze snel op om naar haar kamer te gaan.

'Je moeder is niet aan kanker overleden,' zegt Jurek.

Ze blijft staan en draait zich naar hem toe.

'Zo is het genoeg,' zegt ze ernstig.

'Ze had geen hersentumor,' gaat hij zachtjes verder.

'Zeg... ik was bij mijn moeder toen ze stierf, jij weet niets van haar, je kunt niet...'

'De hoofdpijn,' valt Jurek haar in de rede. 'De hoofdpijn is 's ochtends niet over als je een tumor hebt.'

'Bij haar wel,' zegt ze stellig.

'De pijn wordt veroorzaakt door de druk op de hersenvliezen en bloedvaten als de tumor groeit. Die gaat niet over, die wordt alleen maar erger.'

Ze kijkt in Jureks ogen en er loopt een rilling over haar rug.

'Ik...'

Haar stem is niet meer dan een fluistering. Ze zou willen slaan en schreeuwen, maar ze is volkomen krachteloos.

Eigenlijk heeft ze altijd geweten dat er iets niet klopte met haar herinneringen. Ze weet nog dat ze tegen haar vader schreeuwde in de puberteit, schreeuwde dat hij overal over loog, schreeuwde dat hij de gemeenste man was die ze kende.

Hij had tegen haar gezegd dat haar moeder geen kanker had.

Ze had altijd gedacht dat hij tegen haar probeerde te liegen zodat zijn trouweloosheid niet zo onvergeeflijk zou zijn.

Nu staat ze hier en weet ze opeens niet meer waar dat idee van die hersentumor vandaan kwam. Ze kan zich niet herinneren dat haar moeder ooit beweerd heeft dat ze kanker had en ze zijn nooit in een ziekenhuis geweest.

Maar waarom huilde haar moeder dan elke avond, als ze niet ziek was? Het klopt niet. Waarom dwong ze Saga de hele tijd papa te bellen en te zeggen dat hij moest komen? Waarom slikte haar moeder codeïne als ze geen pijn had? Waarom liet ze haar dochter haar al die tabletten geven?

Jureks gezicht is een donker, strak masker. Saga draait zich om en loopt naar de deur. Ze wil alleen maar wegrennen, ze wil niet horen wat hij gaat zeggen.

'Je hebt je eigen moeder omgebracht,' zegt hij kalm.

144

Saga blijft abrupt staan. Ze haalt snel en oppervlakkig adem, maar dwingt zichzelf haar gevoelens niet te tonen. Ze moet zichzelf voorhouden wie de situatie meester is. Hij denkt dat hij haar beet heeft, terwijl in feite zij degene is die hem erin luist.

Saga trekt een onbewogen gezicht en draait zich langzaam naar hem om.

'Codeïne,' zegt Jurek langzaam en hij glimlacht vreugdeloos. 'De codeïne die jij beschreef komt alleen voor in tabletten van vijfentwintig gram... Ik weet precies hoeveel er nodig is om een mens te doden.'

'Mijn moeder zei dat ik haar de tabletten moest geven,' zegt ze met holle stem.

'Maar ik denk dat je wist dat ze zou sterven,' zegt hij. 'Ik weet zeker dat je moeder wist dat jij het wist... Ze dacht dat je wilde dat ze dood zou gaan.'

'Vuile klootzak,' fluistert ze.

'Je verdient het misschien wel om voor altijd opgesloten te zitten.'

'Nee.'

Hij bekijkt haar met een angstaanjagende zwaarte in zijn ogen, met een staalharde verzadiging.

'Misschien is het genoeg als je nog één slaaptablet regelt,' zegt hij. 'Want gisteren zei Bernie dat hij nog een paar Stesolid in een stukje papier in de kier onder de wasbak had... Misschien zei hij dat alleen maar om tijd te rekken.'

Haar hart slaat sneller. Heeft Bernie slaaptabletten in zijn kamer verborgen? Wat moet ze doen? Ze moet dit laten ophouden. Ze moet voorkomen dat Jurek de slaaptabletten te pakken krijgt. Stel dat het er genoeg zijn voor de ontsnapping?

'Ga je zijn kamer in?' vraagt ze.

'De deur is open.'

'Maar het is beter als ik het doe,' zegt ze snel.

'Waarom?'

Jurek kijkt haar aan met een haast geamuseerd gezicht, terwijl ze wanhopig een aannemelijk antwoord probeert te verzinnen.

'Als ze mij betrappen,' zegt ze, 'dan... dan denken ze gewoon dat ik verslaafd ben en...'

'Maar dan is het afgelopen met de slaaptabletten,' werpt hij tegen.

'Ik denk dat ik toch wel tabletten van de dokter kan krijgen,' zegt ze.

Jurek kijkt haar tevreden aan en knikt dan.

'Hij kijkt naar je alsof hij de gevangene is.'

Ze doet de deur van Bernies kamer open en gaat naar binnen.

In het licht van het dagverblijf ziet ze dat zijn kamer een exacte kopie van de hare is. Dan doet ze de deur dicht en is het pikdonker. Ze loopt naar muur en gaat op de tast verder, ruikt de lucht van oude urine uit de wc-pot, bereikt de wasbak, waarvan de randen nat zijn alsof er net is schoongemaakt.

Over een paar minuten gaan de deuren naar het dagverblijf op slot.

Ze houdt zich voor dat ze nu niet aan haar moeder mag denken, dat ze zich alleen maar op haar opdracht moet concentreren. Haar kin begint te trillen, maar het lukt haar zich te beheersen, ondanks de brok in haar keel weet ze haar tranen terug te dringen. Ze zakt op haar knieën, bevoelt de koele onderkant van de wasbak. Haar vingers tasten naar de muur, glijden langs de voeg van silicone, maar ze vindt niets. Er valt een waterdruppel in haar nek. Ze knippert met haar ogen in het donker, tast verder, voelt op de grond. Een nieuwe waterdruppel valt tussen haar schouderbladen. Plotseling begrijpt ze dat de wasbak een klein beetje naar voren helt. Daarom vallen de druppels van de rand op haar in plaats van dat ze teruglopen in de wasbak zelf.

Ze duwt de wasbak met haar schouder omhoog en voelt tegelijkertijd aan de onderkant langs de muur. Haar vingers vinden een spleet. Daar zit het. Een klein, ingestoken pakketje. Zweet stroomt uit haar oksels. Ze duwt de wasbak omhoog. Hij kraakt in zijn bevestiging en ze probeert bij het pakje te komen. Ze weet het er voorzichtig uit te trekken. Jurek heeft gelijk. Het zijn tabletten. Stevig omwikkeld met toiletpapier. Ze ademt snel, kruipt achteruit, stopt het pakje in haar zak en staat op.

Terwijl ze de deur naar het dagverblijf zoekt, bedenkt ze dat ze tegen Jurek zal zeggen dat ze niets gevonden heeft, dat Bernie gelogen moet hebben. Ze bereikt de muur, loopt tastend in het donker tot ze de deur voelt en gaat het dagverblijf in.

Saga knippert tegen het felle licht en kijkt om zich heen. Jurek is er niet. Hij is zeker naar zijn kamer gegaan. De klok achter het pantserglas laat zien dat de deuren naar het dagverblijf over enkele seconden op slot gaan.

145

Anders Rönn klopt licht op de deur van de bewakingscentrale. My zit achter de grote monitor het tijdschrift *Expo* te lezen.

'Kom je welterusten zeggen?' vraagt ze.

Anders glimlacht, gaat naast haar zitten en ziet dat Saga het dagverblijf verlaat en haar cel binnengaat. Jurek ligt al in bed en Bernies kamer is uiteraard zwart. My gaapt omstandig en leunt achterover in haar draaistoel.

Leif staat in de deuropening en drinkt de laatste druppels uit een blikje Coca-Cola.

'Waaruit bestaat het voorspel van de man?' vraagt hij.

'Bestaat dat dan?' reageert My.

'Een uur lang overreden, overtuigen en overhalen.'

Anders glimlacht en My lacht zo dat het sieraad in haar tong glanst.

'Ze zitten vanavond een beetje krap met personeel op afdeling 30,' zegt Anders.

'Vreemd dat er altijd een tekort aan personeel én een hoge werkloosheid is,' zucht Leif.

'Ik heb in elk geval gezegd dat ze jou kunnen lenen,' zegt Anders.

'Maar we moeten hier toch altijd minstens met z'n tweeën zijn?'

'Ja, maar ik werk tot één uur vannacht.'

'Dan kom ik om één uur naar beneden.'

'Mooi,' zegt Anders.

Leif gooit het blikje in de prullenbak en verlaat de kamer.

Anders zit zwijgend een poosje naast My. Hij kan zijn blik maar niet van Saga losrukken. Ze loopt te ijsberen in haar cel. Heeft haar smalle armen om haar lichaam geslagen.

Het beeld is zo scherp dat hij het zweet op haar rug ziet.

Hij voelt het inwendig kriebelen van verlangen. Het enige waar hij aan kan denken is dat hij weer bij haar naar binnen zal gaan. Dit keer gaat hij haar wel twintig milligram Stesolid geven.

Hij beslist, hij is de verantwoordelijk arts, hij kan haar in bed fixeren, haar armen en benen uitspreiden als een kruis, hij kan doen wat hij wil. Ze is psychotisch, paranoïde, ze heeft niemand om mee te praten.

My gaapt uitvoerig, rekt zich uit en zegt iets wat Anders niet verstaat.

Hij kijkt op de klok. Nog maar twee uur tot het licht in de cellen uitgaat, en dan kan hij My weer wegsturen om te gaan slapen.

146

Saga loopt in haar cel heen en weer en voelt het pakje uit Bernies kamer in haar zak op en neer gaan. Achter haar rug hoort ze het elektrische slot zoemen en klikken. Ze zou haar gezicht willen wassen, maar is er niet toe in staat. Ze loopt naar de gangdeur, probeert iets door het pantserglas te zien, laat haar voorhoofd tegen het koele oppervlak rusten en sluit haar ogen.

Als Felicia in het huis achter de cementfabriek zit, ben ik morgen vrij, anders heb ik nog een paar dagen te gaan voordat het onhoudbaar wordt en ik de ontsnapping moet verijdelen, denkt ze.

Haar gelaatsspieren doen zeer – ze heeft zichzelf moeten dwingen niet in te storten.

Ze heeft de pijn niet toegelaten, heeft uitsluitend aan de afronding van haar opdracht gedacht.

Haar ademhaling wordt weer sneller en ze slaat haar voorhoofd licht tegen de koude ruit.

Ik heb de situatie onder controle, denkt ze. Jurek denkt dat hij de baas is over mij, maar ik heb hem aan de praat gekregen. Hij heeft slaaptabletten nodig om te kunnen ontsnappen, maar ik ben Bernies kamer binnengegaan, heb het pakje gevonden en zal zorgen dat hij het niet in handen krijgt, zeggen dat het er niet was.

Ze glimlacht gestrest. Haar handpalmen zijn nat van het zweet.

Zolang Jurek ervan overtuigd is dat hij mij manipuleert, zal hij zichzelf stukje bij beetje blootgeven.

Ze weet zeker dat hij morgen over zijn vluchtplannen zal vertellen.

Ik hoef nog maar een paar dagen en ik moet mijn kalmte bewaren, hem niet meer in mijn hoofd toelaten.

Ze snapt niet hoe het kon gebeuren.

Het was zo ontzettend wreed van hem om te zeggen dat ze haar moeder opzettelijk had gedood.

Nu voelt ze de tranen opkomen. Haar keel voelt gespannen en pijnlijk aan, ze slikt en merkt dat het zweet over haar rug stroomt.

Saga slaat met haar handen tegen de deur,

Zou haar moeder hebben gedacht...

Ze draait zich om, pakt de plastic stoel bij de rugleuning vast en slaat ermee tegen de wasbak, verliest de greep, hij stuitert rond, ze pakt hem opnieuw vast en slaat ermee tegen de muur en nogmaals tegen de wasbak.

Hijgend gaat ze op bed zitten.

'Ik ga dit redden,' fluistert ze voor zichzelf.

Ze merkt dat ze bezig is de controle over de situatie te verliezen, ze kan niet ophouden met denken. Haar geheugen toont alleen de lange franjes van het geknoopte tapijt, de tabletjes, haar moeders vochtige ogen, de tranen op haar wangen en haar tanden die tegen het glas klapperen als ze de medicijnen inneemt.

Saga herinnert zich dat haar moeder op haar mopperde als ze zei dat papa niet kon komen, ze weet nog dat mama haar dwong te bellen, ook al wilde ze niet.

Misschien was ik kwaad op mama, denkt ze. Was ik haar zat.

Ze staat op, probeert te kalmeren, herhaalt zachtjes dat ze gewoon misleid is.

Langzaam loopt ze naar de wasbak, wast haar gezicht en bet voorzichtig haar pijnlijke ogen.

Ze moet de weg naar zichzelf terugvinden, zorgen dat ze weer tot zichzelf komt. Het is alsof ze tegen de buitenkant van haar lichaam op klimt, alsof ze niet in haar lichaam kan zijn.

Misschien komt het door de injectie met antipsychoticum dat ze niet onstuitbaar aan het huilen is.

Saga gaat in bed liggen en denkt eraan dat ze Bernies pakje moet verstoppen, tegen Jurek moet zeggen dat ze niets heeft gevonden. Op die manier hoeft ze geen slaapmiddel aan de arts te vragen. Ze geeft Jurek gewoon de tabletten uit Bernies kamer.

Een voor een, één per nacht.

Saga rolt op haar zij en keert haar rug naar de bewakingscamera in het plafond. In de dekking van haar eigen lichaam haalt ze het pakje tevoorschijn. Voorzichtig wikkelt ze het wc-papier eraf, laag voor laag, tot ze ziet dat de inhoud uit drie stukjes kauwgom bestaat.

Kauwgom.

Ze dwingt zichzelf rustig te ademen, laat haar blik over de vieze vegen op de muur glijden en denkt met een wonderlijk, leeg inzicht dat ze precies datgene heeft gedaan waar Joona haar voor heeft gewaarschuwd.

Ik heb Jurek in mijn hoofd toegelaten en nu is alles veranderd.

Hoe kan ik mezelf nog in de ogen kijken?

Het is fout om zo te denken, ik weet dat ik misleid ben, maar zo voelt het.

Haar maag knijpt zich samen van angst als ze denkt aan het koude lichaam van haar moeder, die ochtend. Een verdrietig en onbeweeglijk gezicht met vreemd schuim in de mondhoeken.

Het voelt alsof ze gaat vallen.

Ik mag de controle niet verliezen, denkt ze, en ze probeert haar ademhaling terug te vinden, haar systeem op orde te krijgen.

Ik ben niet ziek, houdt ze zichzelf voor. Ik zit hier met een reden, dat is het enige waar ik aan moet denken. Mijn opdracht is Felicia te vinden. Dit gaat niet over mij, ik doe er niet toe. Ik zet deze infiltratie door, volg het plan, zorg voor slaaptabletten, doe alsof ik ook ga ontsnappen en praat tot op het laatst over vluchtroutes en schuilplaatsen. Ik voer de opdracht uit zolang het gaat. Het maakt niet uit of ik doodga, denkt ze met een plotselinge opluchting.

147

Het is bijna een etmaal geleden dat Joona Linna bij Nikita Karpin werd opgehaald door mannen van de FSB, de nieuwe Russische veiligheidsdienst. Ze gaven geen antwoord op zijn vragen en hij kreeg geen verklaring voor het feit dat ze zijn paspoort, portemonnee en mobiele telefoon in beslag hadden genomen.

Na urenlang in een eethuisje te hebben zitten wachten, namen ze hem mee naar een grauw, betonnen flatgebouw, liepen over de galerij en betraden een appartement met twee kamers.

Joona werd naar de achterkamer met een vuile fauteuil, een tafel en twee stoelen en een hok met wc gebracht. De stalen deur ging achter hem op slot en toen gebeurde er een paar uur lang niets, tot ze hem een warme papieren zak met klef eten van McDonald's kwamen brengen.

Joona moest zien dat hij in contact kwam met zijn collega's en Anja vragen om op zoek te gaan naar Vadim Levanov en zijn tweelingzonen Igor en Roman. Misschien leiden de nieuwe namen naar nieuwe adressen, misschien is de grindgroeve waar de vader heeft gewerkt te vinden.

Maar de stalen deur zat op slot en de uren verstreken. Hij hoorde de mannen een paar keer telefoneren, en dan was het weer stil.

*

Joona doet hazenslaapjes in de fauteuil, maar als hij tegen de ochtend voetstappen en stemmen in de kamer ernaast hoort, is hij meteen klaarwakker.

Hij knipt de lamp aan en wacht erop dat ze binnen zullen komen.

Iemand hoest en praat geïrriteerd in het Russisch. Plotseling gaat de deur open en de twee mannen van gisteren komen binnen. Ze hebben allebei een pistool in een schouderholster en ze spreken snel Russisch met elkaar.

De man met het zilvergrijze haar trekt een stoel bij en zet die in het midden van de kamer.

'Ga hier zitten,' zegt hij in goed Engels.

Joona staat op uit de fauteuil, ziet dat de man afstand neemt als hij naar de stoel loopt en gaat zonder haast zitten.

'Je bent hier niet voor een officiële opdracht,' zegt de man met de stierennek en de zwarte ogen. 'Je moet ons vertellen wat je bij Nikita Karpin deed.'

'We hadden het over seriemoordenaar Aleksandr Pitsjoesjkin,' antwoordt Joona toonloos.

'En wat was jullie conclusie?' vraagt de man met het zilverachtige haar.

'Het eerste slachtoffer was zijn vermeende handlanger,' zegt Joona. 'Over hem hebben we gesproken... Michail Oditsjoek.'

De man houdt zijn hoofd scheef, knikt een paar keer en zegt dan vriendelijk: 'Je liegt natuurlijk.'

De man met de stierennek heeft zich afgewend en zijn pistool gepakt. Het is niet goed te zien, maar het zou een Glock met zwaar kaliber kunnen zijn. Hij verbergt het wapen met zijn lichaam terwijl hij een patroon in de loop schuift.

'Wat heeft Nikita Karpin verteld?' gaat de man met het grijze haar door.

'Nikita denkt dat de rol van de handlanger...'

'Lieg niet!' brult de andere man, en hij draait zich om met het pistool achter zijn rug.

'Nikita Karpin heeft geen enkele bevoegdheid meer, hij maakt geen deel uit van de veiligheidsdienst.'

'Dat wist je, of niet soms?' vraagt de man met de stierennek.

Joona bedenkt dat hij beide mannen zou kunnen overmeesteren, maar zonder paspoort en geld is het uitgesloten het land te verlaten.

De agenten wisselen een paar woorden in het Russisch.

De man met de witte stekeltjes haalt diep adem en zegt dan scherp: 'Jullie hebben geheim materiaal besproken en we moeten exact weten welke informatie je hebt gekregen voor we je naar het vliegveld kunnen brengen.'

Ze staan lange tijd roerloos in de kamer. De man met het witte haar kijkt op zijn telefoon, zegt iets tegen de ander in hun moedertaal en krijgt een hoofdschudden als antwoord.

'Tijd om de waarheid te vertellen,' zegt hij, en hij stopt het mobieltje in zijn jaszak.

'Ik schiet je in je knieschijven,' zegt de andere man.

'Je reist dus naar Ljoebimova, ontmoet Nikita Karpin en...'

De witharige zwijgt als hij een telefoontje krijgt. Hij neemt op en ziet er gestrest uit, wisselt een paar korte woorden en zegt iets tegen zijn collega. Er volgt een snelle discussie die steeds opgewondener klinkt.

148

De man met de stierennek is gestrest, hij verplaatst zich opzij en richt zijn pistool op Joona. Het zeil knerpt onder zijn voeten. Er glijdt een schaduw weg en het licht van de staande schemerlamp bereikt zijn hand. Joona ziet nu dat het zwarte pistool een Strizj is.

De witharige haalt een hand over zijn hoofd, geeft ongeduldig een bevel, kijkt een paar seconden naar Joona, verlaat dan de kamer en doet de deur achter zich op slot.

De andere man loopt rond en gaat ergens achter Joona staan. Hij ademt zwaar en het kost hem moeite om stil te blijven staan.

'De baas is onderweg,' zegt hij zacht.

Door de stalen deur klinkt boos geschreeuw. De geur van wapenvet en zweet is opeens onmiskenbaar aanwezig in de kleine ruimte.

'Ik moet het weten – snap je dat?' zegt de man.

'We hadden het over seriemoorde...'

'Lieg niet,' schreeuwt hij. 'Ik moet weten wat Karpin heeft verteld!'

Joona hoort ongeduldige bewegingen achter zijn rug, voelt de man naderen en ziet een vage schaduw snel over de vloer bewegen.

'Ik moet naar huis,' zegt Joona.

De man met de stierennek beweegt zich snel, drukt de loop van het pistool hard tegen Joona's nek, schuin van rechts.

Zijn snelle ademhaling is duidelijk hoorbaar.

In één beweging trekt Joona zijn hoofd weg, draait zijn lichaam, zwaait met zijn rechterhand naar achteren, slaat het wapen weg en komt overeind. Hij duwt de man uit balans en grijpt de loop van het pistool vast, draait deze naar de vloer en rukt hem dan omhoog zodat de vingers van de man breken.

De man brult het uit en Joona rondt de gewelddadige actie af door een knie tegen zijn nieren en ribben te rammen. Door de kracht komt zijn ene voet los van de grond en de man maakt een halve draai achterover, waardoor de stoel onder hem breekt.

Joona heeft zich verplaatst en houdt het pistool op hem gericht als de man hoestend op zijn zij rolt en zijn ogen opent. Hij probeert op te staan maar hoest nogmaals, blijft met zijn wang tegen de vloer liggen en onderzoekt zijn gewonde vingers.

Joona haalt het magazijn uit het wapen en legt het op tafel, verwijdert het patroon uit de loop en demonteert daarna het hele wapen.

'Ga zitten,' zegt Joona.

De man met de stierennek kreunt van de pijn als hij overeind komt. Het zweet staat op zijn voorhoofd, hij gaat zitten en kijkt met gefronst voorhoofd naar de onderdelen die op een rij liggen.

Joona stopt een hand in zijn zak en haalt een zuurtje tevoorschijn.

'*Ota poika karamelli, niin helpottaa,*' zegt hij.

De man kijkt verbaasd als Joona het gele cellofaanpapier afpelt en het zuurtje in diens mond stopt.

De deur gaat open en er verschijnen twee mannen. De ene is die met het zilvergrijze haar en de andere is een oudere man met een volle baard en een grijs pak.

'Excuses voor het misverstand,' zegt de oudere man.

'Ik moet snel naar huis,' zegt Joona.

'Vanzelfsprekend.'

De bebaarde man loopt met Joona mee het appartement uit. Ze nemen de lift naar beneden, stappen in een klaarstaande auto en rijden samen naar het vliegveld.

De chauffeur draagt Joona's tas en de bebaarde man vergezelt hem bij het inchecken, de veiligheidscontrole, de gate door en het vliegtuig in. Pas als het boarden is afgesloten krijgt Joona zijn mobiele telefoon, paspoort en portmonnee terug.

Voordat de bebaarde man het toestel verlaat overhandigt hij een papieren tasje met zeven kleine zeepjes en een koelkastmagneet met Vladimir Poetin erop.

Joona kan nog net een sms'je naar Anja sturen voordat hem verzocht wordt zijn telefoon uit te zetten. Hij sluit zijn ogen, denkt aan de zeepjes en overweegt of het verhoor mogelijk door Nikita Karpin zelf in scène is gezet om te testen of Joona had begrepen dat hij zijn bron moest beschermen.

149

Als Joona na een overstap in Kopenhagen eindelijk in Stockholm landt, is het al avond. Hij zet zijn mobiel aan en leest het sms'je van Carlos over grootschalig uitrukken van de politie.

Misschien is Felicia al gevonden.

Joona probeert Carlos te pakken te krijgen terwijl hij zich langs de taxfreewinkels haast, via de bagagehal naar de aankomsthal en over de brug naar de parkeergarage. In de uitsparing voor het reservewiel ligt zijn schouderholster met de zwarte Colt Combat Target .45 ACP.

Hij rijdt naar het zuiden en wacht tot Nathan Pollock zijn telefoon opneemt.

Nikita Karpin zei dat Vadim Levanov veronderstelde dat als de jongens zouden proberen hun vader te vinden, ze naar de plek zouden terugkeren waar ze voor het laatst samen waren geweest.

'Welke plek is dat?' vroeg Joona.

'De gastarbeiderswoningen, huis nummer 4. Daar heeft de vader zich twintig jaar later ook van het leven beroofd.'

Joona rijdt honderdveertig kilometer per uur op de snelweg richting Stockholm. De puzzelstukjes zijn snel boven water gekomen en hij voelt dat hij binnenkort het hele plaatje zal kunnen overzien.

De tweelingbroers worden gedwongen te vertrekken en de vader pleegt zelfmoord.

De vader was een hoogopgeleide ingenieur, maar deed lichamelijk werk in een van de vele grindgroeves in Zweden.

Joona geeft meer gas en probeert tegelijkertijd Carlos weer te pakken te krijgen, daarna Corinne en dan Magdalena Ronander.

Voor hij Nathans nummer weer heeft kunnen opzoeken, gaat zijn telefoon en hij neemt snel op.

'Je mag blij zijn dat je mij hebt,' zegt Anja. 'Elke agent in heel Stockholm is op Norra Djurgården...'

'Hebben ze Felicia gevonden?'

'Ze zoeken uit alle macht in het bos achter het Albano-industrieterrein, ze hebben hondenpatrouilles bij zich en...'

'Heb je mijn sms'je gelezen?' kapt Joona haar af met strakke kaken van de stress.

'Ja, en ik heb geprobeerd te begrijpen wat er is gebeurd,' begint Anja. 'Het is niet heel makkelijk, maar ik denk dat ik Vadim Levanov gevonden heb, ook al is de spelling van zijn naam verzweedst. In dat geval is hij in 1960 zonder paspoort vanuit Finland naar Zweden gekomen.'

'En de kinderen?'

'Er staan helaas geen kinderen in het register.'

'Misschien heeft hij ze het land in gesmokkeld?'

'In de jaren vijftig en zestig kwamen er heel veel gastarbeiders naar Zweden, de verzorgingsstaat moest worden opgebouwd... maar onze regelgeving was nog heel ouderwets. Men ging ervan uit dat gastarbeiders niet voor hun kinderen konden zorgen en ze werden door het maatschappelijk werk in pleeggezinnen of kindertehuizen geplaatst.'

'Maar deze jongens werden uitgewezen,' zegt Joona.

'Dat was niet ongebruikelijk, vooral niet als er vermoed werd dat het om Roma ging... Morgen heb ik een afspraak op het rijksarchief... In die tijd bestond er nog geen immigratiedienst. De besluiten werden tamelijk willekeurig genomen door de politie, de kinderbescherming en de vreemdelingendienst.'

Bij Häggvik gaat hij van de weg af om te tanken.

Anja ademt zwaar in de hoorn. Deze sporen mogen niet doodlopen, denkt hij. Er moet iets zijn wat ons verder kan brengen.

'Weet je waar de vader werkte?' vraagt hij.

'Ik ben alle grindgroeves in Zweden aan het onderzoeken, maar het kan even duren omdat het om zulke oude archieven gaat,' zegt ze vermoeid.

Joona bedankt Anja uitvoerig, hangt op, stopt voor een rood stoplicht en ziet een jonge man achter een kinderwagen op het voetpad naast de rijbaan.

Sneeuw waait over de weg, wervelt omhoog in het gezicht en de ogen van de man. Hij knijpt ze half dicht en moet de kinderwagen om-

390

draaien om hem over een sneeuwwal te trekken.

Ineens moet Joona aan Mikaels woorden over de Zandman denken. Hij zei dat hij over het plafond kon lopen en allerlei andere verwarde dingen. Maar drie keer heeft hij gezegd dat de Zandman naar zand ruikt. Het komt misschien uit de sprookjes, maar stel je voor dat er een verband is met een grindgroeve, een zandafgraving.

Achter hem toetert een auto en Joona trekt op, maar gaat zo snel mogelijk langs de kant van de weg staan en belt Reidar Frost.

'Nog nieuws?' vraagt Reidar.

'Ik wil Mikael spreken, hoe is het met hem?'

'Het zit hem dwars dat hij zich niet meer kan herinneren, we hebben hier dagelijks urenlang politie over de vloer.'

'Elk klein detail kan van belang zijn.'

'Ik klaag niet,' haast Reidar zich te zeggen. 'We zijn tot alles bereid, dat weet je, dat zeg ik de hele tijd, we staan vierentwintig uur per dag klaar.'

'Is hij wakker?'

'Ik zal hem wakker maken. Wat wil je hem vragen?'

'Hij zei dat de Zandman naar zand ruikt... is het mogelijk dat de capsule in de buurt van een grindgroeve ligt? In sommige groeves delven ze steen, in andere...'

'Ik ben opgegroeid bij een grindgroeve, op de heuvelrug Stockholmsåsen en...'

'Ben je opgegroeid bij een grindgroeve?'

'Ja, in Antuna,' antwoordt Reidar lichtelijk verbaasd.

'Welke grindgroeve?'

'Rotebro... er ligt een grote grindgroeve vanaf de Antunavägen noordwaarts, voorbij Smedby.'

Joona keert, rijdt vlug terug naar snelweg en vandaar naar het noorden. Hij is al redelijk dicht bij Rotebro, de grindgroeve kan niet ver meer zijn.

Joona luistert naar Reidars krakende, vermoeide stem, en als in stereo hoort hij Mikaels wonderlijke herinnering: *de Zandman ruikt naar zand... hij heeft vingertoppen van porselein en als hij het zand uit de zak haalt dan rinkelen ze tegen elkaar... en even later slaap je...*

150

Verder naar het noorden wordt het steeds rustiger op de weg. Joona rijdt steeds sneller en denkt eraan dat drie puzzelstukjes na al die jaren plotseling in elkaar passen.

De vader van Jurek Walter werkte in een grindgroeve en heeft daar zelfmoord gepleegd in zijn woning.

Mikael zegt dat de Zandman naar zand ruikt.

En Reidar Frost is opgegroeid bij een oude grindgroeve in Rotebro.

Stel dat het dezelfde grindgroeve is. Het kan geen toeval zijn, de stukjes moeten passen. Dan zit Felicia dáár en niet waar al zijn collega's aan het zoeken zijn, denkt hij.

De sneeuwsmurrie tussen de rijbanen doet de auto slingeren. Vuil water slaat tegen de voorruit.

Joona perst zijn auto voor een shuttlebus en neemt de afrit, raast verder langs een grote parkeerplaats. Hij toetert en een man laat zijn boodschappentassen vallen als hij opzij springt.

Twee auto's staan te wachten voor rood licht, maar Joona zwenkt spookrijdend naar de linkerweghelft en draait scherp naar links. De banden slippen over het natte wegdek. Hij belandt op een besneeuwd grasveld en rijdt dwars door een sneeuwwal. Paksneeuw en ijs ratelen boven en onder de auto. Voorbij het centrum van Rotebro geeft hij flink gas en rijdt de smalle Norrviksleden op, die parallel loopt aan de hoge heuvelrug.

Straatverlichting schommelt in de wind en sneeuw wervelt in het schijnsel omlaag.

Hij bereikt de top van de heuvelrug en ziet de inrit van de grindgroeve een fractie te laat, maakt een scherpe bocht en remt voor twee stevige metalen slagbomen. De banden glijden over de sneeuw, Joona geeft een ruk aan het stuur, raakt in een slip en de achterbumper dreunt tegen een slagboom.

Het rode glas van het remlicht versplintert en schiet over de sneeuw.

Joona opent het portier, stapt uit en rent voorbij de blauwe barak waarin het kantoor gehuisvest is.

Zwaar ademend loopt hij de steile helling af naar de enorme krater die in de loop der jaren is uitgegraven. Schijnwerpers op hoge palen verlichten het wonderlijke maanlandschap met werkloze graafmachines en enorme bergen gezeefd zand.

Hier ligt niemand begraven, denkt Joona, het is onmogelijk om hier lichamen te verbergen, want alles wordt opgegraven. Een grindgroeve is een gat dat elke dag groter en dieper wordt.

De snelle sneeuwval stroomt door het kunstmatige licht.

Hij rent langs de enorme steenbreekinstallaties met hoge lopende banden.

Hij bevindt zich nog steeds in de nieuwere gedeeltes van de groeve. Het zand ligt er kaal bij en het is duidelijk dat hier elke dag gewerkt wordt.

Achter de machines staan blauwe bouwketen en drie caravans.

Joona's schaduw schiet langs hem als het licht van een andere schijnwerper een zandberg passeert.

Vijfhonderd meter verderop ziet hij besneeuwde richels voor steile rotswanden. Dat moeten de oudere delen van de groeve zijn.

Hij klimt een steile helling op waar mensen rotzooi, oude koelkasten, afgedankte meubels en afval hebben gedumpt. Hij glijdt weg in de sneeuw maar loopt verder naar boven, achter hem rollen stenen omlaag, hij smijt een roestige fiets opzij en bereikt struikelend de top.

Nu bevindt hij zich op het oorspronkelijke niveau van de heuvelrug – meer dan veertig meter boven het nieuwe grondniveau – en hij kan het uitgeholde landschap overzien. De koude lucht geeft een rauw gevoel in zijn longen terwijl hij uitkijkt over de verlichte zandgroeve met machines, provisorische wegen en zandbergen.

Hij rent over de smalle reep besneeuwd gras tussen de steile helling en de Älvsundavägen.

Een gebutst autowrak ligt langs de kant van de weg, vlak voor de omheining met waarschuwingsborden en logo's van bewakingsfirma's. Joona blijft staan en tuurt door de sneeuw. In de uiterste hoek van het

alleroudste deel van de groeve ligt een geasfalteerd terrein met een rij
gelijkvloerse woningen, smal en recht als een militaire barak.

151

Joona stapt over een paar rijen roestig prikkeldraad en loopt door naar de oude huizen met ingeslagen ramen en gesprayde tags op de gepleisterde gevels.

Het is donker hier en Joona haalt zijn zaklantaarn tevoorschijn. Hij richt het licht omlaag terwijl hij verder loopt en tussen de lage bebouwing schijnt.

Het eerste huis mist een deur. De sneeuw is een meter of wat naar binnen gewaaid op de zwart geschilderde houten vloer. Het schijnsel van de zaklamp beweegt snel over oude bierblikjes, vieze dekens, condooms en latex handschoenen.

Hij ploegt verder door diepere sneeuw, gaat van deur tot deur en kijkt door de gebarsten of ingeslagen ruiten naar binnen. De oude gastarbeiderswoningen staan al jaren leeg. Ze zijn allemaal smerig en verlaten. Op sommige plekken is het dak ingestort en ontbreken er hele muren.

Hij houdt zijn pas in als hij ziet dat het voorlaatste huis hele ramen heeft. Tegen de gevel ligt een oud winkelwagentje.

Aan één kant van het huis is een erg steile afgrond naar de bodem van de groeve.

Joona doet zijn zaklantaarn uit, nadert behoedzaam, bereikt de gevel, blijft staan en luistert even voor hij de zaklamp weer aanknipt.

Het enige geluid is dat van de wind over de daken.

Verderop ziet hij vaag de contouren van het laatste huis. Het lijkt niet meer dan een besneeuwde ruïne.

Hij loopt naar het raam en schijnt door de vuile ruit naar binnen. Het schijnsel speelt langzaam over een aangekoekte kookplaat die is aangesloten op een autoaccu, een smal bed met een paar grove paardendekens, een radio met glanzende antenne, waterjerrycans en een stuk of tien conservenblikken.

Als hij bij de deur komt, ziet hij een bijna verdwenen 4 in de linker-bovenhoek.

Dit zou weleens gastarbeiderswoning nummer 4 kunnen zijn waar Nikita Karpin het over had.

Joona drukt voorzichtig de deurkruk naar beneden, de deur glijdt open, hij gaat naar binnen en sluit de deur achter zich. Het ruikt naar oude, vochtige lappen stof. Op een kale boekenplank ligt een bijbel. De woning bestaat uit een enkele kamer, met een raam en een deur.

Joona beseft dat hij op dit moment van buitenaf volledig zichtbaar is.

De houten vloer kraakt onder zijn gewicht.

Hij schijnt over de muren, waartegen boeken met vochtvlekken liggen opgestapeld. In een hoek wordt het licht van de zaklamp weer-kaatst.

Hij loopt erheen en ziet dat er honderden glazen flesjes in rijen op de grond staan.

Donkere flesjes met rubber membraan.

Ze bevatten Sevofluraan, een zeer effectief narcosemiddel.

Joona pakt zijn mobiel, belt de alarmcentrale en verzoekt politie en ambulance hierheen te sturen.

Het is weer stil, het enige geluid komt van zijn eigen ademhaling en de krakende vloer.

Plotseling ziet hij vanuit zijn ooghoek een beweging buiten, hij trekt zijn Colt Combat en ontgrendelt het bliksemsnel.

Hier is niets, alleen losse sneeuw die van het dak waait.

Hij laat zijn pistool weer zakken.

Tegen de wand bij het bed zit een vergeeld krantenknipsel van de eerste man in de ruimte, de ruimte-Rus, zoals hij door de journalist van de *Expressen* wordt genoemd.

Hier heeft de vader zich van het leven beroofd.

Joona denkt net dat hij de andere huizen ook moet doorzoeken, als hij ineens het luik ziet. Er zit een groot luik in de houten vloer. Het is duidelijk zichtbaar onder een vuil voddenkleedje.

Hij gaat voorzichtig met zijn oor tegen het luik liggen, maar er klinkt geen geluid van beneden.

Hij kijkt naar het raam, trekt dan het kleedje weg en klapt het zware houten luik open.

Uit het donker stijgt een stoffige lucht van zand op.

Hij bukt zich, schijnt met zijn zaklamp in de opening en ziet een steile betonnen trap.

152

Het zand op de traptreden knarst onder Joona's schoenen als hij in het donker naar beneden loopt. Hij telt negentien treden en komt in een tamelijk grote ruimte van beton. Het schijnsel van de zaklamp fladdert over de muren en het plafond. Ergens in het midden staat een krukje en tegen de wand zit een stuk spaanplaat met wat punaises en een lege insteekhoes.

Joona beseft dat hij zich in een van de vele schuilkelders bevindt die tijdens de Koude Oorlog in Zweden zijn gebouwd.

Er heerst hier een merkwaardige stilte.

De ruimte maakt een kleine hoek en helemaal onder de trap ziet hij een stevige deur.

Hier moet het zijn.

Joona zekert zijn pistool en stopt het terug in de holster om zijn handen vrij te hebben. De stalen deur heeft grendels die mechanisch gesloten worden door een draaiwiel, een soort rad midden op de deur.

Hij draait het wiel tegen de klok in en het dreunt in het metaal als de grove grendels uit de cilinders glijden.

De deur is zwaar om open te trekken, het metaal is vijftien centimeter dik.

Hij schijnt de schuilkelder in en ziet een vuil matras op de vloer, een bank en een kraan in de muur.

Er is niemand.

Het stinkt naar oude urine.

Hij schijnt weer op de bank en nadert behoedzaam. Luistert en loopt verder.

Misschien verstopt ze zich.

Plotseling bekruipt hem het gevoel dat hij wordt gevolgd. Hij zou ingesloten kunnen worden in dezelfde kamer als het meisje. Hij draait zich om en ziet op hetzelfde moment dat de zware deur bezig is dicht te vallen. Het tikt in de stevige scharnieren. Hij reageert onmiddellijk, stuift naar de deur en steekt de zaklamp in de spleet. De lamp wordt met een krakend geluid fijn gedrukt en het glas barst.

Joona duwt de deur met zijn schouder open, trekt zijn pistool weer en komt in de donkere ruimte.

Daar is niemand.

De Zandman heeft zich opmerkelijk stil bewogen.

Vreemde lichtformaties flikkeren voor zijn ogen, die beelden in het duister proberen te vormen.

De zaklamp brandt nog maar zwak. Het schijnsel dat wordt afgegeven is verwaarloosbaar.

Het enige geluid komt van zijn eigen voetstappen en ademhaling.

Hij draait zijn gezicht naar de betonnen trap die naar het huis voert. Het luik naar de gastarbeiderswoning staat nog open.

Hij schudt met de zaklamp, maar het licht wordt alleen maar zwakker.

Plotseling hoort Joona een zwak rinkelend geluid, hij denkt aan de vingertoppen van porselein en houdt instinctief zijn adem in. Op hetzelfde moment voelt hij een koude lap tegen zijn mond en neus.

Joona draait rond en haalt hard uit, maar hij raakt niemand en wankelt.

Hij zwaait rond met zijn pistool, de loop schraapt langs de betonnen muur, maar er is niemand.

Hijgend staat hij met zijn rug tegen de wand en houdt de zaklamp voor zich uit.

Het rinkelende geluid moet van de flesjes met narcosemiddel geweest zijn toen de Zandman de vluchtige vloeistof op de lap goot.

Joona voelt zich duizelig, hij slikt hard en weerhoudt zichzelf ervan om zijn pistool in het donker leeg te schieten.

Hij moet de frisse lucht in, maar dwingt zich te blijven staan.

Het is volkomen stil, er is hier niemand.

Joona wacht een paar seconden en keert dan terug naar de capsule. Zijn bewegingen voelen vreemd vertraagd en zijn blik glijdt ongewild opzij. Voor hij naar binnen gaat, draait hij het draaiwiel naar de andere kant, waardoor de grendels geblokkeerd zijn en de deur niet dicht kan vallen.

In de zwakke gloed van de zaklamp zoekt hij zijn weg naar binnen. Het licht springt over de grijze muren. Hij komt bij de bank, trekt hem voorzichtig van de muur en ziet een magere vrouw op de grond liggen.

'Felicia? Ik ben van de politie,' fluistert hij. 'Ik ga je helpen hier weg te komen.'

Als hij haar aanraakt, voelt hij dat ze kokendheet is. Ze heeft verschrikkelijk hoge koorts en is buiten bewustzijn. Op het moment dat hij haar van de grond optilt, begint ze te schokken van de koorts.

Joona rent de trap op met Felicia in zijn armen. Hij laat de zaklamp vallen en hoort hem de trap af rollen. Hij beseft dat ze snel zal sterven als hij er niet in slaagt de koorts te laten zakken. Haar lichaam is helemaal slap. Hij weet niet of ze nog ademt als hij met haar door het luik klimt.

Joona rent de woonkamer door, trapt de deur open, legt haar in de sneeuw en ziet dat ze ademt.

'Felicia, je hebt hele hoge koorts... meisje toch...'

Hij gooit sneeuw over haar heen, spreekt troostende en geruststellende woorden maar houdt zijn pistool continu op de deur van het huis gericht.

'De ziekenwagen komt zo,' zegt hij. 'Alles komt goed, dat beloof ik je, Felicia. Je broer en je vader zullen zo blij zijn, ze hebben je zo gemist, hoor je me?'

153

De ziekenwagen arriveert en het blauwe licht knippert over de sneeuw. Joona staat op als de brancard langs de oude huizen aan komt rijden. Hij legt de situatie uit, maar blijft zijn pistool op woning nummer 4 richten.

'Opschieten,' roept hij. 'Ze heeft zeer hoge koorts, jullie moeten de koorts omlaag krijgen... volgens mij is ze bewusteloos.'

De twee ambulancebroeders tillen Felicia op uit de sneeuw. Haar haar plakt in zwarte pieken tegen haar onwerkelijk bleke voorhoofd.

'Ze heeft de veteranenziekte,' zegt hij terwijl hij met geheven wapen naar de open deur toe loopt.

Hij staat op het punt weer naar binnen te gaan als hij het schijnsel van het zwaailicht van de ambulance over de restanten van het laatste huis ziet flakkeren. Verse voetsporen in de sneeuw leiden weg van de ruïne, de duisternis in.

Joona rent die kant op en bedenkt dat er een andere uitgang moet zijn, dat beide huizen de schuilkelder deelden.

Door wildgroei van gras en hoge boomscheuten jaagt hij achter de voetsporen aan.

Hij loopt om een oude dieseltank heen en ziet een smalle gestalte snel over de rand van de zandkrater lopen.

Joona rent zo geruisloos mogelijk achter hem aan.

Het wezen steunt op een kruk, hinkt voort, beseft dat hij gevolgd wordt en probeert zijn pas te versnellen.

In de verte klinkt het geluid van sirenes.

Joona rent met het pistool in zijn hand door de diepe sneeuw.

Ik zal hem grijpen, denkt hij. Ik zal hem te pakken krijgen en hem terugslepen naar de wachtende auto's.

Ze naderen een verlicht deel van de groeve met een grote betonfabriek. Het licht van een eenzame schijnwerper verlicht de bodem van de diepe krater.

De gestalte blijft staan, keert zich om en kijkt naar Joona. Hij staat vlak aan de rand, leunend op zijn kruk, en ademt met open mond.

Joona komt langzaam dichterbij met zijn pistool naar de grond gericht.

Het gezicht van de Zandman is identiek aan dat van Jurek Walter, maar veel magerder.

Het geluid van de politiewagens die bij de oude gastarbeiderswoningen zijn gearriveerd, is ver weg. Slechts kleine pijlen blauw licht bereiken hen.

'Met jou ging het mis, Joona,' zegt de Zandman. 'Mijn broer kon me nog zeggen dat ik Summa en Lumi moest nemen, maar ze stierven voordat ik de kans kreeg... Het noodlot kiest soms zijn eigen weg...'

Het felle licht van de zaklampen van de agenten cirkelt rond de oude woningen.

'Ik heb mijn broer geschreven en over jou verteld, maar ik heb nooit te horen gekregen of hij wilde dat ik nog iemand van je af zou nemen,' zegt hij zacht.

Joona blijft staan, hij voelt het gewicht van het wapen in zijn vermoeide arm en kijkt in de lichte ogen van de Zandman.

'Ik was ervan overtuigd dat je je zou verhangen na het auto-ongeluk, maar je leeft,' zegt de magere man en hij schudt langzaam zijn hoofd. 'Ik heb gewacht, maar je bleef leven...'

Hij zwijgt, glimlacht plotseling, kijkt op en zegt: 'Je leeft omdat je gezin niet echt dood is.'

Joona heft zijn pistool, richt de loop op het hart van de Zandman en lost drie schoten. De kogels gaan dwars door het tengere lichaam heen en zwart bloed spat uit de uitschotwonden tussen zijn schouderbladen.

Drie knallen weerkaatsen in de groeve.

Walters tweelingbroer valt achterover.

Zijn kruk blijft in de sneeuw staan.

De Zandman is al dood nog voor hij tegen de grond smakt. Het magere lichaam rolt de afgrond in tot het blijft liggen tegen een oud fornuis. Uit de zwarte hemel dwarrelen kleine sneeuwvlokken.

154

Joona zit met gesloten ogen op de achterbank van zijn eigen auto terwijl zijn chef Carlos Eliasson hem naar Stockholm rijdt en vaderlijk tegen hem praat.

'Ze redt het heus... Ik heb met een arts van het Karolinska-ziekenhuis gepraat... Felicia's toestand is ernstig, maar niet kritiek... Ze kunnen niets beloven, maar toch, het is fantastisch... volgens mij gaat ze het redden, ik...'

'Heb je het aan Reidar verteld?' vraagt Joona zonder zijn ogen te openen.

'Daar zorgt het ziekenhuis voor, jij gaat nu naar huis om te rusten en...'

'Ik heb geprobeerd je te pakken te krijgen.'

'Ja, dat weet ik, ik zag dat ik een heleboel gemiste oproepen had... Je hebt misschien gehoord dat Walter het tegen Saga over een oude cementfabriek heeft gehad. Daar zijn er nooit veel van geweest, maar vroeger lag er eentje in Albano. Toen we het bos in gingen, markeerden de honden overal graven. We zijn bezig het hele terrein te doorzoeken.'

'Maar jullie hebben geen overlevenden gevonden?'

'Nog niet, maar we zoeken de hele nacht door.'

'Ik denk dat jullie alleen graven zullen vinden...'

Carlos rijdt voorbeeldig voorzichtig en het is zo warm in de auto geworden dat Joona zijn jas moet openknopen.

'De nachtmerrie is voorbij, Joona... Morgenochtend neemt de Dienst Gevangeniswezen het besluit om Saga weer over te plaatsen en dan kunnen we haar ophalen en alle sporen in de registers wissen.'

Ze rijden Stockholm in en het licht rond de straatlantaarns is als een mist van sneeuw. Naast hen staat een bus te wachten op groen licht. Vermoeide mensen kijken door de beslagen ramen naar buiten.

'Ik heb Anja gesproken,' zegt Carlos. 'Ze kon niet tot morgen wachten... ze heeft de papieren van de kinderbescherming met betrekking tot Jurek en zijn broer in het gemeentearchief gevonden en de besluiten van de vreemdelingendienst in het rijksarchief in Marieberg.'

'Anja is een kei,' mompelt Joona.

'Walters vader mocht als gastarbeider in het land blijven,' vertelt Carlos. 'Maar hij had de jongens zonder toestemming bij zich, en toen dat werd ontdekt heeft de kinderbescherming zich over de kinderen ontfermd. Ze dachten vast dat ze het juiste deden. De besluitvorming werd versneld en aangezien de ene jongen ziek was, werd die als eerste beoordeeld...'

'Ze kwamen op verschillende plekken terecht.'

'De vreemdelingendienst stuurde de gezonde jongen naar Kazachstan en toen in een later stadium andere ambtenaren over zijn broer beslisten, werd die naar Rusland gestuurd, naar Internaat 67, zoals het kindertehuis heette.'

'Ik begrijp het,' fluistert Joona.

'In januari 1994 is Jurek Walter Zweden binnengekomen. Misschien was zijn broer toen al in de groeve, misschien ook niet... maar hun vader was toen in elk geval al dood.'

Carlos draait op de Dalagatan soepel een lege parkeerplaats in, niet ver van Joona's appartement op Wallingatan 31. Ze stappen allebei uit, lopen over de besneeuwde stoep en stoppen bij de voordeur.

'Ik heb Roseanna Kohler gekend, dat weet je,' zegt Carlos zuchtend. 'En toen hun kinderen verdwenen heb ik gedaan wat ik kon, maar het was niet genoeg...'

'Nee.'

'Ik heb haar verteld over Jurek Walter. Ze wilde alles weten, wilde foto's van hem zien en...'

'Maar Reidar wist van niets.'

'Nee, ze zei dat het beter was zo. Ik weet het niet... Roseanna is naar Parijs verhuisd, ze belde voortdurend, dronk veel te veel... Niet dat ik me zorgen maakte om mijn carrière, maar ik vond het pijnlijk, voor haar en ook voor mij...'

Carlos zwijgt en strijkt met zijn hand over zijn nek.

'En?'

'Op een nacht belde Roseanna me uit Parijs en schreeuwde dat ze Jurek Walter voor haar hotel had gezien, maar ik luisterde niet... en later die nacht heeft ze zich van het leven beroofd...'

Carlos geeft Joona de autosleutels.

'Ga slapen,' zegt hij. 'Ik loop naar het Norra Bantorget en neem een taxi.'

155

Anders Rönn denkt eraan dat My een beetje verbaasd had gekeken toen hij zei dat ze weer in de slaapruimte kon gaan slapen.

'Ik zie geen reden waarom we allebei wakker zouden moeten blijven,' zei hij afgemeten. 'Ik heb geen keus, ik moet nog een paar uur werken tot ik klaar ben. Daarna kunnen Leif en jij de tijd verdelen zoals jullie willen.'

Nu is hij alleen. Hij loopt door de gang, blijft buiten de deur van de slaapruimte staan luisteren.

Alles is stil.

Hij loopt verder naar de bewakingscentrale en gaat op de operatorplaats zitten. Eindelijk is het tijd om het licht in de cellen uit te doen. Op het grote scherm zijn de negen vensters in beeld. Jurek Walter is vroeg gaan slapen. Anders ziet zijn magere profiel zich aftekenen in het bed. Hij ligt er beangstigend stil bij. Het lijkt haast alsof hij geen adem haalt. Saga zit op bed met haar voeten op de vloer. Haar stoel ligt ondersteboven op de grond.

Hij brengt zijn gezicht dichter naar het scherm en kijkt naar haar. Zijn blik volgt de ronding van haar geschoren schedel, haar smalle nek, haar schouders en de spieren van haar dunne armen.

Er is niets wat hem weerhoudt.

Hij snapt niet waarom hij gisternacht zo bang werd toen hij bij haar was. Er zat niemand achter de monitoren en al was dat wel zo geweest, dan was het zo donker in de kamer dat diegene niets gezien zou hebben.

Hij had het wel tien keer met haar kunnen doen, hij had god weet wat kunnen doen.

Anders ademt in, haalt zijn pasje door de lezer van de computer, typt de code en logt in. Hij opent het beheerprogramma van de afdeling, markeert de patiëntenzone en klikt op nachtverlichting.

Nu zijn de drie patiëntenkamers zwart.

Het duurt maar heel even voordat Saga haar bedlampje aanknipt en haar blik op de camera richt.

Het is net of ze naar hem kijkt omdat ze weet dat hij naar haar kijkt.

Anders werpt een blik op de twee bewakers die bij de ingang met elkaar staan te praten. De man zegt iets waar de lange vrouw om moet lachen – glimlachend maakt hij een gebaar alsof hij vioolspeelt.

Anders staat op en kijkt weer naar Saga.

Hij pakt een tabletje uit de medicijnkast en doet het in een plastic bekertje, loopt naar de veiligheidsdeur en gebruikt zijn toegangspasje.

Als hij bij haar deur komt, begint zijn hart te bonzen. Door het dikke glas ziet hij dat ze op bed zit, met haar blik als een kleine zeemeermin op de camera gericht.

Anders opent het luikje en ziet dat ze haar blik naar de deur verplaatst. Ze staat op en loopt aarzelend naar hem toe.

'Heb je vannacht lekker geslapen?' vraagt hij vriendelijk.

Als ze haar hand door het luikje steekt, houdt hij haar vingers even vast voor hij haar het plastic bekertje geeft.

Hij sluit het luikje en ziet haar teruglopen de kamer in. Ze stopt het tabletje in haar mond, laat water in het bekertje lopen en spoelt het weg, doet het bedlampje uit en gaat naar bed.

Anders gaat de fixatiebanden halen die bij het bed horen, trekt het dunne beschermplastic eraf en staat haar dan door het pantserglas in de stalen deur op te nemen.

156

Onder dekking van de duisternis verstopt Saga het tabletje in haar schoen en gaat dan op bed liggen. Ze weet niet of de jonge arts nog achter de ruit staat, maar ze weet zeker dat hij van plan is haar cel in te komen zodra hij denkt dat ze slaapt. Ze zag duidelijk in zijn ogen dat hij nog totaal niet klaar met haar was.

Gisteren was ze zo overrompeld door zijn machtsmisbruik dat ze het veel te ver heeft laten komen. Vandaag weet ze niet eens of het haar nog wel iets kan schelen.

Ze is hier om Felicia te redden, en misschien moet ze het nog een paar dagen zien uit te houden op deze plek.

Morgen of overmorgen zal Jurek haar alles onthullen, houdt ze zichzelf voor, en dan is het voorbij, dan kan ze naar huis en vergeten wat ze heeft meegemaakt.

Saga rolt op haar andere zij, kijkt naar de deur en ziet meteen het silhouet achter het glas. Haar hart begint sneller te kloppen. De jonge arts wacht achter de deur tot ze in slaap valt van het tabletje.

Is ze bereid zich door hem te laten verkrachten om de infiltratie niet te verpesten? Het maakt eigenlijk niet uit. Haar hoofd is veel te chaotisch om zich voor te bereiden op wat haar te wachten staat.

Als het maar snel voorbij is.

Er klinkt een metalig geschraap als de sleutel in het slot wordt gestoken.

De deur gaat open en er komt een koele luchtstroom mee naar binnen.

Ze doet nog niet alsof ze slaapt, maar heeft haar ogen open en ziet de arts de deur achter zich dichtdoen en naar het bed lopen.

Ze sluit haar ogen en luistert.

Er gebeurt niets.

Misschien wil hij alleen maar naar haar kijken.

Ze probeert geluidloos uit te ademen en wacht tien seconden voor ze weer inademt, wacht en volgt een mentaal beeld van een vierkant waarvan elke zijde een moment behelst.

De arts legt zijn hand op haar buik, volgt de beweging van haar ademhaling, glijdt dan met zijn vingers naar haar heup en pakt haar slipje vast. Ze ligt volkomen stil en laat hem het slipje naar beneden en over haar voeten trekken.

Ze voelt zijn lichaamswarmte nu duidelijk.

Voorzichtig streelt hij haar rechterhand en tilt hem zacht boven haar hoofd. Eerst denkt ze dat hij haar pols opneemt, maar even later merkt ze dat ze vastzit. Als ze probeert haar hand los te wurmen legt hij een brede band over haar bovenbenen, en voor ze zich van het bed af weet te wurmen spant hij deze met vreselijk veel kracht aan.

'Wat doe je, verdomme?'

Ze kan niet schoppen en merkt dat hij haar enkels vastzet terwijl ze met haar linkerhand probeert haar rechterhand los te maken. Hij knipt het bedlampje aan en kijkt haar met opengesperde ogen aan. Haar vingers trillen, glijden weg over de stevige banden rond haar pols en ze moet weer opnieuw beginnen.

De arts belet het haar, trekt snel haar vrije hand weg.

Ze rukt en trekt om los te komen, probeert zich om te draaien, maar het is onmogelijk.

Als ze terugzakt in bed, spant hij een andere band over haar schouders. De hoek is bijna onmogelijk, maar als hij zich over haar heen buigt slaat ze hem met haar gebalde vuist recht op zijn mond. Er klinkt een smakkend geluid, hij struikelt achterover en zakt met een knie op de grond. Trillend begint ze de gesp rond haar rechterpols los te maken.

Hij is terug bij het bed en duwt haar hand weg.

Bloed stroomt over zijn kin als hij tegen haar brult dat ze stil moet liggen. Hij trekt de gesp rond haar rechterpols weer aan en staat dan achter haar bij het hoofdeinde.

'Ik maak je dood,' schreeuwt ze en ze probeert hem met haar blik te volgen.

Hij is snel en houdt haar linkerarm met beide handen vast, maar ze rukt zich los, krijgt zijn haar te pakken en trekt hem naar zich toe. Met al haar kracht ramt ze zijn voorhoofd tegen het hoofdeinde van het bed. Ze trekt hem weer naar voren en probeert in zijn gezicht te bijten, maar hij slaat zo hard op haar keel en borst dat ze haar greep verliest.

Hijgend probeert ze hem weer vast te pakken, ze tast met haar hand achter zich. Uit alle macht draait ze haar lichaam opzij, maar ze zit vast.

De arts grijpt haar hand en buigt hem zo hard opzij dat haar schouder bijna uit de kom gaat. Het knarst in het kraakbeen rond de bovenarmkop en ze brult het uit van de pijn. Ze worstelt om haar voet los te krijgen, maar de band snijdt in haar huid en het kraakt in haar enkel. Met haar vrije hand slaat ze op zijn wang, maar ze heeft geen kracht. Hij dwingt haar hand naar het hoofdeinde, slaat de band om haar pols en trekt hem aan.

Met de achterkant van zijn hand veegt de jonge arts het bloed van zijn mond, doet hijgend een paar stappen naar achteren en kijkt naar haar.

157

Langzaam loopt de arts naar haar toe, legt de laatste band over haar borstkas en spant hem aan. Haar linkerhand gloeit van de vertwijfelde klap. De arts staart weer naar haar en loopt dan om het bed heen naar het voeteneinde. Het bloed stroomt uit zijn neus over zijn lippen. Ze hoort hem opgewonden hijgen. Zonder haast trekt hij de banden rond haar enkels aan zodat haar bovenbenen nog verder uit elkaar getrokken worden. Ze kijkt hem in de ogen en denkt dat ze dit niet mag laten gebeuren.

Hij streelt met trillende handen haar kuiten en loert tussen haar dijen.

'Doe het niet,' probeert ze met beheerste stem.

'Jij houdt je mond,' zegt hij en hij trekt zijn doktersjas uit zonder haar los te laten met zijn blik.

Saga keert haar gezicht af, ze wil niet naar hem kijken, kan niet geloven dat dit gebeurt.

Ze sluit haar ogen en zoekt wanhopig naar een uitweg.

Plotseling hoort ze een vreemd gerammel onder het bed. Ze opent haar ogen en ziet een beweging weerspiegelen in de roestvrijstalen wasbak.

'Je moet hier weg,' zegt ze hijgend.

De arts pakt haar slipje van het bed en duwt het ruw in haar mond. Ze probeert te schreeuwen als ze beseft wat ze in het glanzende metaal van de wasbak ziet.

Het is Jurek Walter.

Hij heeft zich in haar kamer verstopt toen zij naar Bernies slaaptabletten zocht.

In toenemende paniek vecht ze om vrij te komen.

Ze hoort de knopen van Jureks overhemd tegen de lattenbodem van het bed tikken terwijl hij zich zijwaarts beweegt.

Eén knoop schiet los en klettert op de vloer. De arts kijkt verbaasd naar de knoop die een grote cirkel maakt en tollend tot stilstand komt.

'Jurek Walter,' mompelt de arts op hetzelfde moment dat een hand zijn been vastgrijpt en hem ondersteboven trekt.

Anders Rönn slaat pardoes tegen de grond, stoot daarbij zijn hoofd en hapt naar adem, maar rolt dan op zijn buik, schopt en kruipt weg.

Vlucht, denkt Saga. Doe de deur op slot, waarschuw de politie.

Jurek rolt onder het bed vandaan en is tegelijk met de arts op de been. Die probeert de deur te bereiken, maar Jurek is er eerder.

Saga vecht om het slipje uit haar mond te werken, hoest, snakt naar adem en kokhalst.

Anders Rönn beweegt zich zijwaarts, botst tegen de kunststof tafel, loopt achteruit en staart naar de oude patiënt.

'Doe me geen pijn,' smeekt hij.

'Niet?'

'Alsjeblieft, ik doe alles wat je wilt.'

Jurek komt dichterbij en zijn gerimpelde gezicht is volkomen uitdrukkingsloos.

'Ik maak je af, knul,' zegt hij. 'Maar eerst zul je heel veel pijn hebben.'

Saga schreeuwt door de dempende stof heen en rukt aan de banden.

Ze begrijpt niet wat er is gebeurd, waarom Jurek zich in haar kamer heeft verstopt, waarom hij hun plan heeft gewijzigd.

De plastic stoel rolt om.

De arts schudt zijn hoofd, loopt achteruit en probeert Jurek met een hand op afstand te houden.

Zijn ogen zijn opengesperd.

Zweet stroomt over zijn wangen.

Jurek loopt langzaam achter hem aan, krijgt plotseling zijn hand te pakken en werkt de arts tegen de grond. Met enorme kracht stampt hij bij de schouder op de arm. Een krakend geluid en de jonge arts schreeuwt het uit. Met militaire precisie rukt Jurek in tegenovergestelde richting en draait de arm rond. Die is nu helemaal los en hangt alleen aan spieren en huid.

Jurek trekt de arts overeind, houdt hem staande tegen de muur en geeft hem een paar tikken in zijn gezicht zodat hij niet buiten bewust-zijn raakt.

De losse arm wordt snel donker van de inwendige bloedingen.

Saga hoest, heeft moeite om lucht te krijgen.

De arts huilt als een moe kind.

Saga weet de hoek van haar lichaam een klein beetje te veranderen en trekt zo hard met haar linkerhand dat het zwart wordt voor haar ogen. Dan schiet de band plotseling los.

Ze trekt het slipje uit haar mond, haalt hijgend adem en hoest weer.

'We kunnen niet ontsnappen – er waren geen slaaptabletten in Bernies kamer,' zegt Saga snel tegen Jurek.

De hand die ze heeft losgetrokken doet verschrikkelijk zeer. Ze kan niet zien hoe ernstig gehavend hij is. Haar vingers branden als vuur.

Jurek begint de kleren van de arts te doorzoeken, hij vindt de sleutels van de celdeur en stopt ze in zijn zak.

'Wil je zien hoe ik hem onthoofd?' vraagt hij met een korte blik op Saga.

'Doe het niet, alsjeblieft... dat is toch nergens voor nodig?'

'Niets is nodig,' zegt Jurek en hij grijpt de arts bij zijn keel.

'Wacht.'

'Dan wacht ik... twee minuten, voor jou, agentje.'

'Wat bedoel je?'

'De enige fout die je hebt gemaakt is dat je alleen Bernies pink hebt gebroken,' zegt Jurek terwijl hij het toegangspasje van de arts pakt.

'Ik wou hem langzaam doden,' probeert ze nog, hoewel ze begrijpt dat het zinloos is.

Jurek slaat de arts weer in zijn gezicht.

'Ik heb allebei de codes nodig,' zegt hij.

'De codes,' mompelt de arts. 'Ik weet het niet, ik...'

Saga probeert de andere band los te krijgen, maar de vingers van haar linkerhand zijn zo ernstig gewond dat het onmogelijk is.

'Hoe wist je het?' vraagt Saga.

'Ik heb een brief naar buiten weten te krijgen.'

'Nee,' jammert de arts.

'Als Mikael Kohler-Frost zou ontsnappen en levend werd gevonden... dan nam ik aan dat de politie wel iemand zou sturen.'

Jurek vindt de mobiele telefoon van de arts, laat hem op de grond vallen en stampt hem kapot.

'Maar waarom...'

'Ik heb geen tijd,' kapt hij haar af. 'Ik moet gaan om Joona Linna om te brengen.'

Saga ziet Jurek Walter de arts de isoleercel mee uit nemen. Ze hoort hun voetstappen in de gang. Hoort hem het pasje door de lezer halen, de code intoetsen en het slot gaat zoemend open.

158

Joona belt aan bij zijn eigen voordeur en glimlacht als hij voetstappen hoort aankomen. Het slot knarst en de deur glijdt open. Joona loopt de schemerige hal in en trekt zijn schoenen uit.

'Je ziet er compleet gesloopt uit,' zegt Disa.

'Valt wel mee.'

'Wil je iets eten? Er is nog... ik kan het opwarmen...'

Joona schudt zijn hoofd en omhelst haar. Hij bedenkt dat hij nu te moe is om te praten, maar later zal hij tegen haar zeggen dat ze de reis naar Brazilië kan afzeggen. Ze hoeft Zweden niet meer uit.

Ze helpt hem zijn kleren uit te trekken en er valt een heleboel zand op de grond.

'Heb je in de zandbak gespeeld?' lacht ze.

'Even maar,' antwoordt hij.

Hij loopt naar de badkamer en gaat onder de douche staan. Zijn lichaam doet pijn als het hete water over hem heen spoelt. Hij leunt tegen de tegels en voelt zijn spieren langzaam ontspannen.

De hand die het wapen vasthield toen hij de trekker overhaalde en een ongewapende man doodschoot gloeit.

Als ik ermee leer leven dat ik daar schuldig aan ben, kan ik weer gelukkig worden, denkt hij.

Ook al wist Joona dat de Zandman dood was, ook al had hij de kogels dwars door zijn lichaam zien gaan en hem de groeve in zien rollen als een lijk in een massagraf, toch was hij erachteraan gegaan. Hij liet zich langs de steile helling naar beneden glijden, probeerde zijn snelheid af te remmen, kwam bij het lichaam, richtte zijn pistool op het achterhoofd van de man en voelde met zijn andere hand in diens hals. De Zandman was dood. Hij had het niet verkeerd gezien. De drie kogels waren allemaal dwars door zijn hart gegaan.

De gedachte dat hij niet meer bang hoeft te zijn voor de medeplich-tige is zo heerlijk en hartverwarmend dat hij even kreunt.

Joona droogt zich af en poetst zijn tanden, stopt dan plotseling en luistert. Het klinkt alsof Disa aan de telefoon zit.

Als hij de slaapkamer binnenkomt, ziet hij dat Disa bezig is zich aan te kleden.

'Wat doe je?' vraagt hij terwijl hij tussen de schone lakens gaat liggen.

'Mijn baas belde,' zegt ze met een vermoeide glimlach. 'Ze schijnen bezig te zijn een kuil in Loudden dicht te gooien. De grond daar moet immers gesaneerd worden, maar nu lijken ze een oud bordspel gevon-den te hebben... en ik moet er snel heen om ze tegen te houden, want als dat echt zo is...'

'Ga niet,' vraagt Joona dringend, en hij voelt zijn ogen branden van vermoeidheid.

Disa neuriet als ze een opgevouwen trui uit de bovenste la van de commode pakt.

'Ben je mijn laden aan het vullen geweest?' mompelt hij en hij sluit zijn ogen.

Disa loopt in de kamer heen en weer. Hij hoort dat ze haar haar bor-stelt en dan haar jack van het hangertje pakt.

Hij draait zich op zijn zij en voelt herinnering en droom samenklon-teren als sneeuwvlokken.

Het lichaam van de Zandman rolt van de steile helling en komt tegen een oud fornuis tot stilstand.

Samuel Mendel krabt aan zijn voorhoofd en zegt: 'Er is helemaal niets dat erop wijst dat Jurek Walter een handlanger heeft. Maar jij moet een wijsvinger in de lucht steken en אכפיא אמלידו zeggen.'

159

Saga doet een nieuwe poging om de band rond haar rechterpols los te krijgen, maar het lukt haar niet en ze laat zich buiten adem weer op haar rug zakken.

Jurek Walter ontsnapt, denkt ze.

Paniek borrelt op in haar borst.

Ze moet Joona waarschuwen.

Saga draait haar lichaam naar rechts, maar moet het noodgedwongen opgeven.

In de verte klinkt gerammel.

Ze houdt haar adem in en luistert.

Een knarsend geluid en meerdere zware bonzen, daarna wordt het stil.

Saga begrijpt nu dat Jurek de tabletten helemaal niet nodig had, hij wilde alleen dat ze de arts haar cel in zou lokken. Jurek had de bedoelingen van Anders Rönn doorzien en hij had beseft dat de arts de verleiding bij haar naar binnen te gaan als ze om slaaptabletten vroeg niet zou kunnen weerstaan.

Dat was de hele opzet.

Daarom had hij haar straf op zich genomen, daarom moest haar gevaarlijke kant verborgen blijven.

Ze was een sirene, precies zoals hij die eerste dag had gezegd.

Jurek moest zien dat hij de arts haar cel in kreeg zonder bewaarder of verpleegkundige die in de gaten hield wat er gebeurde.

Haar vingers zijn zo ernstig gewond dat ze kreunt van de pijn als ze zich naar de zijkant uitstrekt en de gesp van de band op haar schouders lospeutert.

Nu kan ze haar schouders bewegen en haar hoofd optillen.

We zijn er allemaal ingetuind, denkt ze. We dachten dat we hem erin luisden, maar hij had me besteld, hij wist dat er iemand zou komen en vandaag kreeg hij de bevestiging dat ik zijn Trojaanse paard was.

Ze ligt even stil en haalt adem, voelt de endorfine in haar lichaam, verzamelt kracht en buigt zich opzij, bereikt met haar mond haar rechterhand en probeert de gesp met haar tanden los te maken.

Ze valt hijgend achterover, denkt dat ze personeel moet zien te vinden dat de politie kan waarschuwen.

Saga hapt naar adem en doet een nieuwe poging. Ze werkt zich overeind, houdt deze positie vast, krijgt de stevige band te pakken met haar tanden, trekt hem los en weet hem een centimeter of wat door de gesp te laten glijden. Ze zakt terug, moet bijna overgeven, wrikt en draait haar hand verschillende kanten op en is uiteindelijk vrij.

Nu heeft ze de rest van de banden in een mum van tijd los. Ze trekt haar benen bij elkaar en laat zich op de grond glijden. Haar liezen doen pijn en haar bovenbeenspieren trillen als ze haar broek aantrekt.

Blootsvoets rent ze de gang in. De ene schoen van de arts ligt in de deuropening, waardoor de veiligheidsdeur niet is dichtgevallen.

Voorzichtig opent ze de deur, luistert en loopt snel verder. De afdeling is spookachtig stil en verlaten. Ze hoort het plakkerige geluid van haar voeten op het zeil als ze de kamer rechts binnensluipt, naar de operatorplaats toe. De beeldschermen zijn donker en de ledjes van de bewakingscentrale zijn gedoofd. De stroomvoorziening van de hele beveiligde eenheid is onklaar gemaakt.

Maar ergens moet er een telefoon of een werkend alarm zijn. Saga loopt langs een paar gesloten deuren en komt in de pantry. De bestekladen zijn opengetrokken en een stoel is omgevallen.

In de gootsteen liggen een schilmesje en verkleurde appelschillen. Snel pakt Saga het kleine mesje, voelt of het lemmet scherp is en loopt verder.

Er klinkt een vreemd, pruttelend geluid.

Ze blijft staan, luistert en vervolgt haar weg.

Haar rechterhand omklemt het mes te hard.

Er zouden hier toch bewaarders en verpleegkundigen moeten zijn, maar ze durft niet te roepen. Ze is bang dat Jurek haar zal horen.

Het geluid komt uit de gang. Het klinkt als een vlieg op een stukje plakband. Ze sluipt langs de visitatieruimte en raakt bevangen door een steeds sterkere angst.

Ze knippert met haar ogen in het duister en blijft weer staan.

Het pruttelende geluid is dichterbij nu.

Behoedzaam doet ze een paar passen. De deur van de personeelskamer staat op een kier. Er brandt licht. Ze steekt haar hand uit en duwt de deur open.

Het is volkomen stil en dan hoort ze het pruttelende, borrelende geluid weer.

Ze loopt dichterbij en ziet het voeteneinde van het bed. Iemand ligt in bed en wiebelt met zijn tenen. Twee voeten in witte sokken.

'Hallo?' zegt ze op gedempte toon.

Saga bedenkt dat de bewaarder met een koptelefoon op naar muziek ligt te luisteren en niets heeft meegekregen van wat er is gebeurd. Ze doet een stap verder de kamer in.

Het bed zit helemaal onder het bloed.

Het meisje met piercings in haar wangen ligt op haar rug en haar lichaam schokt, ze staart naar het plafond, maar is misschien al niet meer bij bewustzijn.

Haar gezicht vertrekt krampachtig en tussen haar samengeperste lippen stromen bloed en lucht met een sissend geluid naar buiten.

'Mijn god...'

Het meisje heeft een tiental messteken in haar borstkas, diepe wonden recht in hart en longen. Saga kan niets meer voor haar doen, ze moet zorgen dat ze zo snel mogelijk hulp hierheen krijgt.

Bloed drupt op de grond naast de kapotgetrapte telefoon van het meisje.

'Ik ga hulp halen,' zegt Saga.

Het pruttelt tussen haar lippen en er vormt zich een bloedbelletje.

160

Saga verlaat de kamer met een hol gevoel vanbinnen.

'Jezus christus, jezus christus...'

Ze rent door de gang, met een vreemde afstandelijkheid door de schok terwijl ze de uitgang met de veiligheidssluis nadert. De bewaker zit aan de andere kant van de laatste deur. Het pantserglas maakt hem wazig en grijs.

Saga verbergt het schilmesje in haar hand om hem niet bang te maken, mindert vaart, probeert beheerst te ademen, loopt het laatste stukje en klopt op het glas.

'We hebben hulp nodig!'

Ze klopt harder, maar hij reageert niet, ze doet een stap opzij, richting de deur en ziet dat hij open is.

Alle deuren zijn open, denkt ze terwijl ze de beveiligde eenheid verlaat.

Op het moment dat Saga iets wil zeggen, ziet ze dat de bewaker dood is. Zijn keel is tot aan de nekwervels doorgesneden. Zijn hoofd lijkt haast los te hangen, als een zwabber aan een bezemsteel. Bloed is over zijn lichaam gestroomd en heeft zich in een plas onder zijn stoel verzameld.

'Oké,' zegt ze in zichzelf, en ze rent met het mes in haar hand over de natte vloer, de trap op en door het open traliehek.

Ze rukt aan de deur van de gesloten forensische afdeling. Die zit op slot, het is midden in de nacht. Ze bonst een paar keer en loopt dan verder de gang in.

'Hallo,' roept ze. 'Is daar iemand?'

De andere schoen van de arts ligt midden in de gang in het sobere plafondlicht van de tl-buizen.

Saga rent en ziet in de verte een beweging, door meerdere ruiten heen en vanuit verschillende hoeken. Het is een man die staat te roken. Hij schiet de peuk weg en verdwijnt dan naar links. Saga rent zo hard ze kan in de richting van de beglaasde uitgang en de doorloop naar het hoofdgebouw van het ziekenhuis. Ze gaat de hoek om en merkt opeens dat de vloer nat is onder haar voeten.

Ze is verblind door het licht en eerst lijkt het of de vloer zwart is, maar dan dringt de lucht van bloed tot haar door en ze moet bijna overgeven.

Een grote plas bloed is uitgelopen in de richting van de entree.

Verdwaasd loopt ze verder en ze ziet het hoofd van de jonge arts. Het ligt achteloos op de grond, naast de prullenbak rechts tegen de muur.

Jurek heeft gemikt, maar gemist, denkt ze en ze begint veel te snel te ademen.

Ze loopt door naar waar de vloer droog is terwijl gedachten hol door haar hoofd tuimelen zonder dat ze er samenhang in weet te krijgen.

Het is niet te bevatten dat dit gebeurt.

Waarom nam hij de tijd om dit te doen?

Omdat hij niet alleen maar wilde ontsnappen, beantwoordt ze de vraag zelf. Hij wilde zich wreken.

Plotseling klinken er zware voetstappen uit de doorloop naar het hoofdgebouw. Twee bewakers komen aanrennen, met kogelvrije vesten, wapens en in zwarte kleren.

'We hebben artsen nodig op de beveiligde eenheid,' roept Saga.

'Ga liggen,' zegt de jongste van de twee en nadert haar lopend.

'Het is maar een klein meisje,' zegt de andere man.

'Ik ben politieagent,' zegt ze en ze gooit het mesje weg.

Het stuitert rinkelend over het zeil en blijft voor de mannen liggen. Ze kijken ernaar, openen hun holsters en halen hun dienstpistolen tevoorschijn.

'Liggen!'

'Ik ga liggen,' zegt ze snel. 'Maar jullie moeten alarm...'

'Gadverdamme,' schreeuwt de jonge bewaker als hij het hoofd ziet. 'Godverdegodver...'

'Ik schiet,' zegt de andere man met trillende stem.

Saga zakt voorzichtig op een knie en de bewaker haast zich naar haar toe terwijl hij de handboeien van zijn riem haalt. De andere bewaker beweegt zijwaarts. Saga steekt haar handen naar voren en staat op.

'Geen enkele beweging,' zegt de bewaker gejaagd.

Ze sluit haar ogen, hoort de laarzen tegen de vloer, voelt zijn bewegingen en doet een stapje naar achteren. De bewaker buigt zich naar voren om haar handen in de boeien te slaan en op hetzelfde moment opent Saga haar ogen en geeft hem een rechtse hoek. Er klinkt een smakkend geluid als ze hem hard boven zijn oor raakt. Ze draait rond en beantwoordt de draaiende beweging van het hoofd met haar linkerelleboog.

Er klinkt alleen een korte klap.

Speeksel spat uit zijn open mond.

De beide slagen zijn zo hard dat het gezichtsveld van de bewaker binnen een tiende seconde samentrekt tot niet meer dan een speldenprik.

Zijn benen klappen onder hem weg en hij merkt niet dat Saga zijn pistool pakt. Ze ontgrendelt het wapen en weet het af te vuren voor hij tegen de grond slaat.

Saga schiet de andere bewaker twee keer recht in zijn kogelvrije vest.

De knallen echoën in de smalle gang en de bewaker doet een wankele pas achteruit. Saga vliegt op hem af en slaat met de kolf het pistool uit zijn hand.

Het wapen klettert op de grond en glijdt in de richting van het bloedspoor.

Saga schopt zijn benen onder hem vandaan, waardoor hij kreunend op zijn rug valt. De andere bewaker rolt op zijn zij en tast met zijn hand over zijn gezicht. Saga rukt de portofoon naar zich toe en doet een paar stappen opzij.

161

Joona wordt bruusk wakker gebeld. Hij was niet langzaam weggedommeld maar meteen weggezakt in een diepe slaap terwijl Disa haar werkkleding aantrok. Het is donker in de slaapkamer, maar het schijnsel van het mobieltje verlicht de muur met een bleke ellips.

'Joona Linna,' antwoordt hij zuchtend.

'Jurek Walter is ontsnapt, hij is uit de...'

'Saga?' vraagt Joona en hij komt in bed overeind.

'Hij heeft een heleboel mensen gedood,' zegt ze met hysterie in haar stem.

'Ben je gewond?'

Joona loopt door het appartement en naarmate hij begrijpt wat Saga zegt begint de adrenaline in hem te stromen.

'Ik weet niet waar hij is, hij zei dat hij jou iets zou aandoen, hij zei...'

'Disa!' roept Joona.

Hij ziet dat haar laarzen weg zijn, doet de voordeur open en roept haar naam in het trappenhuis zodat zijn stem echoot in het donker. Hij probeert zich te herinneren wat ze precies zei voor hij in slaap viel.

'Disa is naar Loudden gereden,' zegt hij.

'Sorry dat...'

Joona drukt het gesprek weg, trekt vlug kleren aan, pakt zijn schouderholster met het pistool en verlaat het appartement zonder de deur achter zich op slot te doen.

Hij rent de trappen af, de straat op naar de Dalagatan waar Carlos zijn auto heeft geparkeerd. Terwijl hij rent, belt hij Disa. Ze neemt niet op. Het sneeuwt stevig en als hij de hoge sneeuwwallen op de stoepen ziet vreest hij dat hij zijn auto misschien moet uitgraven.

Hij moet inhouden voor een bus die zo dicht langs hem rijdt dat de grond schudt. De zuiging voert verse sneeuw van een lage, brede muur mee.

Joona holt naar zijn auto, stapt in en rijdt dwars over de sneeuwwal, schraapt met de zijkant langs een geparkeerde auto en geeft gas.

Als hij snelheid maakt langs het park Tegnérlunden richting de Sveavägen, vliegt de losse sneeuw in zachte brokken van de auto.

Joona weet ineens dat alles waar hij bang voor is vannacht als een vuurstorm zal oplaaien.

Dat gebeurt van het ene moment op het andere.

Disa is alleen in haar auto onderweg naar het haventerrein Frihamnen.

Joona voelt zijn hart tegen de holster bonzen. De sneeuw slaat tegen de autoruit.

Hij rijdt nu heel snel en denkt eraan dat Disa's baas belde met het verzoek naar een vondst te komen kijken. Samuels vrouw Rebecka kreeg een telefoontje van de timmerman om eerder naar het zomerhuisje te komen dan was afgesproken.

In de brief die Susanne Hjälm aan Jurek Walter heeft gegeven moet de Zandman over Disa hebben verteld. Zijn handen trillen als hij Disa's naam in zijn mobiel markeert en haar nogmaals belt. Hij hoort het signaal overgaan en voelt het zweet over zijn rug lopen.

Ze neemt niet op. Joona draait scherp de Karlavägen in en rijdt zo hard hij maar kan.

Het heeft vast niks te betekenen, probeert hij zichzelf voor te houden. Hij moet Disa gewoon zien te bereiken en tegen haar zeggen dat ze om moet keren. Hij moet haar ergens verborgen houden tot Walter weer opgepakt is.

De auto glijdt weg in de bruine smurrie op het asfalt en een vrachtwagen moet abrupt voor hem uitwijken. Hij belt weer, maar krijgt geen gehoor.

Zo snel als mogelijk rijdt hij langs het park Humlegården. De weg is omzoomd door vuile sneeuwwallen en de straatverlichting glanst in het natte asfalt.

Weer belt hij Disa.

De verkeerslichten springen op rood, maar Joona slaat rechts af de

Valhallavägen in. Een betonwagen wijkt voor hem uit en een rode personenauto remt met gierende banden. Er klinkt een langgerekt getoeter als Disa plotseling opneemt.

162

Disa rijdt voorzichtig over de roestige spoorrails en dan het grote haventerrein voor veerdiensten en goederenoverslag op. De donkere hemel hangt laag en zit vol wervelende sneeuw.

Geel schijnsel van een hangende straatlantaarn schommelt boven een hangarachtig gebouw.

Mensen lopen met hun neus naar de grond om geen sneeuw in hun ogen te krijgen, om zich tegen de kou te beschermen. Door de sneeuwstorm heen ziet ze in de verte vaag de grote veerboot uit Tallinn, droomachtig verlicht en wazig.

Disa slaat rechts af, weg van het licht van de Bananencompagnie, rijdt langs de lage bedrijfspanden en kijkt turend de duisternis in.

Vrachtwagens rijden de veerboot naar Sint-Petersburg op.

Een groep havenarbeiders staat op een lege parkeerplaats te roken. Duisternis en sneeuw temperen en isoleren de wereld rondom het groepje.

Disa rijdt langs pakhuis 5 en de hekken door, de containerterminal op. Elke container is zo groot als een zomerhuisje en kan meer dan dertig ton wegen. Ze staan op elkaar gestapeld, tot misschien wel vijftien meter hoog.

Een plastic zak is een speelbal van de wind. Het ijs van de bevroren plassen kraakt onder haar banden.

De opgestapelde containers vormen een netwerk van gangen voor de enorme trucks en terminaltractors. Disa rijdt rechtdoor een gang in die merkwaardig smal aandoet doordat de containerwanden aan weerszijden zo hoog zijn. Ze ziet aan de sporen in de donkere sneeuw dat er onlangs een andere auto heeft gereden. Zo'n vijftig meter verderop opent de gang zich naar de aanlegplaatsen toe. De enorme olietanks van Loudden doemen vaag op achter de kranen die containers aan boord van een schip laden.

Waarschijnlijk staat de man met het bordspel daar ergens op haar te wachten.

Sneeuw waait tegen de voorruit, ze remt af, zet de ruitenwissers aan en veegt de fijne sneeuw weg.

Verderop is een grote, schorpioenachtige machine in een zijgang gestopt: roerloos zweeft een rode container vlak boven de grond.

Er zit niemand in de stuurcabine en de banden raken snel bedekt door sneeuw.

Ze schrikt een beetje als haar telefoon ineens gaat en glimlacht bij zichzelf als ze opneemt: 'Jij moest slapen,' zegt ze opgewekt.

'Vertel waar je nu bent,' zegt Joona indringend.

'In de auto onderweg naar...'

'Ik wil dat je die afspraak laat zitten en meteen terugkomt.'

'Wat is er gebeurd?'

'Jurek Walter is ontsnapt uit de beveiligde eenheid.'

'Wat zeg je?'

'Ik wil dat je onmiddellijk naar huis gaat.'

Het dimlicht vormt een aquarium vol fonkelende, wervelende sneeuw voor de auto. Ze gaat nog langzamer rijden, kijkt naar de rode container die de machine in zijn klauwen houdt en leest: 'Hamburg Süd...'

'Je moet naar me luisteren,' zegt Joona. 'Keer om en rij terug naar huis.'

'Oké, doe ik.'

Hij wacht en luistert naar haar door zijn telefoon.

'Ben je gekeerd?'

'Dat gaat hier niet... Ik moet eerst een goede plek vinden,' zegt ze zacht, als ze ineens iets vreemds ziet.

'Disa, ik begrijp dat ik misschien een beetje...'

'Wacht,' valt ze hem in de rede.

'Wat doe je?'

Ze remt nog meer af en rijdt langzaam naar een grote bult toe die midden in de containergang ligt. Het lijkt een grijze deken met duct tape, die bezig is onder te sneeuwen.

'Wat is er, Disa?' vraagt Joona gestrest. 'Ben je al omgekeerd?'

'Er ligt iets op de weg,' zegt ze en ze stopt. 'Ik kan er niet langs...'

'Rij achteruit!'

'Geef me heel even,' zegt ze en ze legt haar mobiel op de stoel naast zich.

'Disa!' roept hij. 'Niet uitstappen! Wegwezen daar! Disa!'

Ze hoort hem niet, want ze is uitgestapt en loopt verder. Fijne sneeuw wervelt door de lucht. Het is bijna volkomen stil en het licht van de hoge kranen valt niet in de diepe gang van gestapelde metalen kisten.

Er ontstaan eigenaardige tonen als de wind zich tussen de containers hoog boven haar perst.

In de verte knippert het waarschuwingslicht van een enorme vorkheftruck. De gele flikkeringen worden opgevangen door de vallende sneeuw.

Disa raakt vervuld van een plechtig, noodlottig gevoel als ze verder loopt in de stilte. Ze bedenkt dat ze de bundel opzij gaat slepen zodat ze erlangs kan, maar stopt dan en probeert haar blik te focussen.

De truck verdwijnt om een hoek en het enige wat rest is het ijskoude dimlicht van haar koplampen en die eeuwige sneeuwval.

Er lijkt iets onder de grijze deken te bewegen.

Disa knippert met haar ogen en aarzelt.

Alles is op dit moment zo wonderlijk stil en vredig. Sneeuwvlokken dwarrelen langzaam uit de dichte hemel.

Disa blijft staan en voelt haar hart bonzen in haar borst, waarna ze de laatste meters overbrugt.

163

Joona rijdt te snel als hij op de rotonde links afslaat, het voorspatbord knalt tegen de sneeuwwal, de banden denderen over de verijsde sneeuw. Hij draait aan het stuur, glijdt een stukje opzij, geeft meer gas, komt van de stoep af en rijdt zonder veel vaart te verliezen de Lindarängsvägen op.

De enorme grasvelden van Gärdet liggen onder de sneeuw en als een witte zee strekken ze zich uit naar Norra Djurgården.

Op het rechte stuk haalt hij een bus in, bereikt een snelheid van honderdzestig kilometer per uur, passeert woningen van gele baksteen. De auto slingert in de diepe wielsporen als hij vaart mindert om links af te slaan naar de haven. Sneeuw en ijs spatten op tegen de voorruit. Door het hoge hek rond de haven ziet hij in het nevelige schijnsel van de kraan dat er een lang, smal schip met containers wordt beladen.

Een roestbruine goederentrein is op weg naar de Frihamnen.

Joona richt zijn blik op de sneeuwwervelingen, de heiige duisternis en de verlaten loodsen. Met een scherpe bocht rijdt hij het haventerrein op, glijdt de vluchtheuvel over, vieze smurrie spat op, de banden spinnen.

De spoorbomen dalen, maar Joona geeft gas en de bomen bonken tegen het dak van de auto.

Hij scheurt het haventerrein op. Mensen komen aanlopen van de Tallink-terminal, een dunne sliert zwarte gestalten verdwijnt in het donker.

Ze kan niet ver weg zijn. Ze heeft de auto stilgezet en is uitgestapt. Iemand heeft haar afspraak verzet. Haar gedwongen hierheen te komen. Haar uit de auto laten stappen.

Hij toetert, mensen stappen opzij, een vrouw laat een koffer op wieltjes vallen en Joona rijdt er dwars overheen. Er klinkt geknars vanonder de auto.

Een vrachtwagen rijdt dreunend over de roro-laadklep de veerboot naar Sint-Petersburg binnen. Grote kluiten bruine, samengeperste sneeuw blijven achter op de grond.

Joona rijdt langs een lege parkeerplaats tussen pakhuis 5 en 6 en dan de hekken door naar de containerterminal.

Het terrein lijkt wel een stad met smalle straten en flatgebouwen zonder ramen. Hij ziet iets vanuit zijn ooghoek en remt abrupt, rijdt met gierende banden achteruit.

Disa's auto staat in de gang recht voor hem. Hij is bedekt met een dun laagje sneeuw. Het voorportier staat open. Joona zet zijn auto stil en rent erheen. De motor is nog warm. Hij kijkt in de auto, er zijn geen sporen van geweld of strijd.

Hij inhaleert de ijzige lucht.

Disa is de auto uit gegaan en naar voren gelopen. Sneeuw vult haar sporen, maakt ze zacht.

'Nee,' fluistert hij.

Tien meter voor haar auto is de sneeuw platgetreden en een sleepspoor leidt naar opzij, niet meer dan een meter tussen de hoge wanden van containers in, waarna het ophoudt.

Onder de verse poedersneeuw is vagelijk een parelketting van bloeddruppels te zien.

Verderop is de sneeuw glad en onaangeroerd.

Joona weet zich ervan te weerhouden haar naam te roepen.

IJskristallen vallen kletterend op de containers. Hij doet een paar passen naar achter en ziet vijf iso-containers op twintig meter hoogte in de lucht schommelen. Op de onderste staat in witte letters op rood metaal: Hamburg Süd.

Die woorden had hij Disa vlak voor het gesprek werd afgebroken horen zeggen.

Joona rent door de gang naar de kraan met de container. De sneeuw is diep, hij verstapt zich op een stuk ijzer, knalt met zijn schouder tegen een gele container, maar loopt door.

Hij komt uit bij aanlegplaats 5 en kijkt rond. Zijn hart gaat als een razende tekeer. Een havenarbeider met een helm op praat in een wal-kietalkie. Sneeuw valt in het licht van de schijnwerpers, wervelt boven het zwarte water.

Een enorme kraan op rails is bezig een containerschip naar Rotter-dam te laden.

Joona ziet een glimp van de rode container met de letters Hamburg Süd en begint te rennen.

Zo'n honderd containers met verschillende kleuren en rederijna-men zijn al achter de nieuwe ingeladen.

Twee havenarbeiders in stevige kleding en knaloranje veiligheids-vesten lopen snel over de kade. Een van hen wijst in de richting van de hoge kapiteinsbrug van het schip.

164

Joona tuurt door de dicht vallende sneeuw, springt over een betonnen balk en komt bij de kade. Het drijfijs in het zwarte water slaat rinkelend tegen de romp van het schip. De geur van zee wordt vermengd met die van diesel uit de vier rupsbandtractoren.

Joona klimt aan boord, loopt snel langs de reling, duwt een krat met harpsluitingen opzij en vindt een schep.

'Hé daar,' roept een man achter hem.

Joona trapt dwars door een natte kartonnen doos, rent verder, ziet tussen bahco's, hijshaken en een roestige ketting een voorhamer liggen. Hij gooit de schep neer, pakt de hamer en rent naar de rode container toe. Die is groot genoeg voor vier auto's. Hij slaat er met zijn hand op en er klinkt een doffe echo in het metaal.

'Disa,' roept hij terwijl hij om de container heen loopt.

Er zit een stevig containerslot op de dubbele deuren. Hij laat de voorhamer omlaag hangen, zwaait hem dan met enorme kracht naar achteren en rond. Een harde knal en gerammel als slot en zegel verbrijzeld worden. Hij laat de hamer op het dek vallen en opent de deuren.

Geen Disa.

In het duister staan alleen twee bmw-sportwagens.

Joona weet niet wat hij moet doen. Zijn blik gaat terug naar de kade, naar de enorme opstelplaats voor containers.

Een terminaltractor met knipperend licht verplaatst stukgoed.

Door de sneeuw zijn in de verte vaag de contouren van Louddens olietanks zichtbaar.

Joona veegt langs zijn mond en loopt terug.

Een kraan plaatst een aantal grijze containers op een goederentrein en meer dan driehonderd meter verderop, in een hoek van de kade, rijdt een vrachtwagen met een vuil dekzeil het roro-schip naar Sint-Petersburg op.

Daarachter volgt een truck met een rode iso-container.

Aan de zijkant van de container staan de woorden Hamburg Süd.

Joona probeert uit te maken wat de snelste route is.

'Je mag hier niet komen,' roept een man achter hem.

Joona draait zich om en ziet een grote havenarbeider met helm, knaloranje veiligheidsvest en stevige handschoenen.

'Rijksrecherche,' zegt Joona vlug. 'Ik zoek naar een...'

'Hou je kop,' kapt de man hem af. 'Het maakt niet uit wie je bent, je mag niet zomaar aan boord...'

'Bel je baas en zeg hem dat...'

'Jij wacht hier, dan kun je alles aan de bewakers uitleggen die zo...'

'Hier heb ik geen tijd voor,' zegt Joona en hij draait zich om.

De havenarbeider pakt hem stevig bij zijn schouder. In een reflex draait Joona rond, slaat zijn arm over de arm van de man en draait zijn elleboog omhoog.

Het gaat heel snel.

De havenarbeider moet vanwege de pijn in zijn schoudergewricht achteroverbuigen en Joona schopt in dezelfde beweging zijn voeten weg, waardoor hij onverwachts valt.

In plaats van de arm te breken, laat Joona hem los, waardoor de man op de grond ploft.

De grote kraan dreunt en het wordt plotseling donker als het licht van de schijnwerpers wordt belemmerd door de lading die nu recht boven hem hangt.

Joona pakt de voorhamer en loopt snel weg, maar een jongere havenarbeider in veiligheidskleding met een zware bahco in zijn hand verspert hem de weg.

'Kijk uit,' zegt Joona met zware stem.

'Je moet hier wachten tot de mensen van beveiliging er zijn,' zegt de havenarbeider met bange ogen.

Joona stoot met zijn hand tegen de borst van de man om erlangs te kunnen. Die doet een stap opzij en haalt dan uit met de bahco. Joona stopt de slag met zijn arm, maar wordt toch geraakt op zijn schouder.

Hij kreunt van de pijn en verliest zijn greep om de hamer. Met een bons belandt die op het dek. Joona grijpt de achterkant van de helm van de havenarbeider, trekt hem naar beneden en slaat de man hard boven zijn oor, zodat hij op zijn knieën zakt en het uitschreeuwt.

165

Joona rent door de sneeuw langs de kade, de voorhamer hangt naast zijn zij. Hij hoort geroep achter zich. Grote ijsschotsen draaien zich om in de waterbrij. Het water stijgt, wordt tegen de kade gedrukt en spuit omhoog.

Joona rent de roro-laadklep op, de veerboot naar Sint-Petersburg in. Hij loopt langs de rijen warme, dampende personenauto's, trailers en vrachtwagens. Het licht komt van lampen in de wanden. Achter een grijze container aan de kant van het achterschip is vaag een rode zichtbaar.

Een man probeert uit zijn auto te stappen, maar Joona drukt het portier domweg dicht om erlangs te kunnen. De voorhamer slaat tegen een bout in de wand van het schip. Hij voelt de trilling in zijn arm en schouder.

De stalen vloer is nat van gesmolten sneeuw. Joona trapt een paar afzetpylonen weg en loopt door.

Hij bereikt de rode container, bonst op de deuren en roept. Het slot zit hoog. Hij moet op de auto erachter – een zwarte Mercedes – klimmen en op de motorkap gaan staan om erbij te kunnen. De carrosserie deukt in onder zijn gewicht, de zwarte lak breekt. Hij zwaait met de voorhamer en met de eerste klap slaat hij het slot kapot. Het rammelende geluid weerkaatst tussen de wanden en het dak. Joona laat de hamer op de motorkap liggen. Hij opent de container. De ene deur zwenkt open en schraapt langs de bumper van de Mercedes.

'Disa!' roept hij de container in.

De ruimte staat vol witte kartonnen dozen met de naam Evonik op de zijkant. Dicht op elkaar gepakte dozen, met staalband vastgesjord op pallets.

Joona pakt de hamer en loopt verder naar het achterschip, langs personenauto's en vrachtwagens. Hij merkt dat hij moe begint te worden. Zijn armen trillen van inspanning. Het inladen van de veerboot is voltooid en de boegdeuren worden neergelaten. De machines dreunen en de roostervloer schudt als de boot vertrekt. IJs beukt tegen de romp. Hij is bijna achteraan als hij nog een rode container met de tekst Hamburg Süd ziet.

'Disa,' roept hij.

Hij rent om de containervrachtwagen heen, stopt en kijkt naar het blauwe slot. Hij veegt water uit zijn gezicht, pakt de voorhamer en merkt de persoon die hem van achteren nadert niet op.

Joona tilt de hamer op en net als hij wil slaan krijgt hij een harde stomp in zijn rug. Het doet pijn, de stoot dreunt door in zijn longen en het wordt zwart voor zijn ogen. Hij laat de hamer vallen, klapt voorover, knalt met zijn voorhoofd tegen de container en smakt tegen de grond. Hij rolt opzij en staat op, er stroomt bloed in een oog, hij struikelt en zoekt steun tegen een auto.

Voor hem staat een vrij lange vrouw met een honkbalknuppel op haar schouder. Ze ademt snel en de bodywarmer spant rond haar borsten. Ze doet een stap opzij, blaast een blonde piek uit haar gezicht en maakt zich op voor de volgende slag.

'Je blijft verdomme van mijn lading af,' schreeuwt ze.

Ze haalt opnieuw uit, maar Joona beweegt zich snel, hij loopt recht op haar af, pakt haar bij de keel, trapt met zijn voet in haar knieholte waardoor haar been wegklapt, werkt haar tegen de grond en richt zijn pistool op haar.

'Rijksrecherche,' zegt hij.

Ze ligt kermend op de grond en kijkt toe terwijl hij de hamer oppakt, deze met beide handen omvat, zwaait en het slot kapotslaat. Een metalen kap belandt kletterend een decimeter bij haar gezicht vandaan.

Joona opent de deuren, maar de container is gevuld met grote dozen met tv-toestellen. Hij rukt er een paar uit om in de container te kijken, maar geen Disa. Hij veegt het bloed uit zijn gezicht, rent verder langs de auto's, voorbij een zwarte container, de trap op naar het bovendek.

Joona vliegt naar de reling. Hij ademt hijgend in de koude lucht. Voor het schip is de zwarte geul door het witte ijs zichtbaar die een ijsbreker door de scherenkust naar open zee heeft vrijgemaakt.

Een mozaïek van gebroken ijs deint rond een boei.

De veerboot is twintig meter van de kade en ineens kan Joona het haventerrein overzien. De hemel is zwart, maar het terrein wordt verlicht door schijnwerpers.

Door de sneeuw ziet hij dat de grote kraan een goederentrein laadt. Joona's hart knijpt samen van angst als hij ontdekt dat er drie wagons beladen zijn met dezelfde rode containers.

Hij loopt naar het achterschip, pakt zijn telefoon, belt de alarmcentrale en eist dat alle transport vanuit de Frihamnen in Stockholm wordt stopgezet. De dienstdoende centralist weet wie Joona is en verbindt hem door met de regiocommissaris.

'Al het treinverkeer vanuit de Frihamnen moet worden stopgezet,' herhaalt hij hijgend.

'Dat is onmogelijk,' antwoordt ze kalm.

Er valt dichte sneeuw boven de grote containerterminal.

Hij klimt op de meertouwlier en vandaar op de reling. Hij ziet een reachstacker een rode container naar een wachtende vrachtwagen toe rijden.

'Al het transport moet worden stilgezet,' zegt Joona weer.

'Dat is niet uitvoerbaar,' zegt de regiocommissaris. 'Het enige wat we kunnen doen is...'

'Dan doe ik het zelf,' zegt Joona kort en hij springt.

De ontmoeting met het water van nul graden voelt alsof hij wordt getroffen door een bliksem van ijs, alsof hij een injectie adrenaline direct in zijn hart krijgt. Het dreunt in zijn oren. Zijn lichaam kan de sterke afkoeling niet aan. Joona zinkt in het zwarte water, verliest een paar seconden het bewustzijn en droomt van de bruidskroon van gevlochten berkenwortels. Hij heeft geen contact met zijn handen en voeten, maar bedenkt dat hij boven moet zien te komen, hij schopt met zijn benen en weet de neergaande beweging uiteindelijk te stoppen.

166

Joona breekt door het wateroppervlak, komt boven het drijfijs uit, probeert kalm te blijven en ademt in.

Het is verschrikkelijk koud.

De kou explodeert in zijn hoofd, maar hij is bij bewustzijn.

Zijn tijd als parachutist heeft hem gered – het lukte hem de reflex om naar adem te happen te onderdrukken.

Met verdoofde armen en zware kleren zwemt hij door het zwarte water. Het is niet ver naar de kade, maar zijn lichaamstemperatuur daalt duizelingwekkend snel. IJsschotsen buitelen rondom hem. Hij is het gevoel in zijn voeten al kwijt, maar blijft trappelen met zijn benen.

Golven slaan over zijn gezicht.

Hij hoest en voelt de kracht uit zich wegvloeien. Het wordt zwart voor zijn ogen, maar hij dwingt zichzelf voorwaarts, doet nieuwe zwemslagen en bereikt ten slotte de kade. Met bibberende handen probeert hij grip te krijgen op de stenen, de dunne voegen. Hij drijft hijgend zijwaarts en stuit op een hangende ijzeren trap.

Het water plonst onder hem als hij begint te klimmen. Zijn handen vriezen vast aan het metaal. Hij valt bijna flauw, maar klautert met zware passen verder.

Kreunend rolt hij de kade op, komt overeind en loopt in de richting van de vrachtwagen.

Met trillende hand voelt hij of hij zijn pistool nog heeft.

Het bijt in zijn huid als de sneeuw in zijn natte gezicht waait. Zijn lippen zijn gevoelloos en zijn benen schokken heftig.

Hij rent de smalle gang tussen de stapels donkere containers in om de vrachtwagen te bereiken voordat deze het haventerrein verlaat. Door de gevoelloosheid in zijn ledematen struikelt hij, hij stoot zijn schouder, zoekt steun tegen een container en klimt over een sneeuwwal.

Hij komt uit in het licht van de schijnwerper, voor de vrachtwagen met de rode container met de tekst Hamburg Süd.

De chauffeur is achter de oplegger bezig om de remlichten te controleren als hij Joona ziet aankomen.

'Heb je in het water gelegen?' vraagt hij terwijl hij een stap naar achter doet. 'Jezus, man, je vriest dood als je niet maakt je binnen komt.'

'Open de rode container,' murmelt Joona. 'Ik ben van de politie, ik moet...'

'Daar gaat de douane over, ik kan hem niet zomaar openen...'

'Rijksrecherche,' onderbreekt Joona hem met zwakke stem.

Hij heeft moeite zijn blik te focussen en hoort zelf hoe onsamenhangend hij klinkt als hij probeert uit te leggen welke bevoegdheden de rijksrecherche heeft.

'Ik heb de sleutels niet eens,' zegt de chauffeur met een vriendelijke blik. 'Alleen een betonschaar en...'

'Schiet op,' smeekt Joona hem en hij hoest vermoeid.

De chauffeur rent om de vrachtwagen heen, klimt naar de cabine, buigt zich naar binnen en zoekt achter de passagiersstoel. Als hij een lange betonschaar naar zich toe trekt, komt er een paraplu mee die op de grond valt.

Joona bonst op de container en roept Disa's naam.

De chauffeur rent terug en loopt rood aan als hij de poten van de betonschaar samenperst.

Er klinkt een knal als het slot kapot springt.

Het luik van de container zwaait met knarsende scharnieren open. De ruimte is tot het plafond gevuld met dozen op pallets, vastgesjord met spanbanden.

Zonder een woord te zeggen pakt Joona de betonschaar en loopt verder. Hij heeft het zo koud dat hij schudt en zijn handen doen vreselijk zeer.

'Je moet naar het ziekenhuis,' roept de man hem na.

167

Joona loopt zo snel hij kan in de richting van de spoorbaan. De zware betonschaar slaat tegen de compacte sneeuwwallen, waardoor het trilt in zijn schouder. De goederentrein bij het goederendepot is net in beweging gekomen, zwaar knarsend wiegt hij voorwaarts. Joona probeert te rennen, maar zijn hartslag is zo langzaam dat het brandt in zijn borstkas. Hij gaat omhoog langs de besneeuwde spoordijk, glijdt uit en stoot met zijn knie tegen het grind, laat de betonschaar vallen, komt weer op de been en struikelt de spoorbaan op. Hij heeft geen gevoel meer in zijn handen en voeten. De bevingen zijn onbeheersbaar geworden en hij ervaart een beangstigende verwarring over het feit dat hij het zo verschrikkelijk koud heeft.

Zijn gedachten zijn wonderlijk, traag en onsamenhangend. Hij weet alleen dat hij de trein moet tegenhouden.

De zware goederentrein begint vaart te maken en komt knerpend dichterbij. Joona staat midden op de spoorbaan, richt zijn blik op de frontlichten en steekt zijn hand op. De trein toetert en hij ziet vaag het silhouet van de machinist in de cabine. De spoordijk trilt van de vibraties onder zijn voeten. Joona pakt zijn pistool, heft het en schiet de voorruit van de locomotief kapot.

Glassplinters wervelen over het dak en waaien weg. De echo van de knal stuitert snel en hard tussen de opgestelde containers.

Papieren fladderen door de cabine en het gezicht van de machinist is volledig uitdrukkingsloos. Joona heft zijn wapen weer en richt recht op de man. De trein remt dreunend. Geschraap over de rails en de grond schudt. De locomotief glijdt met knarsende remmen door en komt drie meter voor hem sissend tot stilstand.

Joona valt bijna als hij van de rails stapt. Hij raapt de betonschaar op en wendt zich tot de machinist.

'Open de rode containers,' zegt hij.

'Ik heb geen bevoegdheid...'

'Doe het gewoon,' roept Joona en hij gooit de betonschaar op de grond.

De machinist klimt naar beneden en pakt de betonschaar. Joona loopt met hem langs de trein en wijst op de eerste rode container. Zwijgend klimt de man op de eerste roestbruine koppeling en knipt het slot open. Er klinkt gerommel als de deur geopend wordt en tv-toestellen in grote kartonnen dozen eruit vallen.

'De volgende,' fluistert hij.

Joona begint te lopen, laat het pistool vallen, raapt het weer op uit de sneeuw en loopt langs de treinstellen naar achter. Ze passeren acht wagons eer ze de volgende rode container met de tekst Hamburg Süd tegenkomen.

De machinist knipt het slot open, maar krijgt de stevige balk niet weg. Hij slaat erop met de betonschaar en het geluid van metaal op metaal echoot desolaat over het haventerrein.

Joona wankelt naar voren, duwt de balk met een schrapend geluid omhoog en de grote metalen deur zwaait open.

Disa ligt op de roestige containervloer. Haar gezicht is bleek en haar open ogen staan verbaasd. Ze is een laars verloren en haar haar zit vastgevroren rond haar hoofd.

Disa's mond is verstijfd in een mengeling van angst en verdriet.

Aan de rechterkant van de lange ranke hals zit een diepe snee. De plas bloed onder haar hals en nek heeft al een glanzend laagje ijs.

Voorzichtig tilt Joona haar uit de container en doet een paar passen.

'Ik weet dat je leeft,' zegt hij, en hij valt op zijn knieën met Disa in zijn armen.

Er stroomt een beetje bloed over zijn hand, maar haar hart klopt niet meer. Het is voorbij, onherroepelijk voorbij.

'Dit niet,' fluistert Joona tegen haar wang. 'Jij niet...'

Langzaam wiegt hij haar terwijl de sneeuw neerdaalt. Hij merkt niet dat er een auto stopt en is zich er niet van bewust dat Saga Bauer aan komt rennen. Ze is blootsvoets en draagt alleen een broek en T-shirt.

'Er is versterking onderweg,' roept ze terwijl ze dichterbij komt. 'Jezus, wat heb je gedaan? Je hebt hulp nodig...'

Saga schreeuwt en vloekt in haar portofoon en als in een droom hoort Joona dat ze de machinist opdraagt zijn jas uit te trekken waarna ze die over zijn schouders legt. Dan laat ze zich achter hem op de grond zakken en houdt hem vast terwijl de sirenes van de politiewagens en ambulances over het haventerrein schallen.

Onder de gele traumaheli stuift de sneeuw in een cirkel op van de grond. De heli landt schommelend op zijn ijzers. Het is een oorverdovend lawaai en de machinist loopt achteruit, weg bij de man die de dode vrouw in zijn armen houdt.

De rotorbladen blijven draaien terwijl het ambulancepersoneel uit de heli springt en met wapperende kleren naar de lichamen toe rent.

Door de zuiging van de heli waait er allerlei rommel in het hoge hek. Het voelt alsof bij iedereen de adem wordt afgesneden.

Joona is bijna buiten bewustzijn als het ambulancepersoneel hem dwingt Disa's dode lichaam los te laten. Zijn ogen staan troebel en zijn handen zijn wit van bevriezing. Hij praat onsamenhangend en verzet zich als ze proberen hem te laten liggen.

Saga huilt als ze ziet dat hij op een brancard wordt weggedragen en de traumaheli in wordt gehesen. Ze begrijpt dat er heel veel haast geboden is.

Het geluid van de rotorbladen verandert als ze recht opstijgen en schommelen in een terugslaande rukwind.

De rotor helt voorover en de heli verdwijnt boven de stad.

Terwijl ze zijn kleren openknippen, zakt Joona weg in een soort halfdode toestand. Zijn ogen zijn nog open maar zijn pupillen zijn verwijd en zo stijf dat ze niet meer reageren op licht. Zijn ademhaling en hartslag zijn niet meer waarneembaar.

Joona's lichaamstemperatuur is onder de 32 graden gezakt als ze dalen om te landen op het heliplatform op gebouw P8 van het Karolinska-ziekenhuis.

168

De politie is snel ter plaatse in de Frihamnen en na een paar minuten gaat er al een opsporingsbericht uit voor een zilvergrijze Citroën Evasion. De auto van Jurek Walter is door meerdere bewakingscamera's geregistreerd toen hij het haventerrein op reed, vijftien minuten voordat Disa Helenius met haar auto arriveerde. Dezelfde bewakingscamera's hebben ook geregistreerd dat Walters auto het terrein zeven minuten nadat Joona Linna ter plaatse was, heeft verlaten.

Alle surveillancewagens in Stockholm en twee Eurocopters 135 worden bij het zoeken ingezet. Het is een massale inzet en al vijftien minuten na het opsporingsbevel wordt het verdachte voertuig op de brug Centralbron gezien, waarna het de Söderledstunnel in verdwijnt.

De politie zet onmiddellijk met loeiende sirenes en zwaailichten de achtervolging in en terwijl er wegafzettingen worden opgericht bij de uitvalswegen, slaat er een lichtflits van een grote explosie uit de tunnel.

De hooverende helikopter schommelt heftig, maar de piloot weet de krachtige schok op te vangen. De drukgolf slingert stof en scherven over de rijbanen en de treinsporen, helemaal tot op het besneeuwde ijs van de Riddarfjärden.

*

Het is half vijf 's ochtends en Saga Bauer zit op het ritselende beschermpapier van een onderzoekstafel terwijl een arts haar wonden hecht.

'Ik moet gaan,' zegt ze en ze kijkt naar het stoffige tv-scherm aan de muur.

De dokter is net bezig haar linkerhand te verbinden als het nieuws over het grote auto-ongeluk verschijnt.

Een verslaggever vertelt met serieuze stem over de grootschalige achtervolging in het centrum van Stockholm die eindigde in een ernstig eenzijdig ongeval met dodelijke afloop in de Söderledstunnel.

'Het ongeluk gebeurde om half drie vannacht,' zegt de verslaggever. 'Dat is waarschijnlijk de reden dat er niet meer auto's bij betrokken zijn. De politie garandeert dat de weg op tijd vrij is voor de ochtendspits, maar wil verder geen commentaar geven.'

Op tv is te zien hoe zwarte rook met een enorme snelheid uit de Söderledstunnel walmt. De wolk omhult het Hilton Hotel in golvende rouwsluiers en dunt langzaam uit over Södermalm.

Saga weigerde naar het ziekenhuis te gaan voordat ze bevestigd had gekregen dat Jurek Walter dood was. Twee collega's van Joona van de rijksrecherche hebben met haar gepraat. Om geen tijd te verliezen waren hun technisch rechercheurs tijdens de bluswerkzaamheden met de brandweermannen mee de tunnel in gegaan. De enorme explosie had zowel de armen als het hoofd van zijn lichaam gerukt.

In de tv-studio zitten nu een politicus en een vrouwelijke presentator met gezichten zwaar van de slaap over gevaarlijke achtervolgingen door de politie te discussiëren.

'Ik moet gaan,' zegt Saga en ze laat zich van de onderzoekstafel af glijden.

'De wonden op je benen moeten...'

'Hoeft niet,' zegt ze, en ze verlaat de behandelkamer.

169

Joona wordt wakker in het ziekenhuis doordat hij het koud heeft. Waar de warme infuusvloeistof langzaam zijn armen binnendruppelt, kriebelt het. Een verpleegkundige staat bij zijn bed en grijnst breed naar hem als Joona tussen zijn oogleden door gluurt.

'Hoe voel je je?' vraagt de man en hij buigt zich naar voren. Joona probeert zijn naamplaatje te lezen, maar het lukt hem niet de letters stil genoeg te laten staan.

'Ik heb het koud,' zegt hij.

'Over twee uur zou je lichaamstemperatuur weer normaal moeten zijn. Ik zal je wat warm sap geven...'

Joona probeert rechtop te gaan zitten om te drinken, maar dan voelt hij een steek in zijn blaas. Hij trekt de voorverwarmde deken weg en ziet dat er twee dikke naalden recht zijn buik in gaan.

'Wat is dat?' vraagt hij zwakjes.

'Buikspoeling,' zegt de verpleegkundige. 'We warmen je lichaam van binnenuit op... Op dit moment heb je twee liter warme vloeistof in je buik.'

Joona sluit zijn ogen en probeert zich dingen te herinneren. Rode containers, het drijfijs en de shock in zijn lichaam toen hij van de boot zo in het afgrijselijk koude water sprong.

'Disa,' fluistert Joona, en hij voelt dat hij kippenvel op zijn armen krijgt.

Hij leunt achterover in het kussen en kijkt op naar de warme luchtventilator maar voelt alleen maar kou.

Na een poosje gaat de deur open en komt er een lange vrouw binnen met opgestoken haar en een nauwsluitende zijden jumper onder haar doktersjas. Het is Daniella Richards, die hij al vaker ontmoet heeft.

'Joona Linna,' zegt ze somber. 'Ik vind het zo erg voor je...'

'Daniella,' valt Joona haar hees in de rede. 'Wat heb je met me gedaan?'

'Je was zwaar onderkoeld, weet je dat nog? Toen je binnen werd gebracht dachten we dat je dood was.'

Ze gaat op de rand van het bed zitten.

'Je beseft misschien niet wat een ongelofelijke mazzel je hebt gehad,' zegt ze langzaam. 'Geen ernstige verwondingen, naar het schijnt... We warmen je organen van binnenuit op.'

'Waar is Disa? Ik moet...'

Zijn stem breekt. Er is iets met zijn denken, met zijn hoofd. Hij kan de woorden niet fatsoenlijk ordenen. Al zijn herinneringen zijn als gebroken ijs in zwart water.

De dokter slaat haar ogen neer en schudt haar hoofd. Er ligt een diamantje in het kuiltje van haar hals.

'Ik vind het zo erg voor je,' herhaalt Daniella zacht.

Terwijl ze over Disa vertelt, vult haar gezicht zich met minimale, verdrietige spasmen. Joona kijkt naar de aderen in haar handpalm, ziet haar pols kloppen en haar borstkas op en neer gaan onder de groene jumper. Hij probeert te begrijpen waar ze het over heeft, sluit zijn ogen en plotseling komen de gebeurtenissen zijn bewustzijn binnenstormen. Disa's witte gezicht, de snee in haar hals, de angstige mond en haar voet zonder laars met nylonkous.

'Laat me met rust,' zegt hij met lege, hese stem.

170

Joona Linna ligt stil en voelt de glucose in zijn aderen en de warme lucht van de stellage boven zijn bed, maar hij wordt niet warm.

Koude rillingen trekken bij vlagen door zijn lichaam en af en toe verdwijnt zijn gezichtsvermogen en wordt alles zwart en knetterend donker.

Verlangen naar zijn wapen, om de loop in zijn mond te zetten en de trekker over te halen, fladdert door zijn hoofd.

Jurek Walter is ontsnapt.

En Joona weet dat hij zijn vrouw en dochter nooit meer zal kunnen ontmoeten. Ze zijn voor eeuwig van hem afgenomen, op dezelfde manier als Disa uit zijn handen is gerukt. Walters tweelingbroer besefte dat Summa en Lumi nog in leven waren. Joona weet dat het slechts een kwestie van tijd is tot Walter zelf dat ook beseft.

Joona probeert te gaan zitten, maar het lukt hem niet.

Het is onmogelijk.

Het gevoel dat hij met de seconde dieper in het mozaïek van gebroken ijs wegzakt, wil maar niet wijken.

Hij blijft maar rillen.

Plotseling gaat de deur open en komt Saga Bauer binnen. Ze heeft een zwart jack en een donkere spijkerbroek aan.

'Jurek Walter is dood,' zegt ze. 'Het is voorbij. We hebben hem in de Söderledstunnel te pakken gekregen.'

Ze staat bij het bed en kijkt naar Joona Linna. Hij heeft zijn ogen weer gesloten. Haar hart lijkt stil te blijven staan. Hij ziet er verschrikkelijk ziek uit. Zijn gezicht is bijna wit en zijn lippen zijn lichtgrijs.

'Ik ga nu naar Reidar Frost toe,' vertelt Saga. 'Hij moet weten dat Felicia leeft. De artsen zeggen dat ze het gaat redden. Je hebt haar leven gered.'

Hij hoort wat ze zegt en wendt zijn gezicht af, houdt zijn ogen gesloten om zijn tranen terug te dringen – en plotseling doorziet hij het patroon.

Walter is bezig een cirkel van wraak en bloed te sluiten.

Joona repeteert de gedachte voor zichzelf, bevochtigt zijn lippen, ademt een paar keer en zegt dan zacht: 'Jurek Walter is op weg naar Reidar.'

'Jurek Walter is dood,' herhaalt Saga. 'Het is voorbij...'

'Hij zal Mikael weer pakken... hij weet niet dat Felicia vrij is... hij mag niet weten dat ze...'

'Ik ga naar Reidar toe om te vertellen dat jij zijn dochter hebt gered,' zegt ze weer.

'Hij heeft Mikael alleen maar uitgeleend, hij is onderweg om hem opnieuw te pakken.'

'Waar heb je het over?'

Joona's ogen keren terug naar Saga en de grijze blik is zo hard dat ze huivert.

'De slachtoffers zijn niet degenen die opgesloten zaten of in graven belandden,' zegt hij. 'De slachtoffers zijn degenen die achterbleven, zij die wachtten... tot ze niet meer in staat zijn te wachten.'

Ze legt een kalmerende hand op de zijne.

'Ik moet gaan...'

'Neem mijn pistool mee,' zegt hij.

'Ik ga er alleen maar heen om Reidar te vertellen dat...'

'Doe wat ik zeg,' kapt hij haar af.

171

Als Saga bij het landhuis aankomt, is het nog lang geen dag. Het oude huis rust in de kou en het diepe zwart van de ochtend. Alleen achter een raam op de benedenverdieping brandt licht.

Saga stapt uit de auto en loopt rillend over het voorplein. De sneeuw is onaangeroerd en de duisternis boven de velden lijkt uit de oertijd te stammen.

Er schijnen zelfs geen sterren aan de nachtelijke hemel.

Het enige wat je hoort is het bruisen van open water.

Ze nadert het huis en ziet een man aan de keukentafel zitten, met zijn rug naar het raam. Voor hem op tafel ligt een boek. Hij drinkt langzaam uit een wit kopje.

Saga loopt verder over het besneeuwde voorplein, het bordes op naar de grote voordeur en belt aan. Even later doet de man die aan de keukentafel zat open.

Het is Reidar Frost.

Hij is gekleed in een gestreepte pyjamabroek en een T-shirt. Zijn baardstoppels zijn wit en zijn gezicht is doorwaakt en broos.

'Dag, mijn naam is Saga Bauer en ik werk bij de veiligheidsdienst.'

'Kom binnen,' zegt hij met krachteloze stem.

Ze loopt een paar passen de donkere hal met de brede trap naar de bovenverdieping in. Reidar doet een stap opzij. Zijn kin begint te trillen en hij slaat een hand voor zijn mond.

'Nee, niet Felicia, niet...'

'We hebben haar gevonden,' haast Saga zich te zeggen. 'Ze leeft, ze gaat het redden...'

'Ik moet... ik...'

'Ze is erg ziek,' vertelt Saga. 'Je dochter heeft de veteranenziekte in een vergevorderd stadium, maar ze gaat het redden.'

'Ze gaat het redden,' fluistert Reidar. 'Ik moet erheen, ik moet haar zien.'

'Om zeven uur wordt ze van de intensive care overgeplaatst naar de afdeling infectieziekten.'

Hij kijkt haar aan en de tranen stromen over zijn wangen.

'Dan kan ik me nog aankleden en Mikael wakker maken en...'

Saga loopt met hem mee door de zalen naar de keuken die ze zojuist door het raam heeft gezien. De plafondlamp verspreidt een knus schijnsel over de tafel met het koffiekopje.

Uit de radio klinkt langzame pianomuziek.

'We hebben geprobeerd te bellen,' zegt ze. 'Maar je tele...'

'Dat is mijn fout,' valt Reidar haar in de rede, en hij veegt de tranen van zijn wangen. 'Ik moest de telefoon 's nachts wel uitzetten, ik weet niet, er belden zo veel gekken met tips, mensen die...'

'Ik begrijp het.'

'Felicia leeft,' zegt Reidar onderzoekend.

'Ja,' antwoordt Saga.

Hij glimlacht breed en onbeheerst en kijkt haar met rooddoorlopen ogen aan. Het lijkt alsof hij het haar nog een keer wil vragen, maar hij schudt alleen glimlachend zijn hoofd. Hij pakt een grote koperen kan van het zwarte fornuis en schenkt koffie voor Saga in.

'Warme melk?'

'Nee, bedankt,' antwoordt ze en ze pakt het kopje aan.

'Ik ga Mikael even wakker maken...'

Hij loopt naar de hal, maar blijft dan staan en draait zich weer naar haar toe.

'Ik moet weten of jullie... Hebben jullie de Zandman te pakken gekregen?' vraagt hij. 'De man die door Mikael...'

'Jurek Walter en hij zijn allebei dood,' antwoordt Saga. 'Het waren tweelingbroers.'

'Tweelingbroers?'

'Ja, ze werkten samen...'

Opeens gaat het licht in de keuken uit en de muziek uit de radio verstomt. Het wordt volkomen donker en stil.

'Stroomstoring,' mompelt Reidar terwijl hij de lichtschakelaar een paar keer heen en weer klikt. 'Ik geloof dat ik nog kaarsen in de kast heb liggen.'

'Felicia zat opgesloten in een oude schuilkelder,' vertelt Saga.

De weerkaatsing van de sneeuw vindt na een poosje haar weg naar de keuken en Saga ziet dat Reidar op de tast naar een grote kast loopt.

'Waar lag die schuilkelder?' vraagt hij.

Saga hoort gerammel dat klinkt als vallende mikadostokjes terwijl hij in een la zoekt.

'In de oude grindgroeve in Rotebro,' antwoordt ze.

Saga merkt dat hij ophoudt met zoeken, een stap achteruit doet en zich omdraait.

'Daar kom ik vandaan,' zegt hij langzaam. 'En ik herinner me de tweeling. Ik snap het niet, maar dat moeten Jurek Walter en zijn broer geweest zijn... Ik heb een paar weken samen met ze gespeeld toen ik klein was... maar waarom, waarom heeft...'

Hij zwijgt en staart in het duister.

'Ik weet niet of er antwoorden zijn,' zegt Saga.

Reidar vindt lucifers en strijkt er eentje af.

'Als kind woonde ik vlak bij de groeve,' vertelt hij. 'De tweeling was misschien een jaar ouder dan ik. Ze zaten ineens achter me in het gras toen ik op een dag op voorn aan het vissen was... in de rivier die uit- loopt in het meer Edssjön...'

Reidar vindt een lege wijnfles onder de gootsteen, duwt de bran- dende kaars erin en zet de fles op tafel.

'Ze waren een beetje vreemd... maar we speelden met elkaar en ik ging met ze mee naar huis, het was lente en ik kreeg een appel...'

Het licht in de fles richt zich op in de ruimte en maakt de ramen zwart en ondoorschijnend.

'Ze namen me mee naar de groeve,' vertelt Reidar terwijl de herin- nering bovenkomt. 'Het was verboden om daar te zijn, maar ze hadden een gat in de omheining ontdekt en we speelden er elke avond. Het was spannend, we klauterden op de bergen en rolden door het zand naar beneden...'

Reidar zwijgt.

'Wat wilde je zeggen?'

'Ik heb er niet eerder aan gedacht, maar op een avond hoorde ik ze snel tegen elkaar fluisteren en toen verdwenen ze zomaar... ik rolde naar beneden en wilde net weggaan toen de voorman ineens opdook. Hij hield mijn arm stevig vast en ik schreeuwde... Je kent het wel, hij zou het tegen mijn ouders vertellen en zo... Ik werd doodsbang en zei dat ik niet wist dat het verboden was, dat de jongens hadden gezegd dat we hier mochten spelen... en hij vroeg door over de jongens en ik wees hun huis aan...'

Met de brandende vlam steekt Reidar een tweede kaars aan. Het schijnsel springt heen en weer tussen de muren en het plafond. De geur van kaarsvet verspreidt zich door de keuken.

'Daarna heb ik de tweeling nooit meer gezien,' zegt hij, en hij loopt de keuken uit om Mikael wakker te maken.

172

Saga staat bij de keukentafel van de sterke koffie te drinken en kijkt naar de kaars en de twee spiegelbeelden van de vlam in het dubbele glas van het raam.

Joona was er zo ernstig aan toe, denkt ze. Het drong niet eens tot hem door dat ik zei dat Jurek Walter dood was. Hij bleef maar zeggen dat Walter onderweg was om Mikael op te halen.

Saga draait haar vermoeide lichaam en voelt het gewicht van de Glock 17 tegen haar zij, ze loopt weg bij het raam en luistert of ze iets hoort in het grote huis.

Plotseling verscherpt haar aandacht zich.

Ze doet een paar stappen naar de deuropening, blijft staan en meent een zwak metalig geschraap te horen, als van een hark.

Het kan van alles zijn, een raamdorpel die beweegt in de wind, een tak tegen een raam.

Ze wacht even, loopt dan terug naar de keukentafel, neemt een slok koffie, kijkt op de klok en pakt haar telefoon om de Naald mobiel te bellen.

'Nils Åhlén, forensische geneeskunde,' antwoordt hij na een paar keer overgaan.

'Met Saga Bauer,' zegt ze.

'Goeiemorgen, goeiemorgen.'

Ineens beweegt er koude lucht over de grond, langs Saga's benen. Ze gaat met haar rug tegen de muur staan.

'Heb je al naar het lichaam uit de Söderledstunnel gekeken?' vraagt ze, en ze ziet de vlam van de kaars flakkeren.

'Ja, ik ben hier nu, ze hebben me midden in de nacht opgetrommeld om naar een lichaam te kijken dat...'

Ze ziet het licht weer flakkeren en ze hoort de nasale stem van de

Naald echoën tegen de betegelde wanden van de sectiezaal in het Karolinska-instituut.

'Het lichaam is zwaar toegetakeld door de brand, grote delen zijn opengebarsten en verkoold, ernstige hittekrimp. Het hoofd ontbreekt en zelfs beide...'

'Maar heb je hem kunnen identificeren?'

'Ik ben hier nog maar een kwartier en het gaat nog dagen duren voor ik met een zekere identificatie kan komen.'

'Hm, maar ik vraag me af...'

'Het enige wat ik nu kan zeggen,' gaat de Naald door, 'is dat deze man ongeveer vijfentwintig jaar oud was en dat hij...'

'Het is dus niet Jurek Walter?'

'Jurek Walter? Nee, dit... Dachten jullie dat dit hem was?'

Er klinken snelle voetstappen op de bovenverdieping. Saga kijkt omhoog en ziet de keukenlamp trillen en een slingerende schaduw op het plafond werpen. Ze maakt het pistool in haar schouderholster los en zegt zachtjes in de telefoon: 'Ik ben bij Reidar Frost thuis – je moet me helpen, stuur zo snel mogelijk een ambulance en politie hiernaartoe.'

173

Reidar loopt door de stille kamers op de bovenverdieping. Zijn linkerhand houdt hij om de kaarsvlam heen. Het schijnsel flakkert over muren en meubels en wordt verveelvoudigd in de rijen zwarte ramen.

Hij meent voetstappen achter zich te horen en blijft staan. Hij draait
zich om, maar het enige wat hij ziet zijn de glanzende leren meubels en
de grote boekenkast met de vitrinedeuren.

De deuropening naar de salon waar hij net doorheen is gelopen,
is een zwarte rechthoek. Het is onmogelijk te zien of daar iemand is.
Reidar doet een stap naar voren en in het donker blinkt iets op en verdwijnt weer.

Reidar kijkt weer voor zich, hij ziet de kaars opflikkeren in de ramen
en loopt verder. Het gloeiend hete kaarsvet stroomt over zijn vingers.

De vloer kraakt en een onbehaaglijk gevoel stroomt door zijn lijf als
hij voor Mikaels deur blijft staan.

Hij kijkt om, de gang in, langs de rijen met oude portretten.

De vloer knerpt een beetje onder zijn voetstappen.

Reidar klopt voorzichtig op Mikaels deur, wacht even en doet dan
open.

'Mikael?' vraagt hij de zwarte kamer in.

Reidar houdt de kaars naar voren en schijnt richting bed. De wanden
deinen in het gele licht. Het dekbed is in elkaar gedraaid en hangt over
de rand op het vloerkleed.

Hij loopt verder en kijkt rond, maar Mikael is verdwenen. Reidar
voelt het zweet uitbreken op zijn voorhoofd en bukt om onder het bed
te kijken.

Plotseling ritselt er iets achter zijn rug en hij draait snel rond, waardoor de kaars bijna dooft.

De vlam is klein en trillend blauw voor hij weer opflakkert.

Reidars hart klopt sneller en hij krijgt pijn op zijn borst.

Er is hier niemand.

Hij loopt langzaam door de donkere deuropening, probeert iets te zien.

Vanuit de garderobekast klinkt een schrapend, krakend geluid. Reidar kijkt naar de gesloten deuren, loopt erheen, aarzelt, maar steekt dan zijn hand uit en opent de deur.

Mikael zit in elkaar gedoken achter de kleren.

'De Zandman is er,' fluistert hij en hij kruipt dieper de kast in.

'Het is maar een stroomstoring,' zegt Reidar. 'We moeten...'

'Hij is hier,' fluistert Mikael.

'De Zandman is dood,' zegt Reidar en hij steekt zijn hand uit. 'Begrijp je wat ik zeg? Felicia is gered. Ze wordt beter, ze krijgt medicijnen, net als jij, we gaan er nu heen...'

Door de muren heen klinkt een kreet van een man, gedempt maar dierlijk, alsof hij aan vreselijke pijnen blootstaat.

'Papa...'

Reidar trekt zijn zoon uit de kast. Druppels kaarsvet spatten op de vloer. Het is weer volkomen stil. Wat gebeurt er?

Mikael probeert in elkaar te kruipen, maar zijn vader weet hem op de been te krijgen.

Zweet stroomt over Reidars rug.

Samen verlaten ze de slaapkamer en lopen terug door de gang. Koude lucht stroomt langs de vloer.

'Wacht,' fluistert Reidar als hij de vloer in de salon hoort kraken.

Uit de donkere deuropening verderop komt een tengere man tevoorschijn. Het is Jurek Walter. De ogen in zijn moordlustige gezicht glimmen en het mes in zijn rechterhand glanst hevig.

Reidar loopt achteruit en verliest zijn pantoffels. Hij gooit de kaars naar Walter. De vlam dooft in de lucht en de fles knalt tegen de grond.

Ze keren om en stormen door de gang zonder om te kijken. Het is donker en Mikael rent tegen een stoel op, valt bijna en wankelt tegen de muur, haalt zijn hand over het behang.

Een schilderij valt en het glas breekt – splinters schieten over de vloer.

Ze duwen een zware deur open en struikelen de oude hal naar de vergaderzaal in.

Reidar moet blijven staan, hij hoest en zoekt tastend naar steun. Door de gang komen voetstappen snel dichterbij.

'Papa!'

'Doe de deur dicht, doe de deur dicht,' hijgt hij.

Mikael sluit de stevige eiken deur en draait de sleutel drie keer om. Het volgende moment wordt de deurklink naar beneden geduwd en het deurpost kraakt. Mikael verplaatst zich achterwaarts, met zijn blik op de deur.

'Heb je een telefoon?' vraagt Reidar en hij hoest.

'Die ligt in m'n kamer,' fluistert Mikael.

De pijn in Reidars borst straalt uit naar zijn linkerarm.

'Ik moet rusten,' zegt hij zwak en hij voelt dat zijn benen het bijna begeven.

Walter beukt met zijn schouder – het massieve hout dreunt en kraakt, maar de deur geeft niet mee.

'Hij komt er niet in,' fluistert Reidar. 'Geef me een paar seconden...'

'Papa? Waar is je busje spray?'

Reidar zweet en de druk op zijn borst is zo heftig dat hij amper kan praten.

'In de hal, in mijn jas...'

174

Saga perkt met het pistool de hoeken af en sluipt door de gang naar de trap in de hal.

Ze moet naar Mikael en Reidar toe en zorgen dat ze in de auto komen.

Misschien is de hemel iets lichter geworden, want het is nu mogelijk om de schilderijen aan de muren en de contouren van de meubels te onderscheiden.

De adrenaline in haar lichaam maakt haar ijzingwekkend alert.

Het geluid van haar voetstappen verdwijnt als ze verder loopt over een vloerkleed, voorbij de zwarte vleugel. Vanuit haar ooghoek ziet ze iets glanzen. Ze draait snel haar hoofd en ziet een cello op zijn pin staan.

Het kraakt in de muren, alsof de temperatuur buiten ineens flink gedaald is.

Saga sluipt snel verder, met het wapen naar de grond gericht. Langzaam verplaatst ze haar vinger naar de trekker, knijpt hem behoedzaam voorbij de eerste weerstand.

Midden in een beweging blijft ze staan luisteren. Het is doodstil in huis. De hal recht voor haar is donkerder dan de andere kamers, de dubbele deuren zijn bijna gesloten.

Saga loopt door, maar dan hoort ze een sloffend geluid achter zich. Snel draait ze zich om en ziet sneeuw van het dak van de erker langs het raam naar beneden storten.

Haar hart bonst in haar keel.

Als ze zich weer naar de hal keert ziet ze een hand. Smalle vingers omsluiten de rand van de deur.

Saga richt haar pistool op de deur, klaar om er dwars doorheen te schieten als ze een afschuwelijke kreet hoort.

De hand glijdt naar beneden en verdwijnt, dan klinkt er een bons en de dubbele deuren glijden open.

Er ligt een man op de grond. Eén been schokt in krampen op en neer.

Ze verplaatst zich voorwaarts en ziet dat het Wille Strandberg is, de toneelspeler. Hij hijgt en houdt zijn buik vast.

Grote hoeveelheden bloed borrelen tussen zijn vingers omhoog.

Hij staart Saga verward aan en knippert snel met zijn ogen.

'Ik ben van de politie,' zegt ze en ze hoort de trap naar de bovenverdieping kraken onder het gewicht van een mens. 'De ambulance is onderweg.'

'Hij zit achter Mikael aan,' kreunt de toneelspeler.

175

Mikael fluistert in zichzelf en staart naar de deur die op slot zit, als de sleutel er plotseling uitgewurmd wordt en zacht rinkelend op het parket valt.

Reidar houdt zijn hand tegen zijn pijnlijke borst. Het zweet stroomt over zijn gezicht. Het begint nu echt ondraaglijk te worden. Meerdere keren heeft hij geprobeerd tegen Mikael te zeggen dat hij moet vluchten, maar hij heeft geen stem meer.

'Kun je lopen?' fluistert Mikael.

Reidar knikt en zet een stap. Het slot knarst en Mikael legt de arm van zijn vader over zijn schouder en probeert hem mee te krijgen naar de bibliotheek, de oude vergaderzaal.

Achter hen schraapt het slot.

Ze lopen langzaam voorbij een hoge kast naar de wand met grote wandkleden die zijn opgespannen in houten lijsten.

Reidar stopt weer, hoest en hapt naar adem.

'Wacht,' hijgt hij.

Hij laat zijn vingers langs de rand van het derde wandkleed glijden en opent een geheime deur naar een trap voor de bedienden, die naar de keuken leidt. Ze glippen de krappe gang in en sluiten de deur behoedzaam achter zich.

Reidar zet het palletje weer vast en zoekt dan steun tegen de muur. Hij hoest zo zacht mogelijk en voelt de pijn uitstralen in zijn arm.

'Loop naar beneden,' fluistert hij met gesmoorde stem.

Mikael schudt zijn hoofd en wil net iets zeggen als de deur krakend opengaat.

Het is Jurek Walter.

Ze staan als verlamd als ze hem door het wandkleed van de geheime deur heen zien bewegen.

In elkaar gedoken sluipt hij de zaal in met het lange mes in zijn hand, speurend als een roofdier.

Zijn zachte ademhaling is duidelijk hoorbaar.

Reidar verbijt zich en leunt tegen de muur, de pijn in zijn borst trekt naar zijn kaak.

Jurek Walter is zo dichtbij dat zijn zoetige zweetlucht hen door de stof heen bereikt.

Ze houden allebei hun adem in als Walter de deur passeert en in de richting van de bibliotheek loopt.

Mikael probeert Reidar mee te krijgen naar de smalle trap voordat Walter beseft dat hij misleid is.

Reidar schudt zijn hoofd en Mikael kijkt hem vertwijfeld aan. Reidar onderdrukt een hoest, probeert een stap te doen maar slingert zo dat de vloerplank onder zijn rechtervoet kraakt.

Walter draait zich om, recht naar de geheime deur toe, en zijn lichte ogen worden opmerkelijk kalm als hij doorkrijgt wat hij ziet.

Vanuit de gang klinkt een harde knal en spaanders van de rand van de hoge kast stuiven de lucht in.

Walter glijdt als een schaduw opzij om dekking te zoeken.

Mikael trekt Reidar mee naar de krappe trap richting keuken.

Achter hen komt Berzelius de hal naar de bibliotheek binnen. Hij heeft Reidars oude colt in zijn hand. De wangen van de kleine man zijn rood en hij duwt zijn bril omhoog terwijl hij verder loopt.

'Je laat Micke met rust,' roept hij en hij beent langs de hoge kast.

De dood komt zo snel dat Berzelius vooral verbaasd is. Eerst voelt hij de stevige greep om zijn pols met de revolver en dan een soort wespensteek in zijn zij als het staalharde lemmet tussen zijn ribben door omhoog stoot naar zijn hart.

De pijn is niet bijzonder hevig.

Het is net een aanhoudende kramp, maar als het mes weer uit zijn lichaam glijdt stroomt er enorm veel warm bloed over zijn heup.

Als hij op zijn knieën zakt, merkt hij dat hij zijn urine laat lopen en ineens moet hij denken aan hoe hij zijn vrouw Anna-Karin het hof maakte, lang voor hun scheiding en haar ziekte. Ze had zo verbaasd en gelukkig gekeken toen hij eerder terug was gekomen uit Oslo en *Love me tender* onder haar lage balkon had gezongen, met vier zakken chips in zijn armen.

Berzelius valt opzij, bedenkt dat hij ergens heen moet kruipen om zich te verstoppen, maar een duizelingwekkende vermoeidheid komt als een storm opzetten.

Hij merkt niet eens dat Jurek Walter het mes voor een tweede keer in zijn lichaam stoot. Het lemmet gaat onder een andere hoek naar binnen, dwars door zijn ribben en blijft daar steken.

176

Saga is de brede trap op gelopen en haast zich door de kamers op de bovenverdieping. Er is niemand, ze hoort niemand praten. Tactisch probeert ze elke gevaarlijke hoek af te perken en alle zones veilig te stellen, maar om sneller vooruit te komen moet ze toch steeds een risico nemen.

Ze richt haar wapen eerst op een glanzend leren bank en dan snel op de deuropening, naar links en naar binnen.

In de lange gang met portretten aan de muur ligt een kaars op de grond.

De deur naar een slaapkamer staat wijd open en het dekbed ligt op de grond. Saga loopt snel verder en ziet zichzelf in de raampartij links als een voortjagende schaduw.

Dan klinkt er een luide knal van een handvuurwapen uit een van de zalen verderop. Saga draaft nu met geheven wapen dicht langs de rechterwand.

'Je laat Micke met rust,' roept een man.

Saga rent en springt over een omgevallen stoel en blijft staan voor een gesloten deur.

Behoedzaam drukt ze de klink omlaag en laat de deur openzwaaien.

Het ruikt er onmiskenbaar naar een afgevuurd wapen.

De kamer is donker en stil.

Saga is nu voorzichtiger.

Ze begint het gewicht van het pistool te voelen in haar schouder. Haar vinger op de trekker trilt licht. Ze probeert gelijkmatig te ademen en verplaatst zich naar rechts voor een beter zicht.

Er klinkt een natte bons met een metalige naklank.

Er beweegt iets – een schaduw verdwijnt.

Naast een hoge kast glanzen sporen van uitgelopen bloed.

Ze verplaatst zich voorwaarts en ziet een man met een mes in zijn lijf op de grond liggen. Hij ligt roerloos op zijn zij, met strakke blik en een glimlach om zijn lippen. Haar eerste impuls is op de man af stormen, maar iets weerhoudt haar.

Het is te moeilijk om de kamer te doorgronden.

Ze laat het pistool zakken om haar arm even rust te gunnen, waarna ze het wapen weer heft en nog verder naar rechts loopt.

Een sectie in de wandtapijten staat open. Erachter lijkt een korte gang naar een smalle trap te leiden. Voetstappen en sloffende geluiden komen van beneden en ze richt haar Glock op de opening en gaat erheen.

De deur aan de andere kant van de kamer staat open naar een donkere bibliotheek.

Een zacht gesmak alsof iemand zijn mond bevochtigt.

Ze ziet niets.

Het pistool trilt in haar hand.

De ramen recht voor haar zijn zwart en ze doet een pas naar voren, houdt haar adem in en hoort iemand achter zich ademen.

Saga reageert onmiddellijk en draait zich om. Toch is ze te laat. Een sterke hand omklemt haar keel en ze wordt met enorme kracht tegen de kast in de hoek geslingerd.

Jureks greep rond haar keel is zo hard dat de bloedtoevoer naar haar hersenen wordt onderbroken. Hij kijkt haar volkomen kalm aan en houdt haar stil. Het wordt zwart voor haar ogen en de Glock valt uit haar hand.

Krachteloos probeert Saga zich los te wurmen, en vlak voor ze het bewustzijn verliest hoort ze hem fluisteren: 'Kleine sirene...'

Dan smijt hij haar tegen de kast, haar hoofd slaat tegen de rand en daarna knalt ze met haar slaap tegen de stenen muur. Ze valt op de grond en het draait voor haar ogen. Ze ziet dat Jurek zich over de dode man heen buigt en het mes uit zijn lichaam trekt. Dan wordt alles weer zwart.

177

Ze doen niet zachtjes meer. Mikael ondersteunt zijn vader de trap af naar de smalle gang voor de bedienden. Ze buigen licht naar links, langs de oude kast met het kerstservies, de keuken in.

Reidar moet weer blijven staan, hij kan niet meer en moet gaan liggen. De kramp in zijn borst is niet te harden.

'Je moet vluchten,' hijgt hij en hij hoest zwak. 'Ren, ren naar de grote weg.'

Op de keukentafel brandt de kaars nog met flakkerende vlam. Aan één kant is kaarsvet langs de fles op het linnen tafelkleed gelopen.

'Niet alleen,' zegt Mikael. 'Ik kan het niet...'

Reidar hapt naar adem en loopt verder, hij ziet sterretjes, steunt met zijn hand tegen de muur waardoor het grote schilderij van Cullberg scheef komt te hangen.

Ze lopen door de muziekkamer en Reidar voelt amper grond onder zijn blote voeten.

Er ligt bloed op het parket, maar ze lopen domweg door naar de hal. De voordeur staat open en er is sneeuw naar binnen gewaaid, dwars over het Perzisch tapijt tot onder aan de grote trap.

Mikael rent naar de garderobekast, rukt de jas van zijn vader eruit en vindt de roze nitroglycerinespray. Met bevende handen brengt Reidar de spray naar zijn mond en spuit onder zijn tong, doet een paar passen, blijft staan en spuit nog een keer.

Hij wijst op de schaal aan de andere kant van de hal waar de autosleutels in liggen.

Maar nu klinken er zware voetstappen vanuit de keuken door de zalen. Ze hebben geen tijd te verliezen. Ze stormen de zwarte winterochtend in.

De lucht is snijdend koud.

Op het bordes ligt opgewaaide sneeuw. Mikael heeft sportschoenen aan, maar onder Reidars blote voeten bijt de kou.

De pijn in zijn borst is verdwenen en ze komen sneller vooruit. Samen rennen ze naar Saga's auto op het voorplein.

Reidar rukt aan het portier, kijkt naar binnen en ziet dat de sleutel weg is.

Jurek Walter komt naar buiten en ziet hen in het donker. Hij schudt bloed van het mes en loopt op hen af.

Ze rennen door de sneeuw naar de paardenstal, maar Walter is veel te snel. Reidar blikt over de akkers. Het donkere ijs van de rivier is vaag zichtbaar als een slingerend lint in de sneeuw tot aan de bruisende stroomversnelling.

178

Saga wordt wakker doordat er bloed in haar ogen loopt. Ze knippert en rolt op haar zij. Haar slaap gloeit. Ze heeft verschrikkelijke hoofdpijn, haar keel voelt opgezet en ze heeft moeite met ademen.

Voorzichtig betast ze de wond aan haar slaap en ze kermt van de pijn. Met haar wang tegen de vloer ziet ze haar Glock in het stof onder de grote ladekast bij het raam liggen.

Ze moet haar ogen weer dichtdoen, proberen te begrijpen wat er is gebeurd. Joona had gelijk, denkt ze. Jurek komt Mikael halen.

Ze heeft geen idee hoe lang ze buiten westen is geweest. Het is nog steeds bijna helemaal donker in de kamer.

Ze rolt op haar buik en kreunt.

'O god...'

Moeizaam komt ze op handen en voeten overeind. Haar armen beven onder haar als ze door de bloedplas van de dode man naar de ladekast kruipt.

Ze reikt naar het wapen, maar kan er niet bij.

Saga laat zich zakken, perst zichzelf zo ver mogelijk onder kast, maar kan de Glock alleen met haar vingertoppen aanraken. Het is onmogelijk. Duizeligheid maakt dat de hele kamer zich met heftige bewegingen een kwartslag draait en ze moet haar ogen weer dichtdoen.

Plotseling ziet ze licht door haar gesloten ogen. Ze kijkt en ziet een wonderlijk wit schijnsel. Het springt trillend over het plafond. Ze draait haar hoofd en ziet dat het uit het park komt en schittert in de ijskristallen aan de buitenkant van het raam.

Saga dwingt zichzelf om op te staan, ze zoekt steun tegen de ladekast en komt hijgend overeind. Uit haar mond loopt een sliert slijmerig bloed. Ze kijkt door het raam naar buiten en ziet David Sylwan rennen met een brandende noodfakkel in zijn hand. Het felle licht verspreidt zich rondom hem in een flakkerende cirkel.

Verder is alles zwart buiten.

David ploetert door de diepe sneeuw bij het huis vandaan. Hij houdt de fakkel voor zich en het schijnsel bereikt met kleine schokjes de stal.

Op dat moment ziet Saga Jureks rug en het mes in zijn hand.

Ze bonst op het raam en probeert de haken los te krijgen. Ze rukt en trekt, maar ze zijn vastgeroest en er zit geen beweging in.

179

Met ijskoude vingers probeert Reidar het combinatieslot van de staldeur open te krijgen. De wieltjes met cijfers werken traag. Zijn vingertoppen blijven vastzitten aan het koude metaal. Mikael fluistert dat hij op moet schieten.

'Schiet op, papa, schiet op...'

Walter ploegt met het mes in zijn hand door de sneeuw. Reidar blaast op zijn vingers en het lukt hem het laatste cijfer in te stellen. Hij maakt het slot los, klapt de beugel weg en probeert de deur open te trekken.

Er ligt te veel sneeuw op de grond.

Hij rukt aan de deur en hoort de paarden in hun boxen bewegen. Ze briesen dof en stampen in het donker.

'Kom mee, papa,' roept Mikael en hij trekt aan zijn vader.

Reidar weet de deur nog een stukje open te krijgen, kijkt om en ziet Jurek Walter met flinke passen dichterbij komen.

Met een routineus gebaar strijkt hij met het mes langs zijn broekspijp.

Het is te laat om weg te rennen.

Reidar steekt zijn handen voor zich uit om zichzelf te beschermen, maar Walter grijpt hem bij zijn keel en duwt hem achteruit, tegen de wand van de stal.

'Sorry,' stamelt Reidar. 'Het spijt me dat...'

Walter ramt het mes krachtig dwars door Reidars schouder en spietst hem aan de wand. Reidar schreeuwt het uit van de pijn en het wordt zwart voor zijn ogen. De paarden hinniken onrustig en hun zware lichamen stoten tegen de scheidingswanden van de boxen.

Reidar zit vast. De pijn snijdt door zijn schouder. Elke seconde is onhoudbaar. Hij voelt warm bloed langs zijn arm en hand stromen.

Mikael probeert zich de stal in te persen, maar Walter haalt hem in. Hij grijpt de jongen van achteren bij zijn haar, trekt hem naar buiten en geeft hem een harde klap op zijn wang waardoor hij languit in de sneeuw valt.

'Nee, nee,' hijgt Reidar en hij ziet lichtschijnsel dichterbij komen uit de richting van het landhuis.

Het is David die met een noodfakkel in zijn hand komt aangerend. De fakkel brandt knetterend met een wit schijnsel.

'De traumaheli is onderweg,' roept hij, maar hij stokt als hij ziet dat Jurek Walter zich naar hem omdraait.

180

Saga rukt aan de ladekast en trekt hem een paar centimeter van de muur af. Haar hoofd doet zeer en ze is nog steeds vreselijk duizelig. Ze spuugt bloed, bukt zich, grijpt de onderkant met beide handen vast en met een brul kiepert ze de kast om. Het gevaarte kantelt, knalt tegen de vloer en rolt om.

Snel pakt ze haar pistool en slaat met de kolf een ruit in. Glas klettert op de grond en valt rinkelend over het raamkozijn naar buiten.

Ze knippert met haar ogen en ziet in het donker een lichtschijnsel over de sneeuw flakkeren. Het ziet eruit als een witte kwal diep onder water. Jurek loopt op de man met de noodfakkel af. De man deinst achteruit, probeert met de brandende fakkel te slaan, maar Jurek is te snel, hij weet de arm van de man te grijpen en breekt hem.

Saga slaat de resten van het glas uit de onderkant van de sponning.

Jurek is als een leeuw in de weer met zijn prooi, hij beweegt zich effectief en snel, slaat de man op zijn keel en nieren.

Saga tilt haar pistool omhoog, probeert het bloed uit haar ogen te knipperen om te kunnen zien.

De man ligt op zijn rug in de sneeuw en zijn lichaam schokt. De fakkel naast hem brandt fel.

Op het moment dat Saga vuurt, glijdt Jurek net opzij. Hij verdwijnt uit het licht de duisternis in.

De noodfakkel verlicht een cirkel van witte sneeuw. De man houdt op met bewegen en ligt er roerloos bij. Van de rode stal ziet ze een enkele glimp. Voor de rest is alles donker.

181

Reidar haalt hijgend adem. Hij zit aan de muur gespietst. De pijn van het mes is immens. Het is net alsof de brandende wond het enige is wat bestaat. Warm bloed loopt dampend langs zijn lichaam.

Vlak na het schot ziet hij Walter verdwijnen. David ligt roerloos in de sneeuw. Het is lastig uit te maken hoe ernstig hij gewond is.

In het oosten is de hemel iets lichter aan het worden en Reidar ziet Saga Bauer achter een raam op de bovenverdieping.

Zij heeft geschoten, en gemist.

Reidar ademt veel te snel, zijn hart jaagt en hij begrijpt dat hij bezig is in shock te raken door bloedverlies.

Mikael hoest, houdt een hand tegen zijn oor en staat wankelend op.

'Papa...'

Meer kan hij niet uitbrengen voordat Walter bij hem terug is, hem tegen de grond slaat, zijn been grijpt en hem de duisternis in sleept.

'Mikael,' schreeuwt Reidar.

Walter sleurt zijn zoon mee door de sneeuw. Mikael zoekt houvast met zijn handen in een poging zichzelf tegen te houden. Ze verdwijnen langs de vijver naar de stroomversnelling, Reidar ziet nu alleen nog hun contouren.

Jurek Walter is hierheen gekomen om Mikael terug te halen, denkt hij verbaasd.

Het is nog te donker voor Saga om de figuren vanuit het raam te kunnen onderscheiden.

Reidar brult het uit als hij het heft van het mes vastpakt en trekt. Het zit vast. Hij trekt nog een keer en duwt het mes schuin naar beneden waardoor het in zijn vlees snijdt, om zo een betere hoek te krijgen.

Warm bloed stroomt over het heft en zijn vingers.

Hij schreeuwt en trekt weer en eindelijk laat het lemmet los uit de wand. Het mes glijdt uit Reidars schouder en hij valt voorover in de sneeuw. Het doet zo'n pijn dat hij huilt, terwijl hij kruipend overeind probeert te komen.

'Mikael!'

Hij strompelt naar de brandende fakkel in de sneeuw, raapt hem op en voelt de prikjes van vonken op zijn hand. Hij valt bijna maar weet zijn evenwicht te herstellen. Hij kijkt in de richting van het open water bij de stroomversnelling en ziet vagelijk Walters silhouet op de sneeuw. Reidar loopt achter hen aan, maar hij heeft geen kracht meer. Hij weet dat Walter van plan is Mikael het bos in te slepen en voor altijd met hem te verdwijnen.

182

Saga richt haar pistool door het raam naar buiten en ziet Reidar Frost in het lichtschijnsel. Hij houdt de noodfakkel vast, bloedt stroomt langs zijn lichaam, hij wankelt, lijkt te vallen maar gooit dan de fakkel weg.

Saga veegt bloed uit haar wenkbrauwen en ziet het lichtschijnsel roterend in een hoge boog door de duisternis vliegen, ze volgt de vlam met haar blik en ziet hem landen in de sneeuw. In het witte schijnsel kan ze Jurek Walter duidelijk onderscheiden. Hij sleept Mikael mee. Ze zijn meer dan honderd meter van haar verwijderd.

Het is ver, maar Saga zoekt steun tegen de raamsponning en richt.

Jurek loop weg. Het vizier trilt voor haar ogen. De zwarte gestalte zwaait heen en weer in de schootslijn.

Saga probeert het wapen stil te houden. Ze ademt langzaam, knijpt de trekker voorbij de eerste weerstand, ziet Jureks hoofd wegglijden.

De scherpte verdwijnt voortdurend en ze knippert snel met haar ogen.

Het volgende moment is de hoek beter en ze knijpt drie keer in de trekker terwijl het vizier zich in een ietwat neergaande reeks beweegt.

De harde, korte knallen echoën tussen het landhuis en de stal.

Saga ziet net dat in elk geval een van de kogels Jureks hals raakt. Het bloed spuit eruit en blijft in het felle, witte licht als een rode nevel voor hem hangen.

Ze schiet meerdere keren en ziet dat hij Mikael loslaat, ziet hem vallen in het donker en verdwijnen.

Saga loopt achteruit weg bij het raam, draait zich om en rent de geheime deur door.

Ze vliegt de trappen af. Het pistool in haar hand slaat rinkelend tegen de spijlen. Ze bereikt de keuken, rent door de zalen en door de grote hal naar buiten, de sneeuw in. Hijgend en met geheven pistool nadert ze het lichtschijnsel. Verderop ziet ze het zwarte water van de stroomversnelling glanzen als een metalige barst in het witte landschap.

Ze ploetert door de diepe sneeuw en probeert iets te zien in het donker, in de richting van het bos.

Het licht van de fakkel is zwakker, zo meteen zal het doven. Mikael ligt op zijn zij in de sneeuw te hijgen. Aan de rand van het flikkerende schijnsel zijn bloedspatten te zien, maar er ligt geen lichaam.

'Jurek,' fluistert ze terwijl ze het lichtschijnsel in loopt, en dan ziet ze zijn sporen in de sneeuw.

Saga's hoofd doet verschrikkelijk zeer, maar ze pakt de fakkel, tilt hem hoog op en gaat verder. Het schijnsel flakkert voor haar uit. Schaduw en licht vallen over de sneeuw en plotseling ziet ze vanuit haar ooghoek een beweging.

Jurek komt overeind en ploetert verder.

Saga schiet voordat ze ook maar kan richten. De kogel gaat dwars door zijn bovenarm en hij wankelt opzij, valt bijna en zet een paar passen op de steile helling naar de stroomversnelling.

Saga volgt hem met geheven fakkel. Ze ziet hem weer, richt en schiet drie keer in zijn borst.

Jurek slaat achterover, recht over de verijsde rand in het zwarte water van de stroomversnelling. Saga schiet terwijl hij valt en schampt zijn wang en oor.

Hij wordt meegezogen in het water, ze rent erheen en weet hem nog in zijn voet te schieten voordat hij verdwijnt. Saga verwisselt het magazijn, glibbert over de steile helling, valt en slaat met haar rug tegen de grond, belandt onder de sneeuw, krabbelt overeind en schiet in het zwarte water. Ze schijnt met de fakkel over de wervelingen van de stroomversnelling. Het licht dringt door het oppervlak heen, voorbij draaiende belletjes naar de donkerbruine bodem. Iets groots tuimelt rond en plotseling ziet ze een glimp van het rimpelige gezicht tussen stenen en zwaaiende waterplanten.

Saga schiet nog een keer en een wolk van bloed verspreidt zich in het donkere water. Ze richt en blijft schieten, haalt het magazijn eruit, drukt er een nieuw in en schiet weer. Het mondingsvuur weerkaatst in het voortjagende water. Ze loopt stroomafwaarts langs de rand en blijft schieten tot haar kogels op zijn en het lichaam van Jurek Walter onder het ijs verdwijnt op de plek waar de stroomversnelling breder wordt.

Hijgend blijft Saga langs de kant staan terwijl de fakkel opbrandt en er een smeulende rode gloed overblijft.

Ze staart in het water terwijl de tranen over haar wangen stromen als bij een vermoeid kind.

De eerste zonnestralen komen net boven de boomtoppen uit en warm ochtendlicht stroomt over het fonkelende sneeuwlandschap. Het knetterende geluid van een helikopter komt dichterbij en Saga begrijpt dat het eindelijk voorbij is.

183

Saga kwam met de ambulance aan in het Danderyds-ziekenhuis, werd onderzocht en opgenomen. Ze lag een tijdje in bed, maar verliet het ziekenhuis in een taxi voor ze haar konden behandelen.

Nu strompelt ze door de gang van het Karolinska-ziekenhuis, waar Mikael en Reidar met de traumaheli naartoe zijn gebracht. Haar kleren zijn vuil en nat, haar gezicht is streperig van het bloed en in haar ene oor piept een hoge toon.

Reidar en zijn zoon bevinden zich nog op de spoedeisende hulp. Ze opent de deur en ziet de schrijver op een operatietafel liggen.

Mikael staat naast hem en houdt zijn hand vast.

Reidar zegt keer op keer tegen de verpleegkundige dat hij zijn dochter moet zien.

Als hij Saga in het oog krijgt, zwijgt hij abrupt.

Mikael pakt een paar schone kompressen van het karretje en geeft ze aan haar. Hij wijst naar haar voorhoofd, waar bloed uit een zwarte snee in haar wenkbrauw loopt.

Er komt een verpleegkundige naar Saga toe, hij bekijkt haar en vraagt haar mee te komen voor onderzoek.

'Ik ben van de politie,' zegt Saga en ze zoekt haar legitimatie.

'Je hebt hulp nodig,' probeert de verpleegkundige, maar Saga valt hem in de rede en vraagt om hen naar de kamer van Felicia Kohler-Frost op de afdeling infectieziekten te brengen.

'Ik moet haar zien,' zegt ze ernstig.

De verpleegkundige belt, krijgt toestemming en rijdt Reidars bed naar de lift.

De wielen van het bed rollen zacht knarsend over het lichte zeil.

Saga loopt mee en voelt hoe de brok in haar keel haar ademhaling bemoeilijkt.

Reidar ligt met gesloten ogen en Mikael loopt naast het bed om zijn vaders hand vast te houden.

Een jonge verpleegkundige wacht hen op en brengt hen naar een behandelkamer met gedempt licht.

Het enige wat je hoort is het langzame sissen en tikken van machines die de hartslag, ademhalingsfrequentie, zuurstofgehalte in het bloed meten en een ecg maken.

In bed ligt een erg breekbare vrouw. Het lange, donkere haar waaiert breed uit over het kussen en de schouders. Haar ogen zijn gesloten en haar smalle handen rusten langs haar lichaam.

Ze ademt snel en op haar gezicht parelen zweetdruppeltjes.

'Felicia,' fluistert Reidar en hij steekt zijn hand naar haar uit.

Mikael legt zijn wang tegen de hare en fluistert glimlachend iets tegen haar.

Saga staat achter hen en staart naar Felicia, het opgesloten meisje dat uit het duister is gered.

EPILOOG

Twee dagen later loopt Saga Bauer door het Rådhuspark naar het hoofdkwartier van de veiligheidsdienst Säpo. Vogels kwetteren in de struiken en de besneeuwde bomen.

Het haar op haar hoofd groeit weer aan. Ze heeft twaalf hechtingen in haar slaap en vijf in haar linkerwenkbrauw.

Gisteren belde haar baas Verner Zandén om te zeggen dat ze vanmorgen om acht uur op zijn kamer moest aantreden om de eremedaille van de veiligheidsdienst in ontvangst te nemen.

De plechtigheid bevreemdt haar. Er zijn drie mensen gestorven op het landgoed Råcksta en het lichaam van Jurek Walter is diep onder het ijs geraakt en weggedreven naar het meer.

Voor ze uit het ziekenhuis werd ontslagen, heeft ze Joona opgezocht. Hij lag met afwezige blik in bed en antwoordde geduldig toen ze vroeg waarom Jurek Walter en zijn broer deden wat ze hebben gedaan.

Joona lag te bibberen alsof hij nog steeds onderkoeld was terwijl hij langzaam uitlegde wat er allemaal achter zat.

In 1960 is Vadim Levanov met zijn zoons Igor en Roman uit Leninsk gevlucht na het catastrofale ongeluk waarbij een intercontinentale raket op het lanceerplatform explodeerde. Via velerlei omwegen belandde hij in Zweden, kreeg een werkvergunning en werkte in de grote grindgroeve in Rotebro. In het geheim had hij zijn kinderen bij zich in de gastarbeiderswoning, 's avonds onderwees hij ze en overdag hield hij ze verborgen. Vader Levanov hoopte Zweeds staatsburger te worden en zo een nieuwe kans in het leven te krijgen voor zichzelf en zijn kinderen.

Joona had om een glas warm water gevraagd en toen Saga zich naar hem toe boog om hem te helpen drinken, voelde ze dat hij rilde alsof hij het koud had, hoewel zijn lichaam gloeide.

Saga denkt eraan terug dat Reidar vertelde hoe hij de tweeling bij het meer Edssjön had ontmoet en met ze had gespeeld. De tweeling had hem meegenomen naar de groeve en hoewel het verboden was, speelden ze in de enorme bergen gezeefd zand. Op een avond werd Reidar door de voorman op het terrein gesnapt. Hij was zo bang voor straf dat hij de oudere jongens de schuld gaf en hun huis aanwees.

De tweeling kwam in handen van de kinderbescherming en aangezien ze in geen enkel Zweeds register voorkwamen, werd de zaak doorgeschoven naar de vreemdelingendienst.

Joona vroeg een verpleegkundige om zo'n verwarmde deken en vertelde Saga dat tweelingbroer Igor indertijd longontsteking had en in het ziekenhuis lag, terwijl Roman werd teruggestuurd naar Kazachstan. Aangezien hij daar geen familie had, kwam hij in een kindertehuis in Pavlodar terecht.

Vanaf zijn dertiende werkte hij op de aken in de rivier de Irtysj en tijdens de onrust die ontstond na de destalinisatie werd hij onder dwang gerekruteerd door een Tsjetsjeense militiegroep. Ze namen de vijftienjarige jongen mee naar een buitenwijk van Grozny en maakten een soldaat van hem.

'De broers kwamen in verschillende landen terecht,' zei Joona zacht.

'Jezus, dat is echt niet normaal,' fluisterde Saga.

Zweden had in die tijd geen standaardprotocol voor vluchtelingenopvang. Er werden fouten gemaakt en zodra Igor aan de beterende hand was van zijn longontsteking werd hij naar Rusland gestuurd. Hij kwam in kindertehuis Internaat 67 terecht, in de wijk Koezminki in Zuidoost-Moskou en kreeg het stempel debiel doordat hij vanwege zijn ziekte achtergebleven was in zijn ontwikkeling. Toen Roman na vele jaren als soldaat Tsjetsjenië ontvluchtte en erin slaagde Igor op te sporen, trof hij hem volledig gebroken aan in de psychiatrische Serbski kliniek.

Saga is zo in gedachten verzonken over de tweelingbroers dat ze niet merkt dat Corinne Meilleroux tegelijk met haar bij de veiligheidsdeuren van het hoofdkwartier aankomt. Ze botsen bijna tegen elkaar op. Corinnes dikke haar is opgestoken en ze draagt een zwarte trenchcoat en laarzen met hoge hakken. Saga is zich bij wijze van uitzondering bewust van haar eigen kleren. Misschien had ze deze keer toch iets anders moeten aantrekken dan haar gebruikelijke spijkerbroek en gevoerde parka.

'Heel erg indrukwekkend,' zegt Corinne glimlachend, en ze omhelst Saga.

Saga en Corinne stappen uit de lift en lopen naast elkaar door de gang naar het grote kantoor van de baas. Nathan Pollock, Carlos Eliasson en Verner Zandén zijn er al. Op tafel staan een fles Taittinger en vijf champagneglazen.

De deur gaat dicht en Saga geeft de drie mannen een hand.

'We beginnen met een minuut stilte ter nagedachtenis van Samuel Mendel en zijn gezin en alle andere slachtoffers,' zegt Carlos.

Saga buigt haar hoofd en heeft moeite haar blik te focussen. Ze ziet de eerste beelden voor zich van de politie-inzet op het industrieterrein waar vroeger de oude cementfabriek lag. Tegen de ochtend had iedereen begrepen dat er geen levende slachtoffers meer gevonden zouden worden. In de modderige sneeuw plaatsten de technisch rechercheurs bordjes met cijfers bij veertien verschillende graven. De zoons van Samuel Mendel lagen aan elkaar gebonden in een schacht met alleen een stuk golfplaat eroverheen. Het stoffelijk overschot van Rebecka lag tien meter verderop begraven in een ton met een plastic luchtpijp.

De stemmen verdrinken in Saga's oorsuizen en ze doet haar ogen dicht in een poging ze te verstaan.

De getraumatiseerde tweeling ging naar Polen, waar Roman een man vermoordde, zijn paspoort afpakte en Jurek Walter werd. Samen namen ze een veerboot van Świnoujście naar Ystad en trokken Zweden in.

Als mannen van middelbare leeftijd keerden de broers terug naar de plek waar ze van hun vader werden gescheiden, naar woning 4 van de barakken voor gastarbeiders in de grindgroeve van Rotebro.

De vader had tientallen jaren lang geprobeerd de jongens op te sporen, maar hij kon niet terug naar Rusland omdat hij dan in de goelag zou belanden. Hij had honderden brieven geschreven om zijn kinderen te vinden en gewacht op hun terugkomst, maar slechts een jaar voordat de broers naar Zweden zouden terugkeren, had de oude man het opgegeven en zich verhangen in de kelder.

Voor Saga het ziekenhuis verliet had Joona zijn ogen gesloten en geprobeerd rechtop te gaan zitten om haar te vertellen dat de zelfmoord van zijn vader het laatste restje ziel in Jurek Walter had weggeblazen.

'Hij begon zijn cirkel van bloed en wraak te trekken,' zei Joona bijna geluidloos.

Iedereen die schuldig was aan het feit dat hun gezin uit elkaar werd gerukt, zou hetzelfde lot ondergaan. Walter zou hun hun kinderen afnemen, hun kleinkinderen, vrouwen, zussen en broers. De schuldigen zouden net zo eenzaam achterblijven als zijn vader in de grindgroeve, ze zouden jaar in, jaar uit wachten, en pas als ze zich van het leven hadden beroofd mochten degenen die nog leefden terugkeren.

Daarom doodden ze hun gevangenen niet – niet zij werden gestraft, maar degenen die achterbleven. In afwachting van de zelfmoord van de achterblijver werden de gevangenen in kisten of tonnen met luchtpijpen geplaatst. De meesten stierven na een paar dagen, maar een enkeling leefde nog jaren.

De lichamen die in het Lill-Jansskogen en in de buurt van het oude industrieterrein Albano werden gevonden, wierpen een duidelijk licht op de gruwelijke wraak van Jurek Walter. Hij volgde een volstrekt logisch plan, daarom kwam zijn handelwijze niet overeen met die van andere seriemoordenaars, daarom leek de keuze van zijn slachtoffers zo bizar.

Het zal de politie nog veel tijd gaan kosten om alles in kaart te brengen, maar nu al is duidelijk wie de slachtoffers waren. Walter had iedereen opgespoord die ooit betrokken was bij het uit elkaar halen van het gezin. Van Reidar Frost, die de aanwezigheid van de jongens verried tegenover de voorman, de verantwoordelijken bij de kinderbescherming tot de dienstdoende ambtenaren en beslissingsbevoegden bij de vreemdelingendienst.

Saga denkt aan Jeremy Magnusson, die als jonge man de zaak van de tweeling bij de vreemdelingendienst behandelde. Jurek nam zijn vrouw en zoon en kleinzoon en tot slot zijn dochter Agneta weg. Toen Jeremy zich uiteindelijk ophing in zijn jachthut ging Jurek naar het graf waarin Agneta nog leefde om haar eruit te halen.

Saga herhaalt voor zichzelf dat Jurek haar daadwerkelijk heeft op-gegraven, precies zoals hij tegen Joona had gezegd. Hij had de kist ge-opend, bij het graf gezeten en haar doelloze bewegingen gadegeslagen. Ze was immers een soort versie van hem in deze cirkel, een kind dat zou terugkeren naar niets.

Joona vertelde dat Igor geestelijk zo gebroken was dat hij tussen de oude spullen van zijn vader in de verlaten gastarbeiderswoning leefde. Hij deed alles wat zijn broer hem opdroeg, leerde omgaan met narco-semiddelen en hielp mensen te ontvoeren en graven te verzorgen. De schuilkelder die zijn vader had gebouwd voor het geval er een kernoor-log zou uitbreken, veranderde in een soort tussenstation in afwachting van plaatsing in een graf.

Saga schrikt op uit haar gedachten als haar baas tegen een glas tikt en om stilte verzoekt. Met grote ernst haalt hij een blauw doosje uit een kluis, opent het met een klikje en haalt er een gouden medaille uit.

Een omkranste ster aan een blauw met geel lintje.

Onverwacht trekt Saga's hart zich even samen als ze Verners bulde-rende stem hoort zeggen dat ze buitengewone moed, dapperheid en intelligentie heeft betoond.

De kamer is gevuld met ingetogen plechtigheid.

Carlos' ogen glanzen en Nathan glimlacht met ernstige blik naar haar.

Saga doet een stap naar voren en Verner speldt haar de medaille op.

Corinne begint te klappen en lacht breed naar haar. Carlos laat de champagnekurk tegen het plafond knallen.

Saga proost met iedereen en neemt hun felicitaties in ontvangst. Haar gehoor wordt af en toe onderbroken door een fluitend oorsuizen.

'Wat ga je nu doen?' vraagt Nathan.

'Ik zit in de ziektewet, maar... geen idee eigenlijk.'

Ze bedenkt dat ze onmogelijk alleen thuis kan gaan zitten in haar stoffige appartement met verlepte planten, schuldgevoelens en herin-neringen.

'Saga Bauer, je hebt iets groots voor je land gedaan,' zegt Verner, en hij legt vervolgens uit dat hij haar medaille helaas in de kluis zal moeten

bewaren, aangezien de opdracht geheim was en al uit alle registers ge-
schrapt is.

Zakelijk haalt hij Saga's medaille weer van haar borst, legt hem behoedzaam in het doosje en sluit de deur van de kluis zorgvuldig.

Als Saga vanuit de metro de sneeuwstorm in stapt, schijnt de zon door een nevelige hemel. De littekens op haar voorhoofd trekken en ze wordt overvallen door een gevoel van sterfelijkheid.

Nadat Jurek Walter was opgepakt, belandden Samuel Mendel en Joona Linna op zijn wraaklijst. Zijn tweelingbroer nam Samuels gezin gevangen en zat Summa en Lumi op de hielen, toen zij omkwamen bij een auto-ongeluk.

De enige verklaarbare reden dat Mikael en Felicia al die tijd in de capsule bleven, is dat Walter geen gelegenheid meer had gekregen om zijn broer opdracht te geven ze te begraven. Terwijl het gezin van Samuel Mendel werd begraven, bleven Mikael en Felicia gevangenen in al die jaren dat Walter geïsoleerd op de beveiligde eenheid zat. In afwachting van orders van Walter gaf zijn broer hun zijn etensresten en zorgde hij ervoor dat ze niet konden ontsnappen.

Waarschijnlijk had Jurek Walter niet voorzien hoe streng het vonnis van het gerechtshof zou uitvallen.

Voor onbepaalde tijd en zonder contact met de buitenwereld belandde hij in gesloten bewaring in het Löwenströmska-ziekenhuis.

Jurek Walter wachtte zijn tijd af, en terwijl de jaren verstreken bedacht hij een plan. De broers hadden blijkbaar allebei het een en ander geprobeerd, toen Susanne Hjälm besloot Walter een brief van een advocaat toe te spelen. Wat er in die versleutelde brief stond zal nooit duidelijk worden, maar veel wijst erop dat Walters broer simpelweg verslag heeft gedaan van de situatie waarin Joona Linna verkeerde.

Walter moest vrij zien te komen en besefte dat er een mogelijkheid bestond om een bres in zijn isolatie te slaan als hij een brief naar de postbus wist te sturen die de broers weleens gebruikten om met elkaar te communiceren.

De tweeling had van hun vader geleerd hoe ze informatie konden versleutelen en Walter slaagde erin zijn brief op een verzoek om juridische bijstand te laten lijken. Maar in feite was het een order om Mikael vrij te laten. Walter wist dat dit Joona Linna ter ore zou komen en dat de politie contact met hem zou opnemen om Felicia te vinden. Hij wist niet in welke vorm het zou gebeuren, maar hij wist zeker dat het hem de kans zou geven waar hij op had gewacht.

Aangezien niemand had geprobeerd met hem te onderhandelen om het meisje te bevrijden, begreep hij dat een van de nieuwe patiënten een agent was, en toen Saga Bernie Larsson probeerde te redden, wist hij zeker dat zij het was.

Walter had de jonge arts Anders Rönn geobserveerd, hem zijn bevoegdheden zien overtreden en hem zien genieten van zijn macht op de isoleerafdeling.

Toen Walter zijn onverhulde fascinatie voor Saga van zijn gezicht had afgelezen, wist hij hoe de ontsnapping gerealiseerd kon worden. Het enige wat hij hoefde te doen was de jonge arts met sleutels en toegangspasje bij Saga naar binnen lokken. Hij wist dat de arts de schone slaapster niet zou kunnen weerstaan. Walter was nachtenlang bezig met het natmaken van wc-papier en het op zijn gezicht te laten drogen en er een hoofd van te vormen dat de suggestie zou wekken dat hij in zijn bed lag te slapen.

Saga blijft in de koude wind voor de bakkerij in de Sankt Paulsgatan staan, maar weet niet of ze het op kan brengen naar binnen te gaan.

Joona zei dat Jurek Walter tegen iedereen loog, denkt ze. Hij luisterde en wat hij te weten kwam combineerde hij in zijn voordeel, hij mengde leugens met waarheden om de leugens sterker te maken.

Saga draait zich om en loopt door het parkje Mariatorget naar de Hornsgatan. Sneeuw wervelt op en ze loopt als in een tunnel van verdriet, een eenzaamheid die hoort bij het winterse licht en de herinnering aan zichzelf als klein meisje.

Ze wilde haar moeder niet doden, dat weet ze, het was niet de bedoeling.

Saga loopt langzaam door en denkt aan haar vader, Lars-Erik Bauer. Cardioloog in het Sankt Görans-ziekenhuis. Ze heeft hem niet echt meer gesproken sinds ze dertien was. Toch wist Jurek Walter haar zich te laten herinneren dat haar vader de schommel duwde toen ze klein was, thuis bij oma en opa, voordat haar moeder ziek werd...

Plotseling blijft ze staan en krijgt kippenvel in haar nek en op haar armen.

Een man die een klein meisje op een slee trekt passeert haar met een schrapend geluid.

Saga denkt eraan dat Jurek Walter tegen iedereen loog.

Waarom denkt ze dan dat hij tegen haar de waarheid sprak?

Saga gaat op een besneeuwd bankje zitten, haalt haar mobieltje uit haar zak en belt de Naald.

'Nils Åhlén, forensische geneeskunde.'

'Hallo, met Saga Bauer,' zegt ze. 'Ik zou graag...'

'Het lijk is geïdentificeerd,' valt de Naald haar in de rede. 'Hij heet Anders Rönn.'

'Dat wilde ik niet vragen.'

'Wat dan?'

Het wordt stil en Saga ziet de sneeuw opwaaien van het standbeeld van Thor die zijn hamer heft naar de Midgårdslang, en ineens hoort ze zichzelf vragen: 'Hoeveel tabletten codeïne zijn er nodig om iemand te laten sterven?'

'Een kind of een volwassene?' vraagt de Naald zonder enige verbazing te tonen.

'Een volwassene,' antwoordt Saga en ze slikt hard.

Ze hoort de Naald door zijn neus ademen en dan een kort geratel op het toetsenbord.

'Een beetje afhankelijk van lichaamsgewicht en tolerantie... maar tussen de vijfendertig en vijfenveertig tabletten zou dodelijk moeten zijn.'

'Vijfenveertig?' vraagt Saga, en ze grijpt naar haar oor als dat begint te piepen. 'Maar als ze er maar dertien heeft gehad, kan ze dan doodgaan? Kan ze sterven van dertien tabletten?'

'Nee, dat kan niet, ze valt in slaap en wordt wakker met...'

'Dan heeft ze de rest zelf genomen,' fluistert Saga en ze komt wankel overeind.

Ze voelt tranen van opluchting opwellen. Jurek was een leugenaar, hij verwoestte mensen met zijn leugens, dat was alles.

Heel haar leven had ze haar vader gehaat omdat hij hen in de steek liet. Omdat hij niet kwam, omdat hij haar moeder dood liet gaan.

Ze moet achter de waarheid zien te komen. Er zit niks anders op.

Ze belt nummerinformatie en vraagt om te worden doorverbonden met Lars-Erik Bauer in Enskede.

Langzaam loopt ze door het parkje terwijl de telefoon overgaat.

'Met Pellerina,' zegt een kinderstem.

Saga valt stil en klikt het gesprek zonder iets te zeggen weg. Ze blijft staan en kijkt naar de witte hemel boven de Sankt Pauls-kerk.

'Shit,' mompelt ze en ze belt het nummer nog een keer.

Saga wacht in de sneeuw tot de kinderstem opnieuw opneemt.

'Dag Pellerina,' zegt ze beheerst. 'Ik wil graag je vader spreken.'

'Wie kan ik zeggen dat het is?' vraagt het meisje veel te volwassen.

'Saga,' fluistert ze.

'Ik heb een grote zus die Saga heet,' zegt Pellerina. 'Maar ik heb haar nog nooit gezien.'

Saga kan geen antwoord geven. Ze heeft een brok in haar keel. Ze hoort Pellerina de hoorn aan iemand anders geven en zeggen dat Saga hem wil spreken.

'Met Lars-Erik,' zegt een bekende stem.

Saga haalt diep adem en bedenkt het overal te laat voor is, behalve voor de waarheid.

'Papa, ik moet je iets vragen.... toen mama stierf... waren jullie toen getrouwd?'

'Nee,' antwoordt hij. 'We waren twee jaar daarvoor gescheiden, toen jij vijf was. Ik mocht je niet zien van haar. Ik had een advocaat in de arm genomen om...'

Hij zwijgt en Saga sluit haar ogen en probeert niet te beven.

'Mama zei dat je ons in de steek had gelaten,' zegt ze. 'Dat je haar ziekte niet aankon en dat je mij niet wilde.'

'Maj was ziek, ze was psychisch ziek, een bipolaire stoornis en... het spijt me dat je in zo'n moeilijke situatie zat.'

'Ik heb je die avond gebeld,' zegt ze kleintjes.

'Ja,' zucht haar vader. 'Je moeder dwong je om mij te bellen... Zelf belde ze de hele nacht door, wel dertig keer, als het niet meer was.'

'Dat wist ik niet.'

'Waar zit je? Zeg waar je bent, Saga. Ik kan je komen halen en...'

'Bedankt, papa, maar... Ik moet naar een vriend toe.'

'En daarna?' vraagt hij.

'Ik bel wel.'

'Doe dat, Saga, alsjeblieft, doe dat,' zegt hij.

Ze knikt en loopt dan door de sneeuwstorm naar de Hornsgatan en houdt een taxi aan.

Saga wacht bij de receptie van het Karolinska-ziekenhuis. Joona Linna ligt niet meer op de intensive care, maar is overgeplaatst naar een kleinere kamer. Ze loopt naar de liften en denkt aan Joona's gezicht na de dood van Disa.

Het enige wat hij haar de vorige keer dat ze hem bezocht vroeg, was Walters dode lichaam te vinden en het aan hem te laten zien.

Ze weet dat ze Jurek Walter heeft gedood, maar ze moet Joona toch vertellen dat Carlos politieduikers dagenlang onder het ijs naar zijn lijk heeft laten zoeken, zonder resultaat.

De deur van de ziekenhuiskamer op de achtste verdieping staat half open. Saga stopt in de gang als ze een vrouw hoort zeggen dat ze een voorverwarmde deken zal halen. Het volgende moment komt er een glimlachende verpleegkundige de kamer uit die zich nog eens omdraait.

'Je hebt heel bijzondere ogen, Joona,' zegt ze en loopt dan weg.

Saga blijft roerloos staan en sluit even haar brandende oogleden voor ze verdergaat.

Ze klopt op de open deur, loopt de kamer in en blijft staan in het zonlicht dat door het vuile raam naar binnen schijnt.

Saga staart naar het lege bed en loopt erheen. Het infuus hangt bloederig aan de standaard. De slang slingert door de lucht. Een gebroken polshorloge ligt op de grond, maar de kamer is leeg.

Na vijf dagen liet de politie een opsporingsbevel uitgaan, maar Joona Linna was verdwenen en zes maanden later werd de zoektocht gestaakt. De enige die doorging was Saga Bauer, want zij wist dat hij niet dood was.